ユージニア

恩田 陸

ユージニア、私のユージニア。
私はあなたと巡りあうために、
ずっと一人で旅を続けてきた。
遠い夜明けに震えた日々も、
今日で終わりを告げる。
これからは永遠に、私たちは一緒。
私の唇に浮かぶ歌も、
朝の森で私の靴が踏み潰《つぶ》す虫たちも、
絶え間なく血を送り出す私の小さな心臓も、
全てをあなたに捧《ささ》げよう。

プロローグ

——何か思い出せることはあるかしら。

「古くて薄暗い、青い部屋の前にいました」

——その部屋は、どこの部屋なの。誰かのおうち？

「分かりません」

——なぜその部屋にいたのかは分かる？

「いいえ。ただ、隣に大人がいて、手を引いてもらっていました。きっと、その人に連れられてその部屋に行ったんだと思います」

——その大人は誰？

「分かりません」

——どんな部屋だったか教えてちょうだい。青い部屋って、どこが青いの？

「壁が、青く塗られていました。濃い、くっきりとした、冷たい青です。そこは和室で、こぢんまりとした部屋でした。二方が廊下に面していて、ちょっと変わった造りの部屋だったと思います。ところどころ、赤紫色に塗られた部分もありました。こんな部屋が自分の部屋で、こんな壁に囲まれてご飯を食べるのは嫌だなあ、と思ったことを覚えています」

——それで、その部屋に入ったの？

「いいえ。じっとその部屋の中を見ていただけだと思います。少なくとも、入ったところは記憶にありません」

——そのあとは？

「覚えていません」

——他には、何かあるかな。何でもいいの、どんなつまらないことでも。

「さるすべりが」

——さるすべりの木のことね？　木の幹がつるつるしていて。

「いいえ。花です。白いさるすべりの花が咲いていました」

——白？　赤ではなく？

「はい。真っ白な、さるすべりの花が咲いていたことを覚えています。満開でした」

——ゆっくり思い出してみて。白いさるすべりの花を見ていたあなたは、何を考えたかしら。どんな気持ちで花を見ていたの？

「とてもきれいでした。一点のしみもなく、見事に咲き誇っていました。とてもきれいで、とても怖かった」

——どうして。どうして怖かったの？

「分かりません。でも、私はその白い花を、なんだかとても怖いと思いました」

21世紀を見ることなく逝ったM・Pに捧ぐ。

目次

第一章　海より来たるもの

一

新しい季節は、いつだって雨が連れてくる。

ううん、違う。新しいという言葉はしっくり来ない。

次の季節。次の季節はいつも雨が連れてくる。この街では、そんな気がする。

しかも、決して劇的な変化というのではなくて、気まぐれな雨が降る度に、じわじわと境界線を浸食するように季節が塗り替えられていく。曖昧《あいまい》に、未練がましく、ぐずぐずと季節が動いていく。

雨は、海から降ってくる。

子供の頃は、いつもそう感じていた。

今はこんなにビルが建ってしまったけれど、かつてはちょっと高台に上れば、どこからでも海が見えた。むっとするような熱を含んだ不穏な雨雲は、いつも海から卑屈に忍び寄り、のたりと身体をもたげて街に這《は》い上がってくる。

関東に行って驚いたのは、風が陸から海に吹いていたことね。

向こうでは、海が押し寄せてくるような感じがない。かなり近くに行っても、海の気配がない。陸地が発する熱や臭いが、海に逃げていく。街が海に向かって開いている。水平線は遠いところにあって、額縁の中の絵を見ているみたい。

こちらの海には、ああいう爽《さわ》やかさや開放感はない。この街では、水平線は近い。常に陸にのし上がる機会を窺《うかが》っている。いつも見張られているようで、ちょっと目を離すと海から湿気が押し寄せてくるように感じたものよ。

暑いわねえ。

この、街全体が蒸し器に入っているような、もわっとした熱を伴った暑さ。これが、見た目よりもずっと残酷に体力を奪うのよ。

子供の頃は、夏がつらくてたまらなかった。食欲が全然なくて、何も食べられない。夏休みの後半なんか、ほとんど麦茶とそうめんばかり。当時の夏休みの写真を見ると、夏痩《や》せして、目ばかりぎょろぎょろしているわ。今だって、暫《しばら》くアスファルトの上を歩いていると、ふらふらしてくる。もっとも、今は夏の暑さそのものよりも、屋内の冷房との較差が応《こた》えるけどね。地球温暖化のせいか、年々夏ばかりが長くなっていくと思わない？

ここに来るのは随分久しぶり。

ああ、住んでいたのは小学校の頃の四年間だけよ。小学校二年の春に来て、六年生の春には長野に。

ええ、もちろん、あの時は一年近く東京と行ったり来たりを繰り返したけどね。

ちゃんと傘を持ってきた？　ガイドブックに書いてあったでしょ、傘だけは忘れるなって。今晴れてたって当てにはならないんだから。

この蒸し暑さ。生き物からエネルギーを搾り取る、殺気すら感じる暑さ。空が手を伸ばせば届きそうなほどすぐそこにあって、雲の輪郭ばかりが鈍く光って、はっきりしない空の青さ。こういう時は、午後からにわか雨になる。あっというまに雲が低く空を覆って、びしゃびしゃと街を叩《たた》く。傘をさしてもくるぶしや肩が濡《ぬ》れて、惨めでうんざりした気分になる。

このごろ長靴って見なくなったわね。子供の頃は、雨の日に長靴を履くのは嫌いじゃなかった。わざと水溜《みずたま》りに両足を揃えて飛び込んで飛沫《しぶき》を上げたり、スキップしたりして遊ばなかった？

雪はそんなに降らないわ。ここに来る前、富山のほうにも少し住んでいたんだけど、たいして遠くないのに、向こうは雪ばかり。水を含んで重たい雪。雪玉をぶつけられるととても痛かったし、すぐに家の襖《ふすま》が動かなくなった。ここは、ああいう雪にはならない。でも、人間って不思議。喉元《のどもと》過ぎれば、というけど、この蒸し暑さの中にいるとあの雪の感触が懐かしいし、あんなものが数ヶ月前まで街を覆っていたなんて信じられないわ。暑いわねえ。

二

この街は、ちょっと不思議な造りをしているでしょう。

そう思わなかった？　大抵の街は、駅の周りに繁華街がある。新幹線の新設の駅や、空港へのアクセスのために計画的に後から作った街ならばともかく、古い地方都市はだいたい駅を中心に開けているもの。でも、ここは違うわ。駅前にあるのは数軒のホテルだけで、街の中心部や繁華街は、ちょっと離れたところにある。

地方の県庁所在地を幾つも見たけど、どこも似ていたわ。駅前にロータリーがあってデパートとホテルが囲んでいる。駅前から続くメインロードの商店街、商店街と平行に歓楽街があって、歓楽街とつかず離れずの場所にオフィス街と官庁街がある。そして、駅の反対側は大抵再開発された新興地域で、無機質な新しい建物が整然と並んでいる。

でも、この街を、子供の頃はちっとも空間把握できなかった。それぞれのバス停と周りの雰囲気だけは覚えていたけれど、それがどんなふうに配置されているのか分からなかった。

漫然としている、とでもいうのかな。

他の街では、ここで街はおしまい、という場所がはっきりしているの。この先は住宅地、この先は農作地。その境界線が誰の目にも分かる。

でも、ここは、街の終わりの気配がない。ちょっと歩くとお茶屋街、ちょっと歩くと寺社町、ちょっと歩くと武家屋敷、ちょっと歩くと官庁街、ちょっと歩くと歓楽街。どこまでもゆるゆると小分けにされた集落がある。今、こうしてこの街を歩いていると、シナプスのようだと思う。どこにも中心がなく、小さな共同体がゆるやかに繋《つな》がっている。だから、歩いても歩いても終わりの気配を感じない。ダイヤモンド・ゲームの盤面を移動しているみたい。

古い街を歩くのは好きよ。知らない街、知らない人たちの生活。古い家の牛乳受けや、小さな商店の壁に打ち付けられた琺瑯《ほうろう》引きの看板を見るのは楽しい。古い街を歩けば、古い時間を旅することができる。

この街は、回遊できるから好き。京都くらい整然とした大きな町になってしまうと、コンピューター・ゲームの中の升目を辿《たど》っているような無力感に襲われることがある。繁華街に坂がないせいかもしれない。歩くテンポや、呼吸にめりはりがつけられなくて、逆に疲労を感じる時がある。いろいろな意味で、都の重さを感じる。

ええ、こんなふうな造りなのは、防衛上の都合や歴史の経緯があってでしょうね。

地図を見れば分かるように、二つの川に囲まれた丘が、街の中心部になっている。街を囲む三方は丘陵でもう一方は海。天然の要塞《ようさい》ね。丘の上に城が築かれ、その城下町は細い路地や坂で侵入しにくくしたと言われている。この街は焼けていないから、余計昔の都市計画が今も残っているのよ。

なんだか「焼けていない」というのも懐かしい言葉だわ。子供の頃は、大人たちが、「あそこは焼けたっけ?」とか、「あそこは焼けてないから」という言葉をよく使っていたような気がする。子供の頃は分からなかったけど、要するに、第二次大戦で空襲にあったか、あってないかということでしょ。それくらい頻繁にあちこちで空襲があったっていうのも、よく考えると凄《すご》いことだけど、「焼けた」「焼けてない」が日常会話になってしまうっていうのも恐ろしいことよね。

三

久しぶりだわ。小学校の遠足以来。こういう、超有名観光地って、地元にいる時はなかなか来ないものよ。でも見て、夏の盛りを過ぎた頃の、こんな蒸し暑い昼間なんて、団体客もいないし、人気がないわ。ゆっくり見られてラッキーかもしれない。冬は冬で、雪吊《つ》り作業がニュースの風物詩になるほどだから、結構観光客が多いんだけど。

でも、さすがに日本三大庭園と言われるだけのことはあるわ。この広さ、スケールの大きさ、行き届いた管理、変化に富んだ内容。緑が濃くて、猛々《たけだけ》しい感じすらする。

権力というのは凄《すさ》まじいものね。こんな凄まじいもの、今じゃ誰も造れないでしょう。もちろん素晴らしいわよ。美しいし、文化遺産として誇らしいし、日本人の精神的よりどころとして必要なものだとは思う。でも、しょせんは、庭なのよ。農地とか、学校とか、用水路じゃない。こんなものを造ってしまう権力って、しかもそれを数百年も維持していく執念って、やっぱりどこか、あたしたちの理解を超えているような気がする。

そう、あたしたちは、時々自分のいる世界とは別の次元の、全く理解を超えてしまっている出来事に出くわすことがある。偶然の顔を装ったそれに、ある日突然不意打ちを受ける。そんな出来事に出くわした時、誰もそれがそういう性質のものだとは教えてくれない。

当たり前よね。

理解できないもの、理解を超えたものに出会った時、人はどうすればいいと思う? 拒絶するか、出会わなかったふりをするか、怒るか、恨むか、嘆き悲しむか、呆然《ぼうぜん》とするか。予想される反応はこんなところかな。

あたしの場合、そのあとすぐに長野に引っ越したし、子供だったたし、場所を変えることでリセットすることができたみたい。実際、事件のことはすぐに忘れちゃったしね。

でも、不思議なもので、心のどこかに澱《おり》みたいに沈んでいた。

思い起こしてみると、そんなに特別嫌な感情ではなかったわ。直接の関係者じゃなかったし。だけど、成長して、他にも理不尽なことや理解できないことが起きる度に、身体のどこか深いところを誰かがそっとかき回して、ゆらっと澱の中から何かが浮かび上がるような感じがするの。その時の居心地の悪さが、少しずつ身体の中に溜《た》まっていった。

何がきっかけだったのかはもう覚えていないけれど、ある日、自分の中に溜まったものを何とかしなければならないことに気が付いた。身体の中から掻《か》き出さなければ、息が詰まってその先の生活を続けていけないということに。

だから、あたしは、考えたのよ。どうすればそれを吐き出すことができるのか。

あたしは考えた。理解できないなりに、そのことについてずっと考えた。

そして、そのことについて調べたの。自分のできる範囲で、力の及ぶ限りで。

それが、あたしのとった対処の方法だった。あたしの選択できた唯一の方法だった。

その結果、できあがったのが、『忘れられた祝祭』なの。

四

ここまで来て、やっと車の音が聞こえなくなったわね。

どこに行っても、車、車。どうしてあんなに車が走ってるんだろう。みんなどこに行くんだろう。時々凄く不思議に思うわ。交通量は多いのに、ここはほら、さっき話した通り古い街で道路も狭いでしょう。県庁の前辺りはいつも渋滞がひどい。

立派な杉。松。どれもみな色が濃い。緑というよりも、黒に近い。緑は闇に近い。池の水も、さすがにこんなに蒸し暑くては、重たく澱《よど》んで見えるわね。

ここはこんな高台でしょう。昔は、水を引くのに随分苦労したそうよ。サイフォンの原理を利用して、川の上流から水を引いた用水は有名だけど、あたしはこの池を見る度に、水を引いた職人が、その技術と秘密を守るために殺されたという伝説を思い出す。本当かどうかは知らないけど、いかにもありそうな話というところがミソね。

恐怖は信憑《しんぴょう》性を高めるスパイス。適度に振り掛ければ話をもっともらしく見せることができる。

こんなことを思い出す。

あの事件の当時、クラスの女の子の間で奇妙なことが流行《はや》ったわ。なんだと思う？

押し花よ。ツユクサを押し花にするのが流行ったの。

あの日、手紙を押さえるために使われたのは、コップに生けたツユクサだった。現場に残されていたツユクサが、少女たちの護符になったの。ツユクサを押し花にして、しおりにして持っていれば、殺人鬼に狙われないという奇妙な噂が流れた。だから、みんながツユクサを探して、押し花に。全く何の根拠もないのにね。いろいろ変な噂が流れたわ。押し花にするのには、電話帳を使わなきゃならないとか、誰かの布団の下に新聞紙を入れて、押し花にして、そのことに気付かれなければいいとか、ツユクサのしおりを挟むのは理科の教科書じゃなきゃ駄目だとか。当時、仲の良かった女の子が真顔であたしにしおりを作ってきてくれたわ。これを持っていれば大丈夫よって。

ええ、彼女たちは楽しんでいた。彼女たちだけじゃない、大人だって。

もちろんみんな震え上がったわ。あんな恐ろしいことが、自分の住む街で起きたんだものね。大騒ぎだったし、誰もが疑心暗鬼に。恐怖心が飛び火して、異様な緊張状態になった。だけど、言い換えれば、熱に浮かされたような、興奮状態でもあったのよ。普段の生活にはない、ハイテンションな日々が続いていた。当時の肌に感じた空気を思い出すと、みんなで大きなイベントに参加していたという印象なのよ。

だから「祝祭」という言葉は、あたしの正直な感想。

もちろん、『忘れられた祝祭』というタイトルが顰蹙《ひんしゅく》を買ったのは知ってるわ。でも、あれは事実や取材に基づいてはいるけれど、しょせんはあたしのフィクションなの。あたしはあれを、一種のお祭りだと感じた。

ノンフィクション？　あたしはその言葉が嫌い。事実に即したつもりでいても、人間が書くからにはノンフィクションなんてものは存在しない。ただ、目に見えるフィクションがあるだけよ。目に見えるものだって嘘をつく。聞こえるものも、手に触れるものも。存在する虚構と存在しない虚構、その程度の差だと思う。

暑いわねえ。

汗が目に染みるわ。シャツが塩を吹いたようになるのがみっともなくって。

この一画は桜のエリアなんだけど、もちろん今の季節じゃ分からないわね。

桜の木って不思議ね。他の木だったら、一年中その木だと分かるじゃない？　銀杏《いちょう》だって、椿だって、楓《かえで》や柳だって。なのに、桜の木だけは、普段はその存在を忘れられている。桜が咲いていない時はただの名もない木。でも、花の季節だけはそこに桜があったということをみんなが思い出す。日常では忘れられている。そんな気がする。

この庭、ちゃんと区画ごとにテーマがあるのよ。かつては、これがディズニーランドみたいなテーマパークだったってわけ。

これだけ広い庭だから、変わったものを集めようと思った人もいたらしいわ。木や石など、珍しい形のものを一画に集めたという話よ。そのエリアに行くと、「奇」という文字を連想する。

そう、奇術の「奇」、幻想と怪奇の「奇」、よ。

あたしの個人的な意見だけど、「奇」というのは日本文化には結構重要な隠し味だと思うの。いびつなもの、気味悪いものを一歩引いて愛《め》でる。ああ嫌だ気持ち悪いと目を逸《そ》らさずに、冷徹に観察して、美の一つとして鑑賞する、面白がる。これは興味深い心理だと思う。「奇」という文字には、あやしいもの、めずらしいもの、という意味があるんだけど、あたしはこの字にグロテスクなユーモアを感じるわ。自虐的な諧謔《かいぎゃく》、ひどく醒《さ》めた、突き放した視線みたいなものを。

あたしはあの本を、そういう「奇」の視線を通したものにしたかった。成功したかどうかは今でも分からないけど。

ええ、もう本を書く気はないわ。世間では一発屋なんて言われたけれど、最初からあの本一冊で終わることは決めていたから。当時は思いがけない嵐が来たみたいだった。でも、じっと頭を低くして沈黙していれば、みんなたちまちそんな本があったことも忘れてしまう。今みたいにインターネットが普及して個人情報を手に入れるのが簡単な時代ではなかったし、マスコミももう少しのんびりしていた。やり過ごす手段はいろいろあった。

あたしはあの本を書いたことで満足している。真相なんて、誰にも分からない。あたしが書いたことが真相だなんて、考えたこともない。

五

今？　特に何もしていないわ。主婦で、子育て中。女の子が一人。今年、小学校に上がったわ。そろそろ働きに出たいんだけど、このご時世で、何の技術もないあたしには勤め先が見つかりそうもない。うちの亭主は、全く本なんて読まない人。活字を追うのは新聞くらい。本が出て暫《しばら》くして、もうほとぼりが冷めた頃に知り合ったから、あたしがあんなものを書いたことすら知らないわ。それでいいの。あたしの本棚にあの本があることだって気付いていないと思う。

見て、ここが丘の上だというのがよく分かるでしょう。もともとこの庭はお城の一部だったんだから。あっちが卯辰《うたつ》山で、あの麓《ふもと》が茶屋街。

人生の目標ねえ。子供の成長かしら。

特にそんな大それたことは望まない。家族三人、つつがなく暮らしていければ文句は言わないわ。平穏が一番。今、そんなことも難しくなっているとしみじみ感じるわ。つましく普通に暮らしていたって、犯罪に巻き込まれてしまうこともあるし、食べ物の添加物で病気になることもある。社会のしくみやビジネスの内容があっというまに変わって、これまで通りでいいと思っていても大きな波に呑《の》み込まれてしまう。自分はそんな波には無縁だと思っていた人が、波にさらわれた後なんて、本当に無残なものよ。何もかも波にさらわれて、全身痛みだらけで、手には何も残らない。

あたしは波にさらわれたわけではなかった。足元を波が洗っただけ。それだけなのに、『忘れられた祝祭』を書くまで、どこか夜の底で白く波が泡立って、しつこく騒いでいた。

本が出た後、手紙を沢山貰《もら》ったわ。

もちろん、非難の手紙、脅迫まがいの手紙もあった。でも、大部分は波にさらわれてしまったことに対する諦観《ていかん》や共感の手紙だった。波にさらわれてしまったことをどう考えればいいのか分からないという戸惑いと疑問が、行間から溢《あふ》れていた。あの手紙を読んで、あたしはますます、これ一冊で自分の仕事は終わったという確信を得た。

いいえ、違う。終わるどころか、あの手紙に込められた重さを背負っていくだけでも、あたしの一生は足りないだろうとね。

六

それが有名な石灯籠《いしどうろう》。琴柱《ことじ》の形をしているの。字はもっと難しいのを当てるんだけど。ここが絵葉書や旅行のパンフレットでよく見るスポットよ。

冬になると、辺りの松はどれも雪吊《つ》りをするから、空に放射線が走って幾何学的な美しさになる。

この辺りは見事な松や奇木がいっぱい。壮観だわ。

テーマパークというよりも、双六《すごろく》のようね。振り出しは真弓坂《まゆみざか》。桜の園があって、曲がりくねった川があって、橋があって。上がりはどこかしら。

あなたも物好きね。何が知りたいの。

あたしが調べたことはあの本に全部書いてあるわ。文字通り「忘れられた」あの本に興味を持つなんて、正直言って暇人だと思う。自分で書いておいてなんだけど。

一応、終わっている事件よ。容疑者死亡のまま送検、という奴ね。依然として分からないことも多いけど、既に過去の事件。捜査だってとっくに打ち切られている。

調べたといっても、あたしは関係者にひたすら話を聞いただけ。それしか方法を思いつけなかったし、それくらいしかできそうになかったし。

今にして思えば、無謀で無神経で無鉄砲だった。

馬鹿で時間のある大学生だからできたことね。みんながまだあたしと兄たちのことを覚えていてくれたし、あたしが切実でたどたどしかったところも逆によかったんでしょう。

事件から十年くらい経っていたから、あの人たちも少し事件に距離を置くことができたのかもしれない。ようやく懐かしがる程度の余裕ができていたのかも。

事件当時は、マスコミや興味本位の人たちに相当嫌な思いをしたという話をあちこちで聞いたわ。でも、あの時は放っておいてほしいと突っぱねたけど、後で暫くして、やっと何があったのか振り返って考えることができた。日が経つにつれて、逆に話しておきたい、自分の意見を言っておきたいと思うようになったと打ち明けた人もいた。事件はたちまち風化していくし、忘れたかったけど、忘れていくのが怖かったという人もいた。

要するに、あたしの訪ねたタイミングがよかった、あの本を書けたのはそれに尽きるわね。

あの時、あたしはツイていたのよ。巡り合わせというものがあるならば、あの大学四年の夏がそうだった。

ええ、最初は卒論代わりだったの。マーケティングをやっていたので、聞き取り調査やアンケートの取り方によってどのくらい情報収集できて、どのくらい内容が違ってくるのかを調べようという単純な思いつきだったの。

なぜ、子供の頃のあの事件を調べようなんて考えたのか。今ではそのきっかけすら覚えていない。およそマーケティングとは関係ないのに。

でも、調べようと決心してからは一度も迷わなかった。友人に手伝ってもらって、関係者に手紙を書いて、電話を掛けて、五月から九月にかけて、月に一度ずつ四回、関係者を訪ねたの。毎回会ってくれた人もいるし、一度しか会えなかった人もいる。

間を置いて定期的に会うというのは、意外に効果があった。あたしが目の前にいると、本人はそんなつもりがなくても緊張しているから、言葉が出てこないこともある。だけど、目の前からいなくなると「そういえば」ということが多いらしい。回を重ねると記憶が蘇《よみがえ》ってくることもある。面と向かっているとほとんど話をしないのに、帰ると必ず手紙に書いて送ってくれた人もいた。

あの夏は特別な夏。

あの事件があった夏と、あたしが関係者の話を聞きにこの街に通っていた夏は、あたしの中では対になっているの。

どちらも、白い夏だった。白い日々。きっと、あたしにとっては、どちらも熱に浮かされた、異常な状態だったからでしょうね。

話を聞き終えた時には、あたしの中はみんなの言葉でいっぱいになっていた。もう、卒論のことなんて頭になかった。とにかく、とりつかれたようにあれを書いたのよ。あれが小説なのか、何なのかなんて気にしなかった。

むしろ、困ったのは出来上がってからね。卒論とは似ても似つかぬ、変なものを書いてしまった。しかも、ひと夏かけて、多大な労力を掛けて。その頃になってハタと自分の置かれた状況に気付いて青くなった。もう、新たに卒論を書く時間も気力もない。

でも、いつのまにかあたしが変なものを血相変えて書いていたことがゼミの仲間にも知れ渡っていて、教授のほうからそれを読ませるよう言ってくれ、卒論にするように勧めてくれ、ひょんなことから教授のかつての教え子で出版社に勤めている人が読むことになった。それで、とんとん拍子に本になった。

今考えても夢のよう。そんなことがなければ、今こうしてあなたとあたしがここにいることもなかったわけでしょう。やはり巡り合わせだわ。

七

事件が起きた頃、印象に残っているのは、周りの大人がしきりと「帝銀事件みたいだ」

と言っていたこと。

子供の頃は、それが何なのかよく分からなかった。ようやく意味が分かったのは、高校生になって、日本史の勉強をした時ね。もっとも、高校の日本史の授業といえば、第二次大戦まで辿《たど》り着くのが精一杯で、戦後史は盲点なのよね。あたしは割と戦後史の方が好きだったから、個人的にいろいろ本を読んだわ。

似てるといっても、たいした共通点じゃない。

ある日見知らぬ男が訪ねてきて、大勢に毒を飲ませた、その一点だけ。

帝銀事件のほうは、戦後まもなくで進駐軍がいた時代だから、事件の二十年以上も前だわ。

銀行の一支店に医学博士の名刺を持った男がやってきて、赤痢が発生したので薬を飲むようにと進駐軍に命令された、と説明し、持参した薬を行員に配って一斉に飲ませた。赤痢というところに時代が出てるわね。薬は実は猛毒で、みんなが苦しんでいる間に、男は銀行の金を持って逃走。薬を飲んだ十六人中十二人が死亡した。

いっぺんにたくさんの人が毒殺されたというところが、年寄りには同じに見えたんでしょうね。子供の頃は、まだ周囲の大人たちは戦後と地続きだった。

あの事件も、やり口は似ている。あの日は、当主の還暦祝いと、おばあさまの米寿の祝いが重なっていた。あの家は、三世代が同じ誕生日だというので近所でも有名だった。だから、おめでたいからといってお酒を差し入れてきた人がいても、誰も疑わなかった。当主の遠方の友人の名前を出されたというし、子供にはジュースをちゃんと用意してきたから、細やかな気遣いをする人だと感激こそすれ、まさかその全部に毒が入っているなんて夢にも思わなかったでしょう。みんなに配って、乾杯を。

結果はむごいものだった。たまたま来ていた出入りの業者さんも、居合わせてご相伴した近所の人も犠牲に。合わせて十七人も亡くなった。中には子供が六人いた。あの家には三人の子供がいて、近所から遊びに行っていた子も犠牲になった。

うちの兄もあやうく犠牲になるところだったの。落ち着きがなくてじっとしていられなかった人だったのが、あの時は幸いしたのね。兄は、自分のぶんのジュースを注いでもらっていたんだけど、お祝いムードに興奮して、上の兄とあたしにも飲ませようと、あたしたちを呼びに来たの。

三人で戻った時には、家の中は苦しむ人たちで阿鼻叫喚《あびきようかん》だったわ。あたしたちは最初、みんなが苦しんでいるのが分からなかったの。何かお祝いの踊りでも踊っているのかと思って、きょとんとしていたわ。みんなが吐き出したものの、酸っぱい、嫌な臭いが玄関の外にまで立ち込めていた。

あたしも兄も、暫《しばら》くあの臭いが鼻から消えなかった。ジュースを見ると、反射的に異臭がすると言って、兄は長い間ジュースが飲めなかったわ。

上の兄が最初に異常に気付いて、真っ先に交番に走っていった。あたしともう一人の兄は、怖くなって家に駆け戻って、母親に訴えた。

たちまち大騒ぎに。

救急車とパトカーで、狭い路地がいっぱいになって、野次馬も凄《すご》かった。それこそ、お祭りの雑踏みたいだった。家の中で母親にしがみついていた時、街全体が潮騒《しおさい》の中にいるようにざわざわしていて、家が船みたいだと思った。雑踏の中に浮かんで、どこかに押し流されてしまいそうな錯覚に陥った。

異常な状態に陥った時って、空気の色が変わるのね。

空気が上と下に分離しているような感じ。床のほうは、濁って重い空気が溜《た》まっているの。でも、天井のほうは、ぴしっと硬く澄んでいて、きらきら光っているように見える。足元のほうは何かが澱《よど》んでいる感じなのに、上は高いところから誰かが空気を上へ上へと吸い上げているような気がするのよ。うーん、うまく説明できないわ。

夏の終わり、今日みたいな日だった。蒸し暑くて、風がなくて。

でも、あの夏はそれからが長かったのよ。あの日のせいで、あたしたちも、街の人も、なかなか夏を終わらせてもらえなかった。

八

あ、気をつけて。よく見て、そこに碁盤の目みたいにテグスが張ってあるでしょう。苔《こけ》を守るためよ。下は芝生じゃないわ、見事な苔。きっと、鳥よけにもなってるのね。

大きな鳥は、苔の上に降りることができないように。

その大きな木造の建物は成巽閣《せいそんかく》。重要文化財よ。何代目かの藩主が、自分の母親の隠居所として建てたもの。面白いから、中に入ってみましょうか。

日本家屋って、本当に暗いわね。子供の頃の家の中って、暗かった。おばあちゃんの家に昼間行くと、真っ暗で面食らったのを覚えてる。お線香や湿布薬や、煮炊きしたものの匂いが混じりあって、饐《す》えたような甘ったるい匂いがして、理由もなく憂鬱《ゆううつ》になった。

ひんやりして涼しいわね。急に汗が引いたわ。ほっとする。その代わり、冬は寒いわよ。足元からみしみし冷えてくる。昔の人はさぞかし寒かったでしょうね。

あの事件の捜査には、百名以上が県警から投入されたそうよ。市民はパニックに陥りかけていたから当然ね。近所の人たちは繰り返し事情聴取をされて、しまいにはほとほと疲れ切っていた。うちの母親も一時期かなり神経質になっていた。買い食いは絶対許してくれなかったし、冷たいものも飲ませてくれなかった。家で沸かしたお茶だけ。子供がいたうちは、どこも似たようなものじゃなかったかしら。

当時、あたしは小学校五年生。兄たちは年子で、上が中学三年、下が中学二年だった。あたしたちも繰り返し呼ばれたわ。刑事さんや、婦人警官が来て、何度も同じ話をさせられた。特に、その場にいた二番目の兄はしつこく何度も話を聞かれたわね。人懐こい兄も、さすがに憔悴《しょうすい》していた。でも、警察の気持ちも分かるわ。現場にいた人のほとんどが亡くなってしまって、助かった人も暫くの間面会謝絶状態だったから。

何かが盗《と》られたわけではないから、最初から怨根《えんこん》の線で捜査は行われていた。でも、あの家は代々お医者で、皆真面目な人たちで、尊敬されこそすれ恨んでいる人は全く見当たらなかった。すぐに捜査は行き詰まった。

行き詰まってからが嫌な雰囲気だったわね。

あれだけ大規模な人員をつぎ込み、みんなが辟易《へきえき》するほど聞き込みをしても効果が上がらず、犯人像はいっこうに浮かんでこない。警察も、街の人も、ストレスが溜まっていた。みんながいらいらしていたわ。実際に、大量殺人を犯した人間がいるのに顔は見えない。だけど、近くにいることは分かっている。

むろん、犯人はいたわ。

黒い野球帽をかぶって、黄色い雨合羽《あまがっぱ》を着た男。

一躍有名になった犯人だけど、ちゃんと顔を見ていた人は誰もいなかった。近所の人の証言を手掛かりにモンタージュ写真が作られたけど、あまり役に立たなかった。

男はオートバイに、酒の入ったケースを積んできた。

出入りの酒屋ではなかったけれど、頼まれて配達に来たという雰囲気だったらしい。さっき言ったように、当主の医学部時代の親友で、山形で医院をやっている人の名前を出してきたので、当主も納得した。

そう、あの時は雨が降っていた。低気圧が近付いていて、半ば吹き降り状態だった。だから、男が重装備で顔を見えにくくしていても、誰も疑わなかった。

黄色い雨合羽は、翌日川の下流で見つかった。男は、酒を届けた直後に脱ぎ捨てたのね。犯人の遺留品は、あの奇妙な手紙を除けば、それだけだった。

九

宙ぶらりんの白い夏。残暑の街を歩き回っていた刑事たち。

捜査が長引けば長引くほど、人々の憂鬱も疲労も募っていった。

一日にして一族の中心メンバーのほとんどを失った青澤《あおさわ》家は、その中でゆっくりと朽ち果てていくように見えた。

あたしは何度もそっとあの家の前に行ったけど、いつもひっそり静まり返っていた。福井と大阪にいた親戚《しんせき》の人が後始末に来ていたけれど、人の気配はほとんど感じなかった。

事件の後、あの家はすっかり幽霊屋敷扱いをされるようになって、みんな近寄らなかったしね。

でも、もちろん無人になったわけじゃなかった。

彼女が残って住んでいたわけだし。彼女の世話をする人もね。

窓辺に彼女の姿を見かけたことは何度かあった。だけど、彼女があたしのことに気が付くはずもない。いつもそっと引き返した。

あの家の玄関の前に、大きな百日紅《さるすべり》の木があってね。夏になると、いつも見事な白い花を咲かせるの。百日紅といえば、ちり紙で作った運動会の花みたいに赤いのを思い浮かべるけど、あの家の百日紅は真っ白だった。

あの家の前に行って、あの百日紅を眺めていたことを思い出す。

だから余計に白い夏という印象があるのかもしれない。

十

事件が急展開をしたのは、十月も終わりの頃だったかしら。

きっかけは、ある一人の男が自殺をしたことだった。

借りていたアパートで首を吊《つ》ったの。

発見したのは、大家だったけど、彼は遺書を見て警察に届け出た。

遺書には、青澤家の毒殺事件の犯人は自分だと書かれていた。彼は長年原因不明の頭痛に悩まされていて、不眠と妄想に苦しめられていた。精神科への通院歴もあった。彼は、青澤一家を殺さなければならないというお告げを受けて、彼らに毒を届けたと告白していた。

もっとも、最初は警察も本気にしなかった。似たようなことを言い出した人間は、それまでにも何人かいたのね。けれど、押入れの中から、混入されたのと同じ農薬の残りと、黒い野球帽、オートバイの鍵《かぎ》が出てきたことで様相は一変した。

何よりも決定的だったのは、現場に置かれていた手紙とコップから検出された指紋と、彼の指紋が一致したことだった。俄然《がぜん》警察とマスコミは色めきたった。犯人発見、と世間は騒ぎ立てたわ。だけど、犯人はもう死亡していたから、たいして騒ぎは続かなかったけどね。

長い停滞の後の、あっけない幕切れ。

みんなホッとするのと、気抜けするのと、複雑な気分だった。

その一方で、誰もがひどいやりきれなさや虚無感を覚えたわ。

近所や知人の中に犯人がいなかったことを喜ぶ気持ち、青澤家はやはり恨まれるような人たちではなかったという安堵《あんど》。けれど、じゃあなぜあんなに沢山の人が殺されてしまったのか。一人の人間の妄想のために、大勢の無辜《むこ》の人間がいっぺんに命を失ったことの不条理。事件が解決して、かえって落ち込んだという人も多かった。これならば強い動機を持つ犯人がいたほうがよかった、と漏らした人もいた。

事件が終わっても、多くの人が宙ぶらりんで残されたの。

ええ、自殺した男が本当に犯人なのかどうか疑う声は多かったわ。

一番問題とされたのは、彼がどこで青澤家と接点を持ったかという点。彼の住居は青澤家の近所ではなかったし、青澤家の人間と知り合ったきっかけはとうとう分からなかった。でも、大きな医院だったし、間接的に知り合いがいたか、広告か何かで見かけていた可能性はなくはないということで片付けられた。

山形の友人の名前をどこで知ったのかも分からなかった。名前を出された友人は事件と無関係だと判明したけれど、彼との接点はなかった。これも未解決の謎。

彼が酒を青澤家に届けたのは事実だろう、という点では衆目が一致していた。でも、実際に酒に毒を入れたのは別の人物ではないかと言われていた。

彼は長年の通院生活から、自分に自信がなく、くよくよしがちで、暗示を受けやすい状態だったことは、周囲の人の証言からも分かっている。誰かにそそのかされて、自分が犯人だと思い込まされたのではないか、農薬や野球帽も誰かが彼の部屋に持ち込んだのではないかと言う声もあった。

だけど、それは憶測だけで、証明はされなかった。結局、犯人は自殺した男だということになった。

十一

立派な建物でしょう。この手の日本家屋にしては天井も高いし、階段も広いわ。

庭も素晴らしい。

この広い縁側の軒は、てこの原理で支えられているの。こんな涼しい縁側で昼寝してみたいわね。

あたし？　あたしには、真相は分からないわ。自殺した男が犯人なのかどうかも分からない。なんらかの形で事件に関わったのは事実だろうとは思うけど。『忘れられた祝祭』だって、結論らしきものは出していないでしょ。放り出したままの突き放した結末、という言い方をされたけど。あたしには結論は出せなかった。出るとも思えなかった。

ああいう、あたしたちの理解を超えた事件というのは、誤解を恐れずに言うと、ほとんど事故に近いものなんじゃないかしら。

何かの拍子に、雪玉が坂を転がり落ち始めて、どんどん雪だるまみたいに加速していく。それはみるみるうちに大きくなって、麓《ふもと》で作業をしていた人たちをあっというまになぎ倒す。もちろん、雪玉の中心には、人為的なたくらみもあるし、押し殺していた感情もあるでしょう。けれど、何かのきっかけと偶然の連続が嚙《か》みあわさって、人為的なものを凌駕《りょうが》して恐ろしいことが起きてしまうということがあると思うの。人間のちっぽけな思惑など嘲笑《あざわら》うかのように、大きな災厄で返される。

あの事件もそういうものだったような気がして。

十二

この部屋を見て。小さな部屋なのに、随分と凝っているわ。

群青《ぐんじょう》の間。壁が真っ青に塗られているでしょ。ラピス・ラズリ。古代エジプトでも使われていた色よ。鉱石を削って作る色。とても貴重なものだったそうよ。

吉田健一《よしだけんいち》が、この街を書いた時に、この部屋のことにも触れている。二階に上がって、廊下を歩いて幾つかの座敷を通り過ぎて、この角の部屋に来た時、外から光が射《さ》して壁の青を明るく引き立てて見せるという趣向なのかもしれないって。

そこまで計算されていたかどうかは知らないけど、この街の古い家はたいがい壁が深い赤に塗られているから、やはり一種異様な感じがするわね。

あの壁まで日が当たるようになるのは、冬だわね。珍しくはあるけど、なんだか落ち着かない部屋だわ。

彼女——緋紗《ひさ》ちゃんが、事情聴取を受けた時、最初は随分混乱していて、いきなりこの部屋のことを話し始めたそうよ。婦人警官が話し掛けても、子供の頃に見たものの話ししかしなかったって。

それはそうでしょう。周りでは家族の断末魔の声が重なり合っていたし、彼女に何が起きているのか説明してくれる人はいなかった。

みんなが死んでいく中で、彼女は一人耳を澄ませていたんだから。

あの家に住んでいた人間で、生き残ったのは彼女一人。どんなに恐ろしい状況だったか。

青澤緋紗子。当時、彼女は中学一年だった。

とても綺麗《きれい》な子だったわ。ずっと長い髪にしていたんだけど、中学に入ってからはおかっぱ頭にしていた。それがまた日本人形みたいに似合っていて。真っ黒な髪と、色白のきめの細かい肌がハッとするようなコントラストを見せていた。

頭もいいし、性格も穏やかでね。近所の子供たちはみんな憧《あこが》れていたの。うちの兄たちも、彼女に憧れていた。

だけど、彼女は自家《じか》中毒症でね。よく青い顔をして横になっていたわ。学校もよく休んでいた。でも、成績がよかったから先生も大目に見ていたみたい。

自家中毒症。自律神経が不安定な子供に多いのよね。体内に、妊娠中毒症みたいに有害物質を作り出してしまうんだそうよ。あの日も彼女は彼女の指定席の肘掛《ひじかけ》椅子に座って、ぐったりしていたという。いったい何が運命を分けるか分からないものね。いつも苦しめられていたその自家中毒症のせいで、彼女は何も口にしなかったから助かった。

こういってはなんだけど、そのことも彼女らしかったのよ。本人はとても苦しいだろうけど、病弱というのが彼女の雰囲気に合っていて、ますます彼女に特別な雰囲気を与えていたわ。立派なお屋敷に住むお嬢様。彼女にはそれがぴったりだった。

本当に、本当に下世話で無神経な感想だけど、惨劇の後ですら彼女にはそれが似つかわしかった。悲劇の生き残り。それが彼女の役に似合っていた。誰も口にしなかったけど、近所の子供たちは、心の中では同じことを考えていたと思う。憧れの彼女は、悲劇のヒロインにふさわしかった。むしろ、あの事件で彼女の存在は、あたしたちにとって永遠になったのかもしれない。

十三

『忘れられた祝祭』を書く時、緋紗ちゃんに会えたのは一度だけだった。

彼女は随分長い間あの家に住んでいたんだけど、あたしが彼女に会ったのは、彼女が家の整理をしている時だった。

彼女、結婚が決まっていたの。大学院で知り合ったドイツ人と結婚して、彼の転任先のアメリカに一緒に行くことにしていた。アメリカに行くのは、彼女の目をもう一度アメリカの病院で診てもらいたいというご主人の意向もあったようだったわ。

彼女はあたしに会えたことを喜んで、丸一日つきあって話してくれた。

彼女との一日が、『忘れられた祝祭』の核になった。

緋紗ちゃんの記憶力は抜群だった。手に触れたもの、聞いたものは決して忘れなかった。彼女の記憶は、事件から十年経っても驚くほど鮮明だった。彼女の体験があたしの中に再現できるほどに。

もし、緋紗ちゃんの目が見えていたら、状況は違っていたと思う。彼女が犯人を見ていたら、きっともっと早く解決していたと思う。彼女は誰かが台所を歩く音を聞いた。誰かが、手紙をテーブルに置いて、コップを載せる音を聞いていた。その気になれば、犯人の顔を見ることができたはずだった。

でも、もし、彼女の目が見えていたら。

緋紗ちゃんも、あたしが考えたのと同じことを言っていた。

今日まで耐えられなかったかもしれない。みんなの苦しんで死んでいく姿を見てしまっていたら、そのイメージに押し潰《つぶ》されて、これまでもたなかっただろうって。

彼女は言っていた。犯人を捕まえられたかもしれないという悔しさと、自分は生き延びられなかっただろうという確信とが、常に同じ重さで自分の中にあると。

こんなことも考えたわ。もし、彼女の目が見えていたら、彼女もあの時死んでいたんじゃないか。彼女も毒を飲むか、犯人に殺されていたんじゃないか。

結果は誰にも分からない。

やはり、巡り合わせなのよ。

十四

緋紗ちゃんが視力を失ったのは、小学校に上がる前だった。

詳しいことはよく分からないけれど、ブランコから落ちて、後頭部をぶつけて怪我をして、高熱を出した後で視力を徐々に失ったらしい。

両親は必死になって東京の幾つもの病院で診てもらったけれど、治る見込みはなかった。

でも、緋紗ちゃんはまだ小さかったし、とても頭が良くて勘もよかったから、絶望するよりも先にたちまち慣れて、少しも生活に不自由しなかったそうよ。あなたも彼女と一緒にいれば分かると思うけど、見えてるこっちのほうがよほど不自由に感じられたほど。

彼女は盲学校には行かなかった。両親が普通学級に入れるよういろいろ手を尽くしたこともあるんだろうけど、実際、彼女は学校の中や通学路の細々としたところを完璧《かんぺき》に覚えて、堂々と学校に通っていたわ。算盤ができたから、指を動かして計算できたし、これで目が見えていたらどんなに凄《すご》かっただろうとみんなが言っていた。

不思議な人だった。

あたしね、本当は、この人、目が見えてるんじゃないかと思ったことが何度かあった。一緒に部屋にいると、こちらの表情の変化や、周りで起きていることをすぐに言い当ててしまうんだもの。見えないのに、何もかも見抜かれているような気がした。

周りの大人たちもよくそんなことを噂していた。

彼女は時々不思議なことを言った。

目が見えなくなってから、見えるようになったの。

彼女はしばしばそう言ったわ。

手でも、耳でも、おでこでも、なんだか見えるような気がするの。

彼女は何気なくそう言ったわ。

それを聞いて、なんとなくぞっとしたことを覚えている。

だから、事件の後で、あたしが何度もあの家を訪ねていこうとしたのは、彼女にそっと聞いてみたかったから。

本当は、彼女は、あの時、何が起きていたか全部見えていたんじゃないか。

犯人も分かっていたんじゃないかって。

十五

緋紗ちゃんが、今どこにいるのか知らないわ。まだ外国にいると思う。『忘れられた祝祭』を出した時に何度か手紙をやり取りしたけれど、それ以来は音信不通に。聡明《そうめい》な彼女のことだから、どこでもきちんとやっていけていると思うわ。もしかして、視力を取り戻しているのかもしれない。彼女の目が見えるようになっているところを想像するのは楽しい。だから、彼女がどうしているか調べる気はない。

外はやっぱり蒸し暑いわね。もう閉園時間も近いというのに、ちっとも暑さが弱まらないわ。もうハンカチがぐしょぐしょ。

手紙？　ああ、あの手紙の件ね。

結局、あれは謎のまま。誰が何のために、誰に向けてあの手紙を置いていったのか。あの手紙がどういう意味なのか、ユージニアというのは誰のことなのか。

そもそも、あの手紙を彼が書いたのかどうかも不明なのよね。筆跡鑑定をしたけれど、当時彼は利き手を痛めていたので、彼の字かどうかは判定できなかったとか。彼があの手紙に触れたことは確かだけど、彼が持ってきたのか、彼が酒を運び込んだ時にたまたま触れただけなのかどうかは分からない。

だけど、結局あの手紙も、彼の意味不明な妄想を裏付ける証拠として扱われたようよ。

ユージニア。

そうそうある名前じゃないから、何かからの引用ではないかと随分調べたそうだけど、
何も特定の人物を名指しする手掛かりは見つからなかった。

あの手紙は、届いたのかしら、届かなかったのかしら。

永遠に謎ね。

十六

いきなり降ってきたわ。真っ暗になって雲が押し寄せてきたと思ったらこれだもの。

どこかに避難しましょう。

大粒の雨。長続きはしないと思うけど。

巡り合わせ。この世は巡り合わせだわ。

今日、凄い偶然があったの。

駅に着いたら、どこかで知ってる顔にばったり出くわしたの。お互いに、知ってることにはすぐ気付いたんだけど、やっぱりお互い名前が思い出せなくてね。

よ。

暫《しばら》く立ち止まって互いに牽制《けんせい》しあっていたんだけど、これがまた、同時に思い出したの

伝っていたの。

彼女、あの事件の捜査を手伝っていた婦人警官だった。子供たちや女性の事情聴取を手

懐かしくってね。もう、退職されていたけど。

暫く立ち話をしたら、ふと、青澤緋紗子の事情聴取をした話をしてくれたの。

『忘れられた祝祭』を書く前には聞かなかった話。

さっきちらっと話したわね。青い部屋の話。

彼女は、ショックのせいか、子供の頃、まだ目が見えていた頃の記憶を最初に口にした。

その時に出てきたのが、あの成巽閣《せいそんかく》の群青《ぐんじょう》の間。

そして、もう一つ、白い百日紅《さるすべり》の話をしたというの。

ショックだった——いいえ、あたしがよ。彼女が、事件直後に、群青の間と白い百日紅の

話をしたということがとてもショックだったの。

もしも『忘れられた祝祭』を書く前にこのことを知っていたら、あの本の内容は全く違

っていた。

十七

あなたはいったい何を知りたいの？

あたしの『忘れられた祝祭』を使って、あなたの『忘れられた祝祭』を書きたいわけ？

新たな『忘れられた祝祭』を？

そうね、もしかして書かれたかもしれない、もう一つの祝祭。

でも、それはあたしのもの。あなたのじゃない。もう一つの祝祭は、決して書かれることはない。

真犯人？　いいえ、そういうことではなく。いや、そうなのかな。分からないわ。

要するに、単純な話だったのよ。

十人の人間が一つの家にいて、九人が殺されたら、犯人は誰？

推理小説じゃないわ、簡単よ、当然犯人は残りの一人でしょ。

そういうことよ。

緋紗ちゃんが？

さあ、どうなのかしらね。肯定も否定もしないわ。証拠も根拠もないことだし。ただ、あたしは、残りの一人が犯人だということを、今日ここに来て知ってしまった。それだけのこと。

ああ、暑いわ。大粒の雨は止みそうもない。街の暑さをかき回しているだけ。

なんて蒸し暑いの。

この暑さは、いったいいつまで続くのかしらねえ。

第二章

二つの川と一つの丘

一

久しぶりですねえ、この川べりを歩くのは。

この湿気は、相変わらず凄《すご》いな。

ほんと、今日も蒸しますねえ。この、サウナの中みたいな肌の感触だけは、こうしていると生々しく思い出しますね。

町並みを見た限りでは、当時とちっとも変わっていないような気もするし、その一方で随分変わったという気もするし。正直言って、あまりよく覚えていません。当時は、何も考えてない、ごくごく単純な学生だったしね。

いくつぐらいからでしょうね、旅というものの目的が変わってきたのは。

若い頃は、見たことがないものを見に行くのが旅の目的だったでしょ。新しいもの、凄いもの、珍しいもの。何でも見てやろう、なんて言葉があった。

でも、社会人になって、仕事に追われるようになると、何も見たくなくなる。むしろ、余計なものを見ないことを目的として、旅に出るようになる。日常からの逃避、という奴だね。

それからさらに、もう暫《しばら》く経つと、今度は、自分の見たいものを見るために旅するようになる。自分の見たいものというのは、現実に存在しているものとは限りませんよ。自分の記憶の中にあるもの、かつて見たはずのものを探したくなるんですね。例えば、子供の頃の原風景とか、懐かしいものとか。

今回は、それかもしれないな。仕事でもなしに、この町に来ることになろうとは夢にも思っていなかったから。記憶の中の懐かしいもの探し。

空が低いですね。こういうのを、今にも泣き出しそうな空っていうのかな。

また降り出しそうだ。

二

雑賀満喜子《さいがまきこ》か。懐かしい名前だなあ。

大学の一年先輩でね。サークルが同じだったんです。いえ、大したサークルじゃありませんよ。旅行クラブという名目でしたけど、テニスだスキーだとあちこちみんなで行くのも旅行に含めていた、どこにでもある軟派なサークルでした。ただ、何十人もいる部員の中でも、全体旅行とグループ旅行がありまして。割と目的がマニアックな小旅行をする時に、よく集まるメンバーが五、六人いたんです。文化財を見るとか、昭和初期の建築物を見るとかね。僕はぶらぶら歩きが好きだったんで、よくそのグループに参加してました。

雑賀さんもそのグループで一緒だったんです。

印象ですか。大人っぽい人でしたね。物静かというか。でも、おとなしい、というのではないんです。いつもちょっと離れたところからじいっとみんなを見てるという印象があった。進んで話をしたり座持ちをしたりという人ではなかったので、最初はちょっと近寄りがたかったな。でも、話すと意外に飾り気のない、ざっくばらんな人でした。たまに興奮すると、いつものしらっとした態度が嘘みたいに、機関銃のように喋《しゃべ》りだす。そういうギャップに驚かされたりもしましたね。

彼女、東京にいるんですか？　へえ、女の子が一人。そうですか。ご主人はどちらの？　ああ、じゃあ、学生時代につきあっていた人ではないんですね。

彼女の学生時代の恋人ですか？

会ったことがあるわけじゃありませんが、彼女、当時は、同じ大学の男性とつきあっていたはずです。ゼミも一緒だったんじゃないかな。ええ、大学二年くらいからずっとつきあっていて、卒業してすぐに婚約したと聞いていましたが、あれは噂だけだったのかもしれない。そういうのって、意外と噂だけ独り歩きしますからね。

どうしてあの時、僕を助手に選んだかって？

さあね。僕にも、今でもよく分かりません。

だって、たいした手伝いをしたわけじゃないんですよ。僕でなきゃだめだということはなかったと思います。暇そうに見えたのかも。僕は新潟の出身だから、近いと思ったのかもしれません。実際は、それまでKには行ったことなかったんですけどね。

主にやったのは、機材を運んだり——機材といっても、テープレコーダーや資料を持って歩いただけですよ。当時はもう、録音できるウォークマンが出ていましたから、そんなに大変じゃなかったです——専ら、テープ起こしを手伝いましたね。

　あれは結構大変だった。とにかく一言一句全部起こしてくれと言われたんですが、なかなか聞き取れなくて。特に、年配の人だと、耳が慣れるまで、何を言っているか分からなくて弱りました。北陸といっても、少し場所が違うと、全然言い回しや言葉が違いますから。高齢の人は、ますますその傾向が強まります。

　大変だったけど、作業自体は結構面白かったですね。

　当時だって、もう十年以上も前の事件だったわけでしょう。あれくらい時間が経ってしまうと、なんというかその——寓話《ぐうわ》めいてくるというか。

　すみません、もちろん、ひどい事件だったんですから、そんな言葉は適切じゃないかもしれません。残された方や、近所の人たちは、深刻なショックを受けたわけですし。

　でも、あれくらいの時間が経つと、話すほうも事件と少し距離があって、たぶん何度も話してきたせいか、その人の中で、ある程度消化されているんですね。恐らく、少しずつ、自分の記憶の中で作ってしまっているところもあると思う。つまり、お話として、整理されていたんです。だから、聞いていて面白く感じたんだと思う。

　一つの出来事を、たくさんの人の口から聞くというのは、興味深かった。

　逆に、事実って何だろう、と何度も考えましたよ。

　それぞれの人は皆事実だと思って喋っているけれど、現実に起きた出来事を、見たまま話すのって、難しい。というよりも、不可能ですよ。その人の先入観とか、見間違いとか、記憶違いがあって、同じことを複数の人から聞いたら、どれも必ず少しずつ違う。その人の知識とか、受けてきた教育とか、性格で、見方も異なるわけでしょ。

だから、実際に起きたことを、本当に知るというのは絶対に無理なんだなあと思いました。そうやって考えると、新聞の記事や、教科書に載っている歴史っていうのは本当に大まかな、最大公約数の情報なんだなって。誰かが誰かを殺した、というのは事実かもしれないけれど、その時の状況や、そこに至るまでの経緯なんて、たぶん当事者どうしにも分かっていない。いったい何が真実なのかなんて、それこそ全能の神にしか分からない――まあ、そういう存在があるとして、ですが。

そんなことを考えて、絶望的な気分になったことを思い出します。一応、僕は法学部だったものでね。何を事実だとふまえて人が人を裁くのかしら、なんて生意気なことを考えました。

事件のことは記憶には残っていました。でも、当時は僕も小学生だったから、そういう事件があったなあ、大人が大騒ぎをしていたなあ、という程度のものですけど。

雑賀さんの聞き取り調査についていくことになって、当時の新聞とか探して、一通り経過は頭に入れましたけどね。でも、雑賀さんは、そんなに調べなくていい、あなたには先入観を持たずにいてもらいたいから、って言いました。僕も、そんなに気合を入れてついていったわけじゃなかった。雑賀さんが、交通費と宿泊費を出してくれて、日当も出すというから、アルバイトを兼ねた小旅行だ、くらいにしか思っていませんでした。

雑賀さんは、通信教育の添削のバイトと、お弁当屋さんでバイトをしていて、そのお金を全部あの調査につぎ込んでいました。いったんこうと目的を決めて、何かをする時のあの人は凄かったですよ。調査に必要な予定の金額に見合うよう、バイトの時間を割り振ったと聞いています。

泊まったのは民宿です。もちろん、部屋は別ですよ。Kには何度か行きましたが、駅の近くの、いつも同じ民宿でした。でも、夜は二人でほとんどテープ起こしをしてましたね。宿の人たちは、僕たちのことを、民俗学辺りの研究者の卵だと思っていたようでした。

うん、テープ起こしは大変だった。

聞いてる時はハイハイって回してて、すぐに一時間、二時間経ってしまったりしますが、これを聞き返すのは大変なんです。一日数人に会えば、あっというまにテープは溜《た》まってしまいます。その都度大雑把《おおざっぱ》にでも書き起こしておかないと、後で必要な箇所を探し出すのがこれまた大変なんです。二人で受験勉強でもしてるみたいでした。そうそう、あの時は、いつも東京に受験に行った時のことを思い出したのを覚えています。地方から上京して、試験日程を睨《にら》んで、ぎりぎりまで勉強してるみたいだった。

雑賀さんもいつも真剣でした。無駄口を叩《たた》いた記憶はあまりありません。その日の作業が終わると、缶ビールを開けて、ちょっとだけ話をして寝る。いつもそんな感じでした。

三

ええ、白状しますよ。僕は、当時、彼女に憧《あこが》れていました。はっきりした恋愛感情というのではなかったけれど、この人がどういうことを考えているのか、どんな人なのかもっと近くで知りたい、という程度の。

とりたてて美人というわけではないですが、気になる人でしたね。独特の雰囲気があって、彼女のことを意識している男は他にも何人かいたと思います。

女友達は――ほとんどいなかったと思います。女性から見ると、ちょっと癖のある、煙たい感じのする人だったみたいで。彼女のほうでも、女の子たちを馬鹿にしているようなところがあった。何かを頼んだり、一緒にする時、彼女は必ず男子学生に頼むんです。男の子のほうが話が早いし、はっきりものが言えるから。彼女はそんなふうに言っていましたね。

かといって、いわゆる男好きという感じではないんです。いつも周りに男の子がいて、ちやほやされていなくちゃ嫌だ、というタイプじゃない。

あるいは、よくいるでしょう、子供の頃から、友達が男の子ばかりという活発な女の子。そういう子は、女の子はつまらないしうじうじしている、男のほうがさっぱりしていてつきあいやすい、というようなことを言うんですよね。でも、実際は、そういう女の子のほうが、心根ではずっと他の子よりも女の子っぽかったりする。

彼女はそういうタイプでもありませんでした。もっと、乾いた感じ。だから、周囲の女の子たちも、あの子はいつも男とばかりいる、なんてふうには見ていなかった。むしろ、男性的な人、ちょっと価値観の変わった人、と見られていた。

僕の彼女に対する印象ですか？

誰も信用していない人、ですね。

彼女は、女の子たちの間のこまごましたやりとりや、気の回しあいが面倒だったようです。いつでもみんな一緒、みたいなのを嫌っていました。僕の見た感じでは、彼女は、誰も信用していないんだけれども、そういう人間関係に付随する儀式が少なくて済むという点で、何かする時のパートナーには、とりあえず女性よりは男性を選んでいた、という印象なんです。彼女は何かを頼む時でも、決して甘えっぱなしということはありませんでした。ギブアンドテイク、貸し借りなしなんです。

だから、彼女にとっての僕は、それなりに使えるし一緒にいてもいいとは思ったけれど、それ以上にはならない安全牌《ぱい》だったってことなんでしょうね。

テープ起こしをしながら、僕は、彼女がつきあっている男はどういう奴なんだろう、なぜそいつに手伝いを頼まなかったんだろう、とずっと考えていました。単にスケジュールの都合がつかなかったのかもしれないし、プライベートなことを卒論には持ち込みたくなかったのかもしれない。でも、そもそも彼女のプライベートな表情というのが、全くといっていいほど想像できないんですよ。というよりも、彼女が誰かに気を許しているところが、全然ね。一緒にいた時も、彼女は普段と変わりませんでした。

僕は彼女の手伝いをしていることを誰にも言わなかったし、彼女も言っていなかったと思います。彼女はあまり自分の行動を他人に打ち明ける人ではなかったし、当時四年生で、もうサークルに顔を出していなかったから、僕と同じ時期に東京にいなかったというのが周りにバレなかったんですね。

あの卒論が本になることになって、彼女が協力者として僕の名前を載せたいと言ってきた時にも断りました。なんとなく、彼女の手伝いをしたことを、誰にも知られたくなかったんです。できれば自分だけの甘美な思い出にしていたかった。結局、巻末の謝辞にイニシアルで名前が載りましたが、僕の周りであれが僕だと気付いた人間はいなかったようです。

四

彼女があの事件の関係者で、事件当日現場にいたと知ったのは、聞き取り調査を始めてからでした。そんなことは、それまで全くおくびにも出さなかったので、聞き取り調査の最中に、ものすごく驚きました。それを顔に出さないようにするのに必死でしたよ。

たまたま現場に居合わせたのに、毒の入ったジュースを飲まず助かった近所の子供がいたという記事は読んでいましたが、それが彼女だとは夢にも考えませんでした。僕は、彼女が東京の人だと思っていたので、子供の頃にこっちにいたとは知らなかったんです。確か、彼女の実家も、学生時代には東京にありましたし。

実際、密《ひそ》かに心配していたんです。東京からいきなり学生が訪ねていって、昔の大量殺人事件の話をしてくださいと言って素直に聞かせてもらえるものなのかと。だけど、彼女が話を始めると、みんなが「ああ」とか「まあ」とか、声を上げるんです。そうそうある苗字《みょうじ》じゃなかったし、大体彼女のことを覚えていました。なんだ、知り合いなんだと思って聞いていたら、彼女もその場にいたというじゃありませんか。単なるアルバイトのつもりが、いっぺんに目が醒《さ》めました。急に生々しく迫ってきたというか。ドライに見えた彼女が、子供の頃の事件のことを調べているということを意外にも感じたし、ひょっとして、彼女がそういう性格になったのも、その事件のせいだったのかとも考えました。本人はずっと事件を引きずっていたのかもしれない、と。

この近くなんですよね、確か事件のあった家は。

川沿いの通りにあったはず。

彼女と、一度だけその家に行ったことがあります。ええ、一度だけ。彼女は一人で何度か行っていたと思いますが。

石造りの、いかにも由緒ありげな家でした。かなり老朽化してはいましたね。玄関に、ステンドグラスの入った丸い窓がありました。僕が見た時には、もう世間から忘れ去られている感じがしましたね。正直に言うと、すっかり寂れていましたよ。そんな事件があったという先入観があったにもかかわらず、特に忌まわしい感じはなかったな。

百日紅《さるすべり》の木？　玄関の近くに？

さあ、どうだったかな。覚えていませんね。白い花？　記憶にはありませんね。僕がその家を見たのは八月でしたが、花が咲いていたという覚えはないですね。単に忘れているだけかもしれません。

僕は、ほとんどの聞き取り調査に同行しました。

唯一、同行しなかったのは、あの家だけです。雑賀さんが、青澤緋紗子という人と会っている時だけは、僕は同行しませんでした。ここはいいと言われて。だから、あの家は一度しか見たことがありませんでした。それも、全部の調査を終わって帰る日のことです。いちばん最後に見たのがあの家でした。彼女は、電車の時間に間に合うぎりぎりまで、あの家をじっと見ていました。

五

やあ、川風が吹いている。かなり気まぐれな風ですね。

丘があるから、時々思いがけない方向から風が吹いてくる。

街の中心部を川が流れているところは珍しくありませんが、こんなふうに、二つの川に囲まれた丘陵地が中心部になっているのは珍しいんじゃないですか。防衛上の街づくりが基本になっているんですね。

まだまだここは、まっすぐ歩いていけるんですよ。車の走らない、川沿いの散歩コースはいいですね。世界的な哲学者が何人も生まれているのも、こういう場所があるからかもしれません。京都がそうだっていうじゃないですか。散歩というのは、インスピレーションの源なんですって。

こうやって歩いていると、意外と思い出せるものですね。

いろいろな人の、暗い家の中で、彼女から少し離れたところに座って、テープレコーダーの操作をしていたところを思い出します。

本当に、人というのは不思議なものですね。場所と相手によって、自分の見せ方を変える。誰でも、多かれ少なかれそういうところがある。

聞き取り調査をしている雑賀さんには、内心とても驚きました。

僕がそれまで知っていた彼女とは違っていたからです。

彼女に、あんな才能があるとは。頭がいい人だとは思ってましたが。

手伝いを頼まれた時から、彼女がどんなふうに聞き取りをするのか興味がありましたね。人に働きかけるところはあまり見たことがなかったし、ああいう時に、性格出ますよね。

僕が勝手に想像していたのは、淡々と質問をする彼女か、きっちり理詰めで冷静に質問していく彼女だったんです。

でも、違っていました。

相手によって、全く違うんですよ。

うまく言えないんですが、相手が望むインタビュアーになりきるというか。

一瞬にして、その人に合わせた人格になってしまう。言葉遣いまで変わる。おどおどした素朴な学生になるかと思うと、ずばずばモノを言う、茶目っ気のある、今風の女子大生になる。それが果たして、インタビュアーとしていいことなのかは分かりません。変わらないほうがいいのかもしれない。

でも、それまで、彼女が目の前にいる人間にエネルギーを注いでいるところを見たことがなかったので、他人に対してエネルギーを注ぐとこの人はこんなふうになるんだ、というのが驚きでね。ちょっと気味が悪いくらいでした。

それというのも、そのことを、本人は全く自覚していなかったみたいなんですよ。

僕が、帰り道、どうしてあんなに変われるんですか、と聞いたことがあった。

最初の頃かな。あまりにも相手によって豹変《ひょうへん》するんで、驚嘆した。

彼女はきょとんとしていてね。何が、って言うんです。

からかわれているのかと思って、僕は笑って聞きました。

凄《すご》かったですよ、どういうふうに接したらいいか、いつ判断するんですか。

彼女はますます怪訝《けげん》そうな顔をしてね。なんのこと、と聞き返された。

だって、さっきの人とは全然違うでしょう、話し方も、表情も。まるで女優みたいでしたよ。僕はそう言いました。

彼女は無表情にぼうっと僕を見てるだけ。

自覚していないんだ、とその時に気付いた。

なぜかゾッとしました。同時に、彼女がそんなにもこの聞き取り調査に集中している、ということに驚きました。

どうしてゾッとしたか？　さあね——たぶん——その時、この人は、何か心に決めた目的があったら、手段は選ばない。どんなことをしてでも、必ずその目的をやり遂げるだろう、という気がしたからじゃないかなあ。

彼女がそこまでして、いったい何を知りたかったのかなあ、という違和感も感じました。子供の頃に居合わせた凶悪事件。でも、犯人も挙がって、一応事件は解決している。なのに、何がそこまで彼女を駆り立てているのだろう。僕はひょっとして、何か大変なことを手伝っているんじゃないか、とまで考えました。ま、それは考えすぎだったと思いますけどね。

いや、誤解しないでください。決して彼女のことを非難しているわけじゃないんですよ。今も、憧《あこが》れの気持ちはどこかに残っています。

だけど、不思議な人でしたし、自分には一生この人のことは理解できないだろう、と思ったことが強く印象に残っているんですよ。挫折《ざせつ》感みたいなのがね。

だから、逆に、あの本の内容自体にはそんなに興味は感じていません。世間ではかなり反響がありましたし、彼女を知っている人間の間でも一時期話題になりましたけど。タイトルとか、題材そのものとか、強いバッシングがあったことも覚えていますが、彼女はそんなものにはへこたれる人ではないと思っていたので、心配はしませんでした。

ただ、あの本が出たことで、彼女は何かの目的は果たしたのだ、という直感がありました。

本が出た時点で、彼女の目的は終わっていた。だから、出た後のことには、彼女自身興味を失っていた。そんな気がしたんです。

いつ終わったか？　さあ、そこまでは分かりません。でも、本が出るまでの過程そのものが彼女にとって意味があったんじゃないか、とは思います。

六

青澤緋紗子、ですか。僕は会ったことはありません。

雑賀さんも、彼女の話はほとんどしませんでした。僕に彼女についての情報を教えるつもりはなかったんだと思います。彼女は、雑賀さんにとって特別な存在のようでした。

緋紗子さんというのも、変わった人のようでしたね。

聞き取り調査をしていても、誰もが彼女の名前が出ると、少しぴくっとして、様子が変わるんです。誰にとっても特別な人だったようです。崇拝している人、尊敬している人、恐れている人。それぞれ、特別な感情を抱えていました。事件当時だって、かなり若かったのにね。

え？

はは、またしてもお見通しですか。

敵《かな》わないな。僕ってそんなに嘘がつけない人間ですかね。

ええ、実を言うと、遠くから見たことはあります。内緒ですよ。

いろいろな人から話を聞いているうちに、どうしても一目見てみたくなるじゃないですか。とても綺麗《きれい》な人だったと聞いていましたし。悲劇のヒロイン、伝説のヒロインですし。まあ、若い男としては当然のことだと思います。若い男でなくとも、誰でもそう思うでしょう？

雑賀さんが、僕を彼女に会わせる気はないと分かると、ますます見てみたくなりました。それで、彼女が一人で出掛けた時に、ついていくことにしました。彼女には、何度か一人で行動する時がありました。そういう時は、僕は一人でテープ起こしをしているか、市内をぶらぶら観光していましたね。その時も、僕は一人で観光に出掛けるふりをしました。

家の場所は見当がついていましたし、うまくついていったと思います。

雑賀さんは、スタスタと門から中に入っていきました。

そうしたら、彼女が呼び鈴を押す前に、待っていたようにドアが開いたんです。

そこに、すらっとしたショートカットの女の人が立っていました。ちょっと、年齢不詳で。ま背は高くなかったけど、バランスのよい華奢《きゃしゃ》な女性でした。ちょっと、年齢不詳で。まだそんな歳ではなかったはずですが、そういう印象を受けました。

彼女が目が見えない人だとは、分かりませんでした。だから、その人がそうだと、最初は分からなかったんです。

目が閉じていたならそうと分かったでしょうが、僕が見た彼女は、目は開いていたんですね。一見、目が見える人に見えました。

なぜ彼女がそうだと分かったのかなあ。不思議ですね。

だけど、雑賀さんに向かってにっこり笑った瞬間に、そうと分かったんです。

ああ、この人だって。

それだけです。それが、青澤緋紗子を見た最初で最後の瞬間でした。

感想ですか？　確かに、特別な人だと思いました――

どうしてか？

それはですね。う－ん。さっきから、僕の印象ばかりで気が引けるなあ。雑賀さんにしても、なんだかちょっと気味が悪いという表現をしているのが、自分でも気になってるんですけど。まあ、事実というのはある方向から見た主観に過ぎないということは、承知しといてください。

僕の錯覚かもしれません。

だけど、あのドアが開いた瞬間、彼女はこっちを見たんです。

ええ、僕のいるところをはっきりとね。

もちろん、自分の言っていることが矛盾していることは分かっていますよ。彼女には僕は見えないでしょう。でも、あの時、彼女ははっきりと僕を認識していたと思います。偶然なのかもしれません。たまたま、彼女がこっちに目を向けただけなんでしょう。本当のところはそういうことなんだと思う。

でも、僕はそう感じたんです。青澤緋紗子は、僕があそこにいて、彼女を見ていることを知っていた、とね。

僕のいた場所ですか？　狭い車道を挟んだ、反対側の街路樹の陰です。

夏場でしたし、木の葉は茂っていました。日陰になっていたので、反対側の道路から見ても、見えにくいはずです。

だから言ったでしょう。事実というのは、ある方向から見た主観に過ぎないと。だけど、僕はあの時そう確信したんです。彼女は僕を見た、と。

百日紅《さるすべり》の木？　家の前に？　その時ですか？　うーん、やっぱり記憶にないな。それって、何か重要なことなんですか？

その後？　僕は、すっかり動揺してしまって、こそこそと民宿に帰りました。なんだかとても悪いことをしたような気がして。

もちろん、雑賀さんにはこのことは話していません。

七

Kに来た時は、同じ民宿に泊まると言いましたよね。

雑賀さんは、部屋も同じところを選んでいました。

二階のはじの、角の部屋です。僕の部屋はその時々で替わりましたが、彼女はいつもそこでした。

テープ起こしは彼女のその部屋でいつもやっていました。

どうしてこの部屋にするんですか、と聞いたことがありましたが、彼女は「同じ部屋のほうが落ち着く」と言いました。でも、僕は、他に理由があるような気がしました。

テープ起こしを黙々とやって、十二時くらいになると、いつも一時間くらい、買ってきたビールと簡単なつまみで飲みました。その日の反省会と息抜き、という感じで。

さっきも言ったように、その時もたいした話はしませんでしたが、幾つか記憶に残っている言葉があります。

その一つがその部屋のことでね。

彼女は、何か考える時に、いつも天井の一点を見ているんです。次の言葉を考える時とか、テープ起こしをしている時も、何かの拍子にそこを見る。

その民宿は、古い日本家屋でしたから、天井にしみがあるんですね。ほら、子供の頃、天井のしみが変なものに見えてきて、怖くてたまらなくなった時があったでしょう。昨今のマンションじゃそういうこともなくなりましたし、天井のしみが怖いなんていう子もいなくなりましたが。

で、彼女が何を見ているのかなと天井を見たら、ぼんやりした楕円《だえん》形のしみがありました。

雑賀さんも、僕がそのしみを見ているのに気付いて、「あれ、何に見える？」と聞きました。僕は「アメーバですかね」と答えた。「雑賀さんは、何に見えるんですか」と聞くと、「なんだろね。ヤカンかな」と答えました。「あたしが住んでた家にもああいうしみがあった」。彼女はそう言いました。

その時、あのしみが、彼女がこの部屋を選ぶ理由なんじゃないかと思ったんです。もちろん、これも根拠はありませんがね。

あと、「みんなが見るもので、特定の人にだけメッセージを伝えたい時にはどうする？」と彼女が聞いたことがありました。僕は、彼女が何を言いたいのかよく分からなかったけれども、「新聞の三行広告ってそうじゃありませんか」と答えました。みんなが見るけど、特定の人に宛てたメッセージで、その相手にしか意味が分からないでしょ。

彼女は「ああ、なるほどね」と頷《うなず》きました。

それからまた暫《しば》らくして、「例えば、あなたがサークルや家の中で、テーブルに書置きをするとして、誰か一人にだけある用件を伝えたい時はどうする？」と聞きました。「もちろん、他の人には、その一人が誰だか知られたくない。そういう時は?」と言うんです。

僕は少し考えて、「事前にその人と打ち合わせができるんだったら、暗号か、何かその用件を表す言葉を決めておけばいいんじゃないですか」と答えた。

するど、彼女はなおも聞くんです。「じゃあ、事前に打ち合わせできなかった時は?」

僕は暫く考えていましたが、「その人だけが知っていることを書くしかないのでは」と答えました。あまり答えになっていませんでしたが。

でも、彼女は「その人だけが知っていること」と呟《つぶや》いて、長いこと真剣な顔で考え込んでいました。僕はテープ起こし作業に戻ってしまったので、彼女の長考の意味を深く考えませんでした。何か意味があったのかは、今でも分かりません。

八

現場に奇妙な手紙が残されていたという話は知っていますが、内容は知りません。雑賀さんは、その文面を知っていたようです。

その「書置き」の話を聞いて、関係あるのかと思って後で調べましたが、新聞や週刊誌にも、その内容は載っていませんでした。警察からすれば、それが犯人を特定する手掛かりになると考えていたようです。だけど、犯人は挙がりましたが、結局それが犯人の書いたものかどうかは分かっていないんですってね。

やっぱり、どこか奇妙な事件という気がしてなりません。ちぐはぐというか、輪郭がないというか、あまり人間の意志が感じられないというか。

九

そろそろ上に戻りましょうか。やっぱり雨が降ってきちゃいましたし。

街の中心部である丘を、二つの川が挟んでいるわけですが、幅はそんなに変わらないのに、男川と女川というだけあって、かなり表情は違いますね。女川のほうはどこか柔らかで優しい風情があるけど、この男川のほうは、やはり荒々しさがある。同じような川なのに、それぞれ性格が滲《にじ》み出てくるものなんですね。

なかなか面白かったな。たまには、こういう寄り道もいいものですね。

この旅はどれかって？　非日常であることは確かですね。

見たいものを見る旅ではなかったな。記憶の中のものを見る旅ではあったけど。

いいえ、今は雑賀さんに会いたいとは思いませんね。それこそ、記憶の中の彼女だけで充分です。

『忘れられた祝祭』という本が手元に残っていますし。

ええ、読みましたよ、最初に貰《もら》った時に。雑賀さんが、犯人に興味があったのか、それとも事件そのものに興味があったのか知りたかったので。

結局は、分かりませんでした。さっき言ったとおり、この本を出すまでが、彼女の目的だったんだなと思っただけです。

え？　なんですって？

彼女は、別に真犯人がいると疑っているですって？

それは、最近の話ですか、それとも昔から？

それは不明、ですか。

ふうん。ちょっと驚いたな。ひょっとして、前からそう思っていたのかな。だから、あんなに熱心だったんでしょうかねえ。

だとすると、あれにも意味があるのかな――あれって、『忘れられた祝祭』ですけど。

＋

僕が、雑賀さんから協力者として名前を載せたいと言われた時に、断った理由がもう一つあります。

そっちのほうが、僕だけの秘密にしておくべきだと思った、本当の理由なんですけどね。

でも、今の話を聞いたら、雑賀さんのほうでも何かの事情があったのかもしれない、意図的なものがあったのかもしれないという気がしてきました――

いえね、ささいなところなんですよ。

ものすごく重大というわけではないと思うんです。

だけど、ひょっとすると。

僕は、雑賀さんが聞き取りをする時にずっと側にいましたし、テープ起こしもしています。大体の内容は、書き取っているうちに、ほとんど覚えてしまいました。

だから、送られてきた『忘れられた祝祭』のゲラ刷りを読んでいるうちに、おやっと思ったところが何度かありました。

細部が、証言と異なっているんです。

本当に、本筋とは関係ない細かいところです。でも、証言と照らし合わせてみたら、確実に違うと分かるようなところばかりです。逆に言えば、うっかりケアレスミスで間違えたとは、とても思えないところです。

だから、読んだ時から、変だなと思っていました。最初は誤植かなと思っていましたが、そういうところが次々に出てくる。

雑賀さんは、集中力はありますし、ああいうもののチェックには几帳面《きちょうめん》ですから、読み返したり、校正をしたりした時に気付かないはずはありません。なんでこんなところを間違えているんだろう、と思っていました。だけど、直接内容には影響しないところだったし、あまり深くは考えなかったんです。

ひょっとして、わざとだったんでしょうか。

わざと彼女は、証言内容を原稿にする時に、変えたのでしょうか。

彼女は、フィクションでもノンフィクションでもないと言っていたのでしょう？　あの本が発表された時も、彼女はそういうスタンスでした。どっちでもないし、どっちにとってもらっても構わない、と。だから余計にマスコミを苛立《いらだ》たせたんでしょうね。マスコミは、白黒はっきりさせることを好みますから。分からない、とか、どっちでもいい、とか、グレイゾーンであることを、罪悪みたいに責め立てる。

よく、実在の人物を題材にして小説を書く時に、特定されることを恐れて、わざと設定や容姿を変えることはありますが、そういうパターンでもなかった。人物は特定できるし、その変わっている箇所を取ってしまっても、どうということはない。本当に、むしろどうでもいいじゃないかと思うようなところばかり変えてあったんです。

彼女にとっては、何か意味があったんでしょうか。

そうやって考えてみると、彼女の言葉も別の意味合いを帯びてきますよね。

「みんなが見るもので、特定の人にだけメッセージを伝えたい時にはどうする？」

あの言葉です。

僕は、てっきり、事件の時のテーブルに置かれていたという手紙のことを指しているんだと思っていました。ついさっきまで、そう思っていたんです。

だけど、どうでしょう？　彼女は、あの調査をしている時に、既にあの本のことまで想定していたのかもしれません。

『忘れられた祝祭』のことを。

どうです、そうとは考えられませんか？

みんなが見るもので、特定の人にだけメッセージを伝えられるもの——みんなが見るもの。

ベストセラーになった、あの本はどうです？

特定の人。あの本を手に取る、当時の事件の関係者。

事前の打ち合わせができない人で、暗号を使えない人は？

その人だけが知っていることを書くしかない。

彼女が、僕の言った言葉についてずっと考え込んでいたことも、繋《つな》がってくるじゃないですか。

あの、意図的に変えられた部分は、それこそ、彼女が特定の人にだけ分かるように込めたメッセージだとは考えられませんか。

でも、そうだとすると、一つ腑《ふ》に落ちないことがあります。

本を出した後の彼女の態度です。彼女は、本を出した後では、あの本に対する興味を失っていたように見えました。もし、あの本が誰かに対するメッセージであれば、リアクションを気にするはずじゃないですか。あそこまでふっつりと興味を失ってしまったことが解せません。

それとも、彼女は、告発をしたこと、メッセージを発したことで、もう満足してしまったのでしょうか。あとは、メッセージを受け取る側に、全ての解釈や行動を委《ゆだ》ねてしまったのでしょうか。

十一

日が暮れてきました。

僕は電車の時間があるので、そろそろ行きます。

はい、郷里で父の料理旅館を継ぎましてね。ああいうところは、女将《おかみ》がしっかりしていればなんとか成り立つもので、僕は今日もこうして外に出てこられたわけです。

ええ、女房には頭が上がりませんよ。

記憶の中のものを見る旅。

二度とここには来ないだろうと思って今日は来ましたが、もう駄目です。

僕は、記憶の中の、別のものを見つけてしまった。見てはいけないもの、見たくはなかったものです。見たいものを見る旅以上に、見てはいけないものの誘惑は大きいということが、今よく分かりましたよ。

街の中心部を守るように、男川と女川が流れるこの街。

二つの川は、何を守っているのでしょう。二つの川は共謀をしているのかもしれません。

僕は、そんな気がしてきました。

そもそも、なぜ雑賀さんは、僕を相棒に選んだのでしょうか。

僕などいなくとも、彼女一人で充分に取材はできた。レコーディングウォークマンと、お土産を持ったって、大した量ではありません。

だけど、彼女はわざわざ僕を連れていったのです。

必ず取材に同伴させ、夜は一緒にテープを起こし、証言の内容を僕に覚えさせたのです。

一本の川だけでは駄目だった。何かを守るためには、もう一本の川が必要だった――

僕は、何をしたのでしょう？　彼女に何を手伝わされていたのでしょう？

僕は、もしかすると、彼女のための証人だったのかもしれません。何かの目的のために必要な目撃者だったのかもしれません。僕は、きちんと彼女の望み通りの役割を果たしていたのでしょうか？　それとも、彼女の思惑は外れたのでしょうか？

未来の僕が見える。

僕は、この川べりをのろのろ歩いています。

歳を取って、息子に店を継がせた後も、僕はしばしばここを訪れている。

記憶の中の何かを、見るべきではなかった何かを探して、僕は年老いた身体をこの川べりに運び、ぼんやりと川風に吹かれて、夕暮れの散歩道を逍遥《しょうよう》し続けている――

そして、今、僕は、もう一つ重大なことに気が付いてしまった。

彼女が意図的に変えた、特定の人間へのメッセージ。

それは、ひょっとして、僕に対してのものではなかったか。

あの本を読んで、一番に違和感を感じるのは僕でしょう。

彼女と顔を突き合わせて、毎晩作業をした証言の内容と、出来上がった原稿とに齟齬《そご》があるのを発見できるのは、この僕だけなのですから。この世でたった一人、彼女以外にそのことを知っているのは僕だけなのです。

本が出版されてからの彼女が、興味を失ったように見えるのも当然です。

彼女の目的は、出来上がった本をこの僕に送り、その内容を読ませるためだったのだから。僕というたった一人の読者に向けて書かれた本だったのだから。そこに、何かのメッセージが込められていたのだから。だから、後はどうでもよかった。彼女は、僕があの本を受け取り、読んだ時点でもう目的は達成されていたのです。

ええ、これが僕の妄想に過ぎないことはよく分かっています。

事実は、ある方向から見た主観に過ぎません。

僕はそのことを知っています。

そして、彼女は、ある目的を達成しようといったん決めたなら、必ず達成する人なのです。

恐らく彼女は、もうその目的を達成したに違いありません。

第三章 遠くて深い国からの使者

その花の名を、少女は長いこと知らなかった。

百日紅《さるすべり》という文字は見たことがあったが、それをどう読むのか知らなかったし、そろそろ年齢的にも、興味が地べたに近いところから少しずつ異なる方向に向かっていて、季節の変わり目を埋める鮮やかな花は、世界の縁に刻まれた模様でしかなかったからだ。

思えば、かつてはなんと地面が近かったことだろう。誰でも生まれたての頃は地面に手をついて進んでいたのに、やがては土から手を放し、立ち上がり、日々地面から遠ざかっていく。それまで新鮮な驚きを与えてくれていた松葉牡丹《ぼたん》やタンポポ、蟻やカブトムシからも疎遠になり、目の高さにあるもの、更に高いところにあるものに興味を奪われていく。ただ、その日に限っては、彼女は紅《あか》く咲き乱れたその花を見て、ちり紙の花みたいだと思った。

鮮やかで均一な色の、たくさんの花を付けたその木は、新入生の教室の黒板に飾ってあった、紅白のちり紙の花そっくりだった。少女も作ったことがある——重ねたピンク色のちり紙をアコーディオン状に折りたたみ、真ん中を輪ゴムで留める。そして、花の形になるように紙を広げていくのだ。できた花は段ボール箱にどんどん投げ込んでいく。飽きてくると、広げた花でバレーボールをした。花はふわふわと宙を舞い、ぱさりと床に落ちた。

いや、ちり紙よりも、紙風船の赤に似ている。

少女はその花を見ながら考えた。触るとカサカサ音がして、掌の上でぱふんと間抜けな音を立てる、あの玩具《がんぐ》の色だ。

しかし、その日は朝からどんよりとしていて、不機嫌な雲が空にのたくっていた。起きた時から一度も光は射し込まなかったし、全てのものの色が失われ、その花もいつもより濁って見えた。何より、ひどく蒸し暑くて、暑さの苦手な少女には、世界が無言の悪意に満ちているように感じられた。

夏の朝は重い。

気温が夜も下がらないせいか、世界という機械がずっと動いたままになっていて、その熱が町全体にこもっている。ラジオ体操をしに公園に行くと、朝からうるさい蟬の声が、スイッチを入れっぱなしにしたブーンというモーター音のように聞こえ、ずっと換気をしていない工場の中にいるようだ。

この工場は休まない。ずっと不快な熱を発し続け、従業員の身体から水分を搾りとり、彼らがへとへとになるまで操業を続けるのだ。

夏休みも終わりが近付き、フル操業を続けてきた工場もあちこちガタが来ているようだった。台風シーズンの訪れを告げる、低気圧の気配が忍び寄っていた。

その日の朝がいつもと違っていたのは、雨の予感のせいだけではない。

少女の目にも、特別な行事がある日特有の、そわそわした空気が町内に満ちていることが見て取れた。普段は皆それぞれの家の中で空気が閉じているのに、今日は朝からみんなの空気が繋《つな》がっている。ぱたぱたと道路を行き交う大人たちも、いつもより動きが華やいで、きびきびしている。

今日は、「船の窓の家」で何かがあるのだ。

少女は暗い家の中から庭を見ながら考えた。残っている宿題に手をつけなければならないのに、残っているのは、苦手でやりたくないものばかり。まだ差し迫っているわけではないけれど、余裕があるわけでもない。ただ無為に日一日と減っていく時間を、じりじりと為《な》す術《すべ》もなく眺めている、毎年夏休み中に必ず一度は訪れる、おなじみの時期だった。

彼女と三つ上の兄に与えられた部屋は、東側の小さな庭に面していた。

一坪あるかないかの小さな庭だが、古い無花果《いちじく》の木がアメーバのような形の葉を茂らせ、夕暮れ時になると気味の悪いシルエットを作った。引っ越してきたばかりの時は、兄がよく「ほら！　あの木の下に何かいるぞ！」と突然芝居がかった声を張り上げては脅したので、少女は怖くてよく泣いたものだ。実際、かなりの樹齢のこの木には沢山の実が成るので、熟してくるとボトリと下に落ちたり、鳥が突きに来たりして、収穫のシーズンには頻繁に訪問者があるのである。

それでなくとも、父の会社が借り上げていたこの古い木造家屋は陰気だった。

天井の隅にあるしみはいつも誰かの顔に見えたし、兄が林間学校で留守にしていた時などは、一人でこの部屋に寝ていられないほど怖かった。

取り立てて神経質な子供ではなかったが、想像力は人一倍あった。廊下や階段や押入れなど、そこここに怖い暗がりがあったし、壁の汚れや戸袋の破れを隠すために貼った千代紙すら、時には悪夢の種になった。

だから、あの時もそういう悪夢の一つを見たのだ、と彼女は考えることにしている。

その日の朝、ラジオ体操から帰ってきた少女は、低気圧が近付く前の不穏な蒸し暑さにすっかりばてていた。朝ごはんもそこそこに、二段ベッドの下にバッタリと倒れ込み、暫《しばら》く現実と夢の中との境界線を出入りしていたようだ。恐らく、身体は眠っていたが、頭の一部はまだ覚醒《かくせい》している状態だったのだろう。

不意に、頭のほうに気配を感じた。

頭のほうにあるのは、無論、無花果の木のある坪庭だ。庭に面した部分は、二枚の引き戸になっている。引き戸には木の桟で四枚に分けられたガラス板が嵌《は》まっていて、下の二枚は曇りガラスだ。中から外がはっきりとは見えず、無花果の葉がぼんやりと影のように映るのが分かるだけである。

今、その曇りガラスの向こうに誰かがいる。

いや、正確には誰かというよりも、「何か」が。

それは、文字通りの確信だった。

じわじわと緊張感が高まっていく。

怖いというのと、眠いというのとが同等に身体の中で闘っていることは分かる。頭のてっぺんが何かの気配にチリチリし、全身が強張《こわば》っていることも分かる。しかし、彼女は動けなかった。金縛りというわけではなかったが、身体に力が入らなかったのだ。

だが、彼女はそれを見なければならないことも分かっていた。自分は、どうしてもそれを見るのだ。見たい——見たくない——見なければならない。

急に、首が動いた。動かしたのではなく、動いたというのが正しい表現だった。

見上げるような形で首が動き、少女は横になったままガラス戸を見た。

曇りガラスの向こうに、白い影がある。

白い繭《まゆ》。彼女はそれをそう感じた。大きな白い繭が、ガラス戸の向こうにある。あれはいったいなんだろう？　猫だろうか？

玄関の脇を抜ければ、この庭に入ることは不可能ではなかった。時折、ブロック塀伝いに近所の猫が塀の上を散歩しているところも見かけているし、何度か猫が入り込んだこともある。しかし、猫にしては、その繭は大きかったし、縁の下よりも上にあるように見える。

白い繭が、震えながら庭に浮かんでいる。

彼女が想像したのは、そういう光景だった。それが現実的な光景かどうかは別の話だが。

どのくらいの時間そうしていたのかは不明である。ふと、我に返ると、繭は消えていた。

痛いほどに感じていた気配も、跡形もなく消えうせている。

少女は混乱したが、少しまたうとうとした。そして、次に起き上がった時には自分が見たもののことを忘れてしまい、いつもの気だるい午前中を過ごした。彼女が次にこの時のことを思い出すのは、ずっと先である。

その日、玄関の戸は開けっぱなしだったように思う。玄関にぽつんと座って、玄関の脇にある百日紅の木や、四角い景色の中で行き交う人々を見ていた記憶があるからだ。

兄たちはどうしていたのだろう――たぶん、順二《じゅんじ》はちょろちょろと近所を動き回り、「船の窓の家」にも早くから出入りしていたに違いない。彼はじっとしていられない性格で人懐こいので、他人の家でも平気でするりと入り込んでしまい、それを咎《とが》められないという特技を持っていた。

誠一《せいいち》の怒鳴り声が耳に残っている。上の兄は高校受験を控えていて、夏休みの後半、思うように予定を消化できていなかったのか機嫌が悪かった。彼は、二階の個室を貰《もら》っていたのだが、退屈した弟がちょっかいを出したらしく、階段の上から神経質に怒鳴る声がした。

玄関に置いてあるみんなのズック靴を踏み潰《つぶ》し、脱兎《だっと》のごとく外に駆け出していった順二の後ろ姿が、少女の脳裏のどこかに焼きついている。

母親は留守にしていた。誠一があんな声を出したら、真っ先に母がたしなめるはずなのに、その記憶はない。恐らく、あの家に挨拶《あいさつ》に行っていたのだろう。町の中心であるあの家のお祝いとあっては、よそ者であるうちですら、挨拶をしないわけにはいかなかったはずだ。

少女は玄関で、退屈凌《しの》ぎに偉人伝を読んでいた。

家にある子供向けの伝記全集の一冊で、ベートーベンだった。

彼女がその本を繰り返し読むのには訳があった。一つだけ、ずっと気になっているエピソードがあるからだ。偉大な曲を生み出すに至ったきっかけや、彼が聴力を失っても作曲を続けたことではなく、彼の死の直前のエピソードである。

彼が死ぬ前に、ある日突然、見知らぬ男が彼を訪ねてきた。黒い服を着た若い男。彼らは短い言葉を交わした。それから間もなく、ベートーベンは亡くなる。

死の使い。迎えに来た男。彼らは、何という言葉を交わしたのだろう?

少女は、その男がベートーベンに何と告げたのか考えるのが好きだった。恐らく、直截《ちよくせつ》的な言葉ではなく、謎めいた一言に違いない。聞いた時はきょとんとするような言葉だが、今わの際になって「ああ、そうだったのか」と腑《ふ》に落ちる一言。それはいったいどんな言葉だったのだろう(彼女が『市民ケーン』を観るのは、それから十年後のことである)。

黒い服を着た男の顔も思い浮かべてみる。たぶん、そんなに不吉でも恐ろしげでもないような気がする。どちらかといえば気品ある、端整な顔の若い男なのではないか。きっと、自分が言葉を伝える相手に対する敬意と、己の使命に対する諦観《ていかん》のようなものを顔に浮かべているのだ。

使命を終えた男は静かに帰っていく。

遠くて深いところ——地下の黄泉《よみ》の国へと。

少女はそのイメージに惹《ひ》かれた。荒野の果ての山すそに古びた洞窟《どうくつ》があり、地下へと降りる長い階段がある。男は馬に乗ったまま、そこに姿を消す。

彼女は、間もなく本物の死の国の使者を目にすることになるのだが、まだその時は地下に帰って行く男という自分のイメージに夢中だった。

少しずつ風が強くなってきて、外がいよいよ暗くなってきたのにも気付かない。

その時、カチカチという音が外から聞こえてきた。

すぐに、その音が意味するものに思い当たり、少女はパッと顔を上げる。

四角い空間に、地面を探る杖《つえ》が見える。

「ヒサちゃーん」

少女は本を放り出し、外に駆け出した。

「マキちゃん？」

彼女はこちらを振り返り、少女を見た。いや、見てはいないのだが、見たとしか思えない。いつもながら、その瞬間はどきりとさせられる。彼女のおかっぱの髪がさらりと揺れて、白地に淡いブルーの水玉のワンピースが爽《さわ》やかだ。

「ヒサちゃん、どこ行くの？」

「お使いよ。大おばあさまの米寿のお祝いのお菓子を取りに行くの」

「ベイジュってなあに」

「数えで八十八歳ってこと。とてもおめでたいのよ」

カゾエデイクツという、大人がよく使う言葉は少女にはよく分からない言葉の一つだった。少女の疑問を感じ取ったのか、久代《ひさよ》は「ちょっとマキちゃんのおうちに寄ってもいい？」と言った。少女は喜んで彼女の手を引き、並んで玄関に座った。白い杖を、上がり口にもたせかける。

久代が座っているだけで、蒸し暑い玄関に涼風が吹き込んだようだ。

彼女は口を開く。

「マキちゃんは、お誕生日はいつ？」

「七月十四日」

「あら、巴里《パリ》祭ね」

久代はさらりと呟《つぶや》いた。

「――人は、生まれた時はゼロ歳で、一年経つと満一歳。これは分かるわね？　だから、マキちゃんは、毎年七月十四日になると、歳が一つずつ増えるわけね。でも、数えというのは、生まれた年を一歳として、その人がお正月を迎える度に一つずつ歳が増えていくの」

少女は頭が混乱した。

「どうしてそんな数え方するの？」

久代はふわりと微笑んだ。

「昔の人は、お正月を生きて迎えるということが、とても意味のあることだったのよ。子供も大人も、長く生きるということは尊い、有難いことだったの。だから、歳を取る、年齢が一つ増えるというのはおめでたいことで、なるべく歳が多くなるような数え方をしていたんじゃないかな。ほんのちょっと前まで、小さな子供の何割かは生まれてすぐに死んでいたし、小学校に入るまでにも病気で大勢死んでいたのよ」

「今日はそのベイジュのお祝いなの？」

「そう。朝から大勢人が来て、うちの中が大混乱。挨拶ばっかりしてるのに飽きちゃって、ちょっと散歩しに来たんだ」

久代はぺろっと舌を出した。猫のような薄いピンク色の舌が艶《なま》めかしい。

少女はどきどきした。こうして久代が隣に座って、二人だけで話をしていることだけで大事件だ。誠一や順二がこのことを知ったら、さぞ悔しがるに違いない。彼女は近所の子供たちの憧《あこが》れの対象だったからだ。

「それにしても蒸し暑いわねえ。雨の匂いがする。これから、ひどい降りになるみたいよ」

久代は財布形をしたレースのハンドバッグから木綿のハンカチを取り出して、喉元《のどもと》を扇《あお》いだ。ふわりといい匂いがする。

「雨の匂いって？」

「うーん。うまく言えないな。遠くから近付いてくる雨雲の匂いよ」

久代は小さく首をかしげた。幼い頃から視覚を補ってきたためか、彼女の感覚は独特だった。匂い、音、手触り。普段は何気なく見過ごしていることも、彼女の口から聞くと新鮮に感じる。

「お母さんはお留守?」

久代はじっと耳を澄ましていたが、少女の顔を見た。

「うん。どうして分かるの?」

「女の人が家の中にいる時の音がしないわ——こまごまとした小さな仕事をしてる音。女の人が家の中で、安心したリズムで動き回る音が」

少女は、美しい音楽のように彼女の声を聞いていた。

彼女は、手や顔で見えるのだ、と誰かが言っているのを聞いたことがある。

外国には、指先で字が読める人がいるのだそうだ。点字ではなく、本当に、指先に視神経に似た細胞があったという。それと同じような細胞が、彼女の身体にはあるのではないか。真面目にそう唱える同級生がいたのだ。

いつだったか、彼女が誠一と将棋をしているのを見たことがある。

盤面の駒の位置を覚えてしまえば簡単よ。将棋の駒は、触ればどの駒か分かるしね。チエスも、触れば分かるから楽だわ。

彼女はそう言っていたが、傍目《はため》にも、彼女が凄《すさ》まじい記憶力と、僅《わず》かな手掛かりから頭の中に三次元で世界を再現する類《たぐい》まれな能力を持っていることが窺《うかが》えた。

その勝負は、誠一が彼女との勝負を意識しすぎていたせいかもしれないが、彼が負けた。

この人の頭の中を覗《のぞ》いてみたい、と少女は思った。

彼女には、この世界がどんなふうに「見えて」いるのだろう。彼女の頭の中で、他人は、町は、どんなふうに捕らえられているのだろう。

きっと、想像もできない、誰にも共有できない、広くて不思議な世界に違いないのだ。

少女は、久代の小さな頭をじっと見つめた。こんな小さな頭に、あらゆるものが入っている。

久代は、ふと思い出したように口を開いた。

「そういえば、さっき順ちゃんもうちに来てたみたい。お勝手口のほうで声がした」

「やっぱりー」

少女は恨めしげな声を出した。「船の窓の家」なら、自分も連れていってもらいたかったのに。兄はいつも一人だけで、ちゃっかり楽しい場所に入り込んでしまうのだ。妹はいつも置いてきぼりで、何度後から連れていってほしかったと泣き喚《わめ》いたことか。

その時、久代の顔つきが変わったような気がした。

少女は、かすかに肌が粟立《あわだ》つのを感じた。

スッと温度が下がったというか、緊張したというのか、うまく表現はできないが、久代の表情が厳しくなったように思えたのだ。

「マキちゃん、今日はうちには来ないほうがいいわ」

「えっ？」

少女は久代の顔を見上げた。久代は前を向いて、見えない目で玄関から外を見つめている。その横顔は、大理石の置物みたいだった。

「どうして？」

少女は尋ねた。久代が少女の前でそんな厳しい表情を見せるのは初めてだった。

「そんな気がするの」

久代はこともなげに言った。雨の匂いがする、と言った時と同じ口調である。

「順ちゃんたちにも言っておいて。今日は、しかめっ面の大人があちこちからいっぱい来ていて、子供が来ても面白くないわ。今度また別の日に、三人で遊びにいらっしゃい。その時には、丸太のケーキを買っておくから」

丸太のケーキは、近くの洋菓子店の丸太の形をしたチョコレートケーキで、味もさることながら、切り分けるのが楽しい人気のケーキだった。

「うん」

少女は渋々ながら頷《うなず》いた。

「今日はうちには近寄らないで。約束よ」

久代は杖を手に取り、立ち上がりながら念を押した。

「どうして？」

少女はあきらめきれず、もう一度尋ねた。

久代はふと立ち止まり、考え込む顔つきになった。

それくらい、彼女の感覚は鋭敏だった。

「さあね——なんとなく。蝙蝠《こうもり》が来るような気がするのよ」

久代は謎めいた言葉を残し、静かに玄関を出て行った。

ふと、彼女は咲き誇っている紅《あか》い百日紅《さるすべり》を見上げる仕草をした。花が咲いているのが分かるらしい。杖《つえ》を持っていなければ、彼女の目が見えないことに気付く人は少ないだろう。それくらい、彼女の感覚は鋭敏だった。

蝙蝠が来るような気がするのよ。

それは、しばしば彼女が使う言葉だった。彼女の中には独特の慣用句が幾つかあって、「蝙蝠が来る」というのは、不吉な予感を表す言葉らしかった。

彼女は、そういう自分の慣用句を説明しようとはしない。説明しても、みんなが理解できないことを知っているのだろう。初めて聞いた人は面食らうが、徐々に慣れて、漠然とではあるが、彼女の言いたいことを想像できるようになる。しかし、それはあくまでも想像に過ぎず、彼女のイメージとはかけ離れたものに過ぎないのだろう。それが逆に、彼女に神秘的な魅力を持たせていたことは確かだ。

幼い頃に視覚を失った彼女は、蝙蝠を見たことがあったのだろうか。

少女は、黒い雨傘のような蝙蝠の羽を思い浮かべる。

日暮れになると、ぱたぱたと飛び回る蝙蝠の群れが、この辺りでもよく見られた。彼らが飛んでいるところを見ていると、なぜか星座の絵本を思い出す。かくかくと折れ曲がった直線を描いて飛ぶ彼らの軌跡が、星を直線で繋《つな》いだ星座を連想させるからかもしれない。

少女は、去っていった久代の後ろ姿、隣にいた久代の存在感、そして彼女の残した言葉を反芻《はんすう》しながら玄関にぽつんと座っていた。

いい香りのする、涼しい風が頬を撫《な》でていったような感覚。

「まあ、マキちゃんたら、こんな暗いところで本なんか読んで。目が悪くなるわよ」

母が小さな箱を手にして帰ってきた。熨斗《のし》が付いているところを見ると、やはり久代の家のベイジュのお祝いに行ってきたところなのだろう。白いブラウスに紺のタイトスカートという、普段よりもきちんとした恰好《かっこう》がそのことを示していた。

母親が家に帰ってくると、突然家の中が母親のテンポになる。

少女は玄関で本を開く気をなくして、中に入った。

お湯を沸かす母の背中を見ながら、テーブルの上の小さな箱を開けてみる。

こぢんまりとした、紅白の饅頭《まんじゅう》が入っていた。

「マキちゃん、食べちゃ駄目よ。相澤《あいざわ》先生のところのお祝いだから、お父さんに見せてからね。こういう時、お仏壇がないと、上げとく場所がなくて締まらないわねえ」

母は少女を振り返って、箱を開けているのを見ると慌てて叫んだ。

「食べないよ」

少女は蓋《ふた》をした。ただ、中を見てみたかっただけなのだ。

その時、バタバタと順二が玄関に駆け込んできた。

「凄《すご》い凄い、おい、お菓子がいっぱいあるぞ」

目を輝かせ、興奮した口調で少女を見る。

それがあの家のことだとすぐに分かった。

「後でみんなでいらっしゃいって。勝手口のほうにお菓子とお茶を用意してるから、みんな連れてこいって」

「順ちゃん、あまりお邪魔をしちゃ駄目よ。今日は皆さん、忙しいんだから」

「平気だよ。表はおじさんばっかりだけど、裏のほうは近所の子がみんな来てたよ。祐《たすく》ちゃんも、また来いって言ってたもん。大人ばっかりじゃつまらないからって」

順二は勢い込んで言った。元々お祭り騒ぎが好きで、人がいっぱいいるところが大好きなのだ。祐は、相澤家の一番下の男の子だった。

少女は、何か苦いものを飲み込んだような気分になった。

今日はうちには近寄らないで。約束よ。

久代の言葉が胸にのしかかる。

少女は、順二にその言葉を伝えるべきかどうか迷った。久代と二人きりで喋《しゃべ》ったということを自慢したいという気持ちもあったし、久代の言葉なら守らなければという気持ちもあった。しかし、その一方で、あの家に行ってみたいという気持ちも根強く燻《くすぶ》っていたのだ。

順二が興奮して喋りまくっている間に、少女はなんとなく玄関に行き、なんとなく運動靴を履き、なんとなく外へ出た。

約束よ。

久代の声がぐるぐると回っているのに、足はあの家に向かっている。

じわじわと冷や汗が滲《にじ》んできた。

遠くから見てみるだけ。中には入らない。ヒサちゃんとの約束を破ったわけじゃない。

少女はそう自分に言い聞かせる。

すれ違う年寄りは、皆あの小さな箱を持っていた。誰もがあの家に行っている。自分だけが行かないのは、仲間はずれのような気がした。

風はいよいよ強くなっていた。街路樹がうねるように揺れ、時折ポツポツと雨が混じる。人々は饅頭の箱を抱え、足早に家に向かう。その中を、少女は逆流するようにとぼとぼと歩いていった。

「船の窓の家」には、多くの人がいた。医院の前の、白い百日紅の木が目に飛び込んでくる。床机《しょうぎ》が出され、そこに座り込んで話をしている年寄りもいる。

華やいだ雰囲気に、少女はわくわくし、同時に気後れもした。

きちんとスーツを着た男の人や、よそゆきの着物を来た女の人もいる。医院の前は、完全に大人の世界だった。

少女は、恐る恐る遠回りをして、勝手口に向かった。

そちらからは、子供たちの歓声が聞こえてきて、なんとなくホッとする。

「船の窓の家」は三方が道路に面していて、隣家との間にある狭い路地に勝手口があった。

小さな屋根の付いた木の引き戸が開けられていて、子供の声はそこから聞こえてきた。路地にチョークで線を引き、けんけん遊びをしている子もいる。

少女は、路地の入口で隠れるように子供たちの姿を窺《うかが》っていた。

勝手口の戸も開きっぱなしになっており、エプロンをした女たちが立ち話をしているのが見える。ビールのケースが沢山積んであり、勝手口と門の間に、ビニールのクロスを掛けたテーブルが出してあって、そこにバナナやおかきの包みが並べてあるのが見えた。順二が言っていたお菓子というのは、あれのことだろう。

約束よ。

久代の声は、相変わらず頭の中で響いている。ここで自分が佇《たたず》んでいるところを見られたらどうしよう。少女はどきどきしていた。

ひょい、と色白の少年が門から顔を突き出したと思ったら、彼は一目で少女のことを見つけ出したらしかった。少女がぎょっとして逃げ腰になると、パッと門から駆け出してくる。

「マキちゃん、おいでよ。お菓子があるよ」

少年はニコニコしながら少女を手招きする。白い半袖《はんそで》シャツに、グレイの吊《つ》りズボン。

相澤家の末っ子、祐である。相澤家の子供は皆色白で上品な顔立ちをしているが、祐もまた、いつもにこやかで育ちの良さを滲ませており、明らかに近所のその辺の子供たちとは一線を画していた。

「うん、でも」

少女は口ごもった。

「こういうおめでたい日には、いっぱいオスソワケしたほうがいいんだって」

少年は、大人びた言葉を使った。周囲の大人から聞き齧《かじ》った言葉なのだろう。

「じゃあ、ちょっとだけ」

少女はきょろきょろしながら少年の後ろに隠れるようについていった。

門の敷居を跨《また》いだ時、足が何かに触れたような気がした。

見下ろすと、古びた赤いミニカーが落ちている。誰かの忘れ物だろうか。

「祐ちゃん、これ、祐ちゃんの？」

少女は土にまみれたミニカーを拾い上げ、祐に見せる。

「ううん、僕のじゃない。誰か置いていったのかな。これ、誰の？」

祐は澄んだ声を張り上げた。勝手口の周りには四、五人の子供がいたが、みんながミニカーを見て左右に首を振る。

「ちがーう」

「僕のじゃないよー」

「うちで預かっておくね。誰かなくしたっていってる子がいたら、僕が預かってるって言って」

祐はミニカーの泥を払い、ズボンのポケットに入れた。こういうところも、しっかりして大人びている。

「あら、マキちゃん、こんにちは。さっきまで順ちゃんが来てたよ」

立ち話をしていた五十代くらいの女性が、少女に気が付いて声を掛けた。キミさんと呼ばれている、長く相澤家に通って、家事を手伝っている女性だ。そのぽっちゃりしてふくよかな雰囲気から、近所の子供にも懐かれている。

「今はうちにいるよ」

「面白いわねえ、順ちゃんって。さっきもここでひとしきりお喋りしていったよ。大はしゃぎでね。ほんとに、せわしない子だねえ」

キミさんはくすくす笑った。エプロンのポケットからひとつかみ、セロファンに包まれたラムネを取り出して少女の手に載せてくれる。

「僕にもちょうだい、ラムネ」

祐が手を出すと、「坊ちゃんはもう何度も食べてるでしょ」とキミさんが睨《にら》んでみせる。

「オスソワケだよー」

祐が身をよじると、キミさんは「もう一つだけですよ」と彼の手にもラムネを載せた。キミさんは、祐が可愛くて仕方ないようだ。それを祐のほうでも分かっていて甘えているのが分かる。

「マキちゃん、食べようよ」

「うん」

二人で勝手口のそばにしゃがみ込んで包みを開ける。

淡い色の付いた、小さなラムネを幾つもいっぺんに口に放り込むと、喉《のど》で甘酸っぱく溶けて、ざらりとした粒子が舌に貼りつく。

「いっぱい人が来てるね」

「うん、さっきはシカイギインの人も来たんだよ。おじいちゃんにぺこぺこ頭下げてた」

「ヒサちゃんは？」

「さっき出掛けて、まだ帰ってきてないよ」

少女はなんとなくホッとした。帰り道に会わないように注意しなければ、と決心する。

突然、ざあっという強い風が吹きぬけ、少女の手からセロファン紙をむしりとった。

「あっ」

慌てて立ち上がるが、ふわりと舞い上がり、塀を越えてどこかにたちまち見えなくなってしまう。

「嫌だなあ、これからひどい雨になるんだって」

「お祝いなのにね」

少年と少女は、空に消えたセロファン紙を見送るように空を見上げた。

雲は凄《すご》い速さで流れていた。墨を流したような渦が空を漂い、みるみるうちに形を変えていく。

「ちはあ、お花でぇす」

バイクの音がどっどっ、として、路地で止まった。汗だくの中年男が白い紙で包まれた百合《ゆり》の花束を持って降り立つ。

「市民病院の門田院長から、老先生に」

「御苦労様」

キミさんが、サンダルを履いて出てきた。男はヘルメットを浮かせ、会釈する。

「本日はおめでとうさんです」

「ありがとうございます」

「朝から凄いでしょう」

「ええ、もう。こっちはてんてこ舞いですよ」

「老先生のとこは、お子さんにも恵まれて、本当にお目出度《めでた》いねえ。しかも、老先生のお母さんの米寿も一緒に祝えるなんて、やっぱ人徳だね。第一、息子さんとお孫さんとの誕生日が一緒だっていうところからして、凡人とは違うやな」

「お母さん、具合どうですか？」

「うーん、一進一退ってとこですね。こう蒸し暑い日が続いちゃ、年寄りには毒だよ」

「奥さんによろしくお伝え下さいね。ありがとう」

「失礼しまーす」

再びバイクのけたたましい音が遠ざかっていく。

「朝からこうなんだよ。お花とか、お酒とか、みんなが持ってくる」

祐がそっと囁《ささや》いた。その口調は、どことなく誇らしげだ。

「へえー」

相澤家の並々ならぬ権力と存在感を、少女は子供心にも知らされたような気がした。その内側にいる祐と、よそ者である自分との距離も。

舌の上に残ったラムネが苦くなる。

キミさんは、花束の下をサッと水切りして、勝手口に置かれたバケツに差し込んだ。もう、三つのバケツが花でいっぱいになっている。

「マキちゃん、あとでお花少し持って帰ってね。これじゃあ、家の中が花だらけになっちまう」

キミさんが、百合の茎をコンロの火にかざしながら声を掛けた。

「お花、焼いちゃうの？」

少女はびっくりして尋ねた。キミさんは、きょとんとした顔をしたが、小さく笑った。

「違うの。切り花は、切り口を焼くと長持ちするのよ」

「へえ」

台所を覗《のぞ》き込むと、割烹着《かっぽうぎ》やエプロンを身につけた数人の女性がせわしなく働いていた。ずらりと並べられたお銚子《ちょうし》が、訪問者の多さを物語っている。

テーブルの上には、小さな一輪挿しが幾つか並んでいた。花はまだ生けられていない。少女は、綺麗《きれい》な青いガラスの一輪挿しに目が吸い寄せられた。蛍光灯の明かりに照らされて、そこだけきらきら光っているように見える。

あれが欲しい。

彼女は唐突に、強烈な所有欲が湧くのを感じた。

「あ、お姉ちゃんだ」

祐の声が聞こえて、少女はぎくっとした。

振り返ると、祐が背伸びをして道路のほうを見ている。

少女が祐のそばに行くと、医院のほうの玄関に入っていく久代が見えた。にこやかに来客に挨拶《あいさつ》をしている。みんなが相好を崩して、久代を囲むのが見えた。まだ十代なのに、彼女は誰とも堂々と相手をしている。彼女には、不思議な風格があった。こうしてみると、みんなが自分の孫娘に近い歳の少女を、まるで巫女《みこ》のように崇《あが》め奉っているように感じられる。そして、彼女にはそれを受けるにふさわしい、女神のような威厳が具《そな》わっていたのだ。

少女は、彼女が手ぶらなのに気付いた。あのレースのハンドバッグしか持っていない。あれえ、和菓子を取りに行くって言ってなかったっけ？　それとも、あれはやっぱり言い訳だったのかな。

「祐ちゃん、あたし帰る」

「えっ、もう帰っちゃうの？」

「あたしが来たこと、ヒサちゃんには黙っててね」

「どうして？」

「お願いよ」

祐は不満そうな顔をしていたが、少女はさっさと外に出た。

久代がこんな離れたところにいる少女のことを見つけられるはずもないことは承知していても、なぜか落ち着かない。

久代ならば、気付くのではないか。自分の家の敷地内にこそこそやってきた少女の気配を、あの場所からでも感じ取ることができるのではないか。なぜかそんな気がしてならないのだ。

少女は逃げるように家に向かった。

相澤家の華やかな雰囲気から逃れると、なぜか安堵《あんど》の溜息《ためいき》が漏れた。

いきなり、雨が降り出した。

風に雨の粒が混じり出したと思ったら、あっというまにザアッと吹き付けてきたのだ。

少女は駆け出した。たちまち運動靴の中に水が染みてくる。

周囲の風景が変わった。誰もが身体をかがめ、足早に駆けていく。

店先の品物にビニールシートを掛け、自転車の場所を移す人々。

少女は必死に走った。辺りは白黒一色の風景になっている。

「マキ！」

呼び止められて、少女は顔を上げた。たちまち雨が顔を濡《ぬ》らす。

見ると、傘をさした順二である。

「どこ行ってたんだよ。お母さん、捜してたぞ」

「おにいちゃんこそ、どこ行くの」

「相澤先生んち」

「また?」

「後で来いって言われたんだもん」

少女は駆け出した。順二は傘をさしているが、こちらはのんびり話などしていられない。もう。勝手なんだから。

なぜか急に全てが腹立たしくなってきて、少女はぷんぷんしながら家まで駆けた。

そう遠くない距離とはいうものの、水溜《みずたま》りに足を取られて、息が上がってくる。

誰もが急ぎ、駆け回っている風景の中で、ふと少女は自分の目が何かのところで留まったことに気付いた。

若い男が、当惑した表情で、角に立っていた。

黒い野球帽に、鮮やかな黄色の雨合羽《あまがっぱ》。帽子のひさしからは、ぽたぽた雨が落ちている。

男は、手に地図らしきものを持って、辺りをきょろきょろしていた。路肩には、お酒のケースを後部にくくりつけたバイクが停めてある。どうやら、彼の持ち物らしい。

男は、住所を示すものを探していた。近くに住居表示の看板があるのを見つけ、足早に駆けていく。地図と照らし合わせて看板を見ているが、今いち納得できていないらしい。

頭を掻《か》こうとして首の後ろに手を回した男は、初めてフードがあることを思い出したらしく、フードをひっぱり上げて野球帽の上にかぶせた。

なぜその男が少女の興味を引いたのか、彼女にもよく分からなかった。

みんなが逃げ惑っている時に、立ち止まっていたせいか。それとも、色彩を失った風景の中で、黄色の雨合羽が目立ったからか。

あとから、彼女は何度もその時のことを思い浮かべた。

男は首をかしげながらも、オートバイに乗り込もうとした。後ろのケースの中で、カチャカチャとガラス瓶が音を立てる。ジュースと、ビールと、大きな一升瓶が入っている。

ハンドルを握ろうとした男は、自分を見ている少女に気が付いた。

男は動きを止め、一瞬少女を見つめた。

なぜか、その瞬間、世界が沈黙したような気がした。

彼はオートバイに乗り込むのをやめ、足早に彼女に近付いてきた。

「すいません、ちょっと教えてほしいんだけど、この辺りに相澤医院ってある?」

落ち着いた、涼やかな声だった。

深くかぶった野球帽の下に、くっきりとした、青い髭《ひげ》の剃《そ》り跡が見えた。

ふと、少女は、玄関で開いていたベートーベンの伝記を思い浮かべていた。

「お祝いに行くの?」

少女は尋ねた。

男は驚いたように彼女を見た。

「ああ、そうらしいね。僕、この辺りは初めてなんだ。頼まれて配達に来たんだけど」

男は小さく頷《うなず》き、ぐるりと左右を見回した。彫りの深い横顔が見えた。

「あっちだよ。ここをまっすぐ行って、あの信号を曲がると、そのずっと奥に、看板と石造りのおうちが見えるから、それがそうだよ」

少女は振り返って、指差した。

「あの信号を曲がるんだね。ありがとう、助かったよ」

男は頷くと、笑みらしきものを浮かべた。

小さく手を振り、彼はオートバイに跨《また》がった。

アクセルを回して、かちゃかちゃという酒瓶の音を残して走り去る。

少女はびしょ濡れになりながらも、男の後ろ姿を見送った。黄色い雨合羽が角を曲がるのを見届ける。

水墨画のような風景の中で、黄色い点が消えると、辺りは再び殺伐とした悪天候の町になった。

男の姿が消え、家の玄関に辿《たど》りついてから、少女は不意にさっきなぜあの男を見て立ち止まったのかを思い出した。

ベートーベンの伝記。

死の直前に訪ねてきた男。

さっき会った男は、彼女が玄関に座ってイメージしていた、死の国の使いそのものだったのだ。

若くて、落ち着いていて、端整な男。遠い地下の国からやってきた使者。その男が、黒い野球帽と黄色い雨合羽で、現代のこの町に現れたような気がした。

まさかね。単なる偶然だ。

少女は、母親にごしごしタオルで頭をこすってもらいながら、そんなことをぼんやりと考えていた。

そして、すぐに彼女はその男のことは忘れた。

それから数十分後、順二が一緒にジュースを飲みに行こうと誘いに来た時も、彼女はまだ手をつけていない残りの宿題のことを考えていた。

第四章 電話と玩具

――

ええ、母は死にました。もう三年になりますけれども。

何度か軽い脳梗塞《のうこうそく》をやったんですが、最後に入院した時には、二ヶ月くらいずっと意識がありませんでした。

時々、何事かぼそぼそ呟《つぶや》いていたのを覚えています。いつも同じようなことを繰り返し誰かに必死に呼びかけていましたが、その相手は誰なのか、「お母さん、誰？　何を伝えればいいの？」って、家族が何度も尋ねてみましたが、とうとう分かりませんでした。

眠っている時は静かな表情なのに、時々ふっと意識が浮かび上がってくるらしく、みるみる苦しそうな表情になるんです。あの顔を見ると、こっちもどきっとしてね。息を詰めて母の顔を見ていると、まるで、母の顔の中から、別の人が浮かび上がってくるみたいなんです。症状は安定していましたから、病気で苦しいのではなく、過去のことを思い出して表情が歪《ゆが》むんですね。

きっと、あの事件のことを何度も思い出していたんだと思います。死の間際まで、昔の記憶に心を奪われていたのだと思うと、悔しくて、悲しくてたまりません。結局、母の中ではあの時のまま時計が止まっていて、あの事件の記憶に囚《とら》われたまま連れていかれてしまったんだって。

二

確かに、もう昔の話ってことになるでしょう。

母はもうおりませんし。年数の上ではね。でも、正直、あまりあの事件の話はしたくありません。今でも、あの時期のことを思い出すと、喉《のど》の奥が重くなります。嫌な感情が、古い棘《とげ》みたいにどこかに刺さってるんです。あの頃の時間だけ、黒い寒天で固めたみたいに、濁った塊で身体のどこかに残ってるんですよ。ゼリーみたいな濁った膜の内側の、汚いものを開けるのは嫌なんです。固めて封じ込めたつもりでいても、ちょっとしたきっかけで腕をずぶっと突っ込んでしまう。まだ、ぷんぷん臭うんですよ、あの頃味わった悪意の塊が。あれがあの時のまま流れ出してきて、そこいらへんを汚すんです。

みんなが疑心暗鬼になっていたのは分かりますが、本当に、ああいう時って信じられないようなひどいことを言い出す人がいるんですよねえ。

母だって毒を飲んだんですよ。意識が安定するまで一週間近く、退院するまで三ヶ月近くもかかりました。偶然少ししか飲まなかっただけなのに、毒が入っているのを知っていたから少ししか飲まなかったんじゃないか、犯人は母じゃないか、共犯じゃないか、というひどい噂が流れて、一時期家族まで白い目で見られたくらいです。

本当に、土足で踏み込むというのはああいうことを言うんですねえ。新聞や週刊誌の記者が押しかけてきて、そういう論調で話すのを聞いた時の、頭が真っ白になるような怒りは、今でもまざまざと蘇《よみがえ》ります。無言電話もあったし、石を包んだ匿名の中傷の手紙が投げ込まれていたこともあった。いきなり嵐に見舞われたようなひどい事件だったのに、それにも増して傷口に塩をすりこまれたような感じでした。

玄関から聞こえてくる父の声を思い出します。あたしは、赤ん坊を抱いて、息を殺して、父の背中をこっそり廊下の陰から見ていました。

対応に出た父の声は冷静でした。でも、ふと父の手を見たら、小刻みにぶるぶると震えていたんです。父も、はらわたが煮えくり返っていたんでしょう。

それでもまだ、当時はのんびりしていたと思います。今だったら、あんなもんじゃ済まなかったでしょうよ。マスコミが殺到して、あっというまに家族の写真も出回って、外出もできなかったでしょうね。今は、被害者も、加害者も、まだ真相も解明されていないうちから、ほとんど私刑みたいな扱いを受けるじゃありませんか。悪いことをした人を非難できるのは、被害に遭った当事者だけです。なぜ赤の他人までが「じゃあ自分が叩《たた》いたって構わないだろう」って思えるんでしょうねえ。あたしには理解できません。

三

事件の当日、あたしは次男が生まれたばかりで、身動きが取れませんでした。長男の時は何ともなかったのに、どうしたわけか難産で、産後の肥立ちがよくなかったんです。あたし自身何も食べられなくて、二週間くらいろくに起き上がれず、目の隈《くま》がちっとも消えませんでした。長男が、あたしの顔を見て泣いたくらいですから、よっぽど面変わりしていたんでしょうね。

はい、うちは金属部品の卸をしています。主人は元々うちで働いていてくれた人で、石屋の三男坊でしたから、当初から父の跡を継ぐ予定でうちに来てくれました。両親と、あたしたち夫婦と子供とで住んでいました。

あたしが動けないので、結婚したばかりの妹が母の病院に通ってくれましたが、帰りにうちに寄ると「見ていられないよ、お姉ちゃん」と泣いていたのをよく覚えています。妹は気性が激しい子で、小さい頃からよく腹を立てては感情を昂《たか》ぶらせて泣いていました。彼女の涙は、悔し涙なんです。自分の感情を言葉にして相手にぶつけられないもどかしさが我慢できなくなると、ぽろぽろ泣き出す。あの頃は、毎日そういう状態でした。

あたしたちは、周囲の視線にピリピリして暮らしていました。もし何かのきっかけがあったら決壊していたでしょう。

父は毅然《きぜん》としていました。立派だったと思います。堂々としてろ、だけど周囲につけ込まれるようなことはするなよ、この機に乗じて、俺らを餌食《えじき》にしておのれの憂さを晴らそうと舌なめずりしてる連中が絶対いるから、と言われたのを覚えています。あたしたちは必死でした。父の言葉を守って、努めて穏やかに、地味にしていました。だから、陰でひそひそ言われているのには気付いていましたが、面と向かって何かを言われたことはついにありませんでしたね。

あの犯人が見つかってからは——といっても、その時には犯人はもう死んでいたわけですが——逆に、みんな後ろめたくなったのか、やたらと愛想よく親切にされました。いきなり、見舞いの品が山と来てね。お菓子や果物の山を見て、何を今更、と苦々しく思ったことを覚えています。あたしたちは、誰が態度を変えたのかよく見ていましたから、その人から貰《もら》ったものには一切手をつけず、病院で知り合いになった患者さんの家族にみんな分けてしまいましたよ。せめてもの意趣返しですが、スッとしましたね。もちろん、そんな相手でも、快気祝いはちゃんと丁重に持っていきましたけれども。

母はいつもくるくる朗らかに働いていて、じっとしているのが嫌いなたちでしたから、あの時の姿はとてもあたしたちの知っているお母さんだとは思えませんでした。いっぺんに二十歳も歳を取ったみたいで、最初に病院で母を見た時は、あまりの落差に誰も口をきけませんでした。

毒の後遺症もありましたが、事件があまりにもショックで、母は回復しようとする気力が全くなかったんです。全てがショックでしたが、中でも、自分の孫みたいに思っていた末の坊ちゃんが、苦しみながら死んでいったのが目に焼きついて離れなかったようです。なんてむごいんでしょう。やりきれません。母自身も、これまで感じたことのない苦痛に苦しんでいたのに、その目の前で。

今でも、犯人を殺してやりたい。自殺だなんて、許せない。どこまでも卑劣ですよ。ずるすぎる。すぐに死なせるなんて優しすぎる。少しずつ毒を飲ませて、げえげえ吐かせて、自分の吐瀉物《としゃぶつ》にまみれながら地面をのたうち回るがいい。みんなが味わった苦痛を何日も長引かせて、思い知らせてやりたい。そう思います。

四

母が青澤家に出入りを始めた時期、ですか。

私が物心ついた頃にはもう、お手伝いに行っていたと思います。

元々、母の実家は代々庭師をやっていたんです。小さな造園会社で、母の祖父の代からあの家の庭を任されていたそうです。ですから、母は子供の頃から祖父や父親と一緒にあの家に出入りをして、青澤家の方たちに可愛がられていたそうで、母がお嫁に行った時は大層なお祝いを下さったそうです。

あそこの奥様はクリスチャンなんですね。いつも穏やかで、イライラしたり声を荒らげたところを聞いたことがない、できた方だと母も言っていました。お嬢さんが視力を無くした時も、さんざん手を尽くしてもやはり駄目《だ》だということになって、旦那《だんな》さまが大層落胆されていた時も、奥様が「これも神様の思し召しですから」と慰められたということです。

で、奥様が熱心に福祉活動を始められるようになって、誰かおうちの手伝いを、という話が出た時、真っ先に母の名が上がって、母も、子供の頃からよく知っていたおうちですし、お役に立てるのなら、と二つ返事で引き受けた。ですから、事件の頃には、かれこれもう二十年近く通っていたんじゃないでしょうか。ええ、娘の私が言うのもなんですが、朗らかで骨惜しみしない人でしたので、重宝されていたと思います。あの家の子供たちも懐いていましたし。中でも末の坊ちゃんは、よく母に甘えていて、私、いい歳をして嫉妬《しっと》したこともありましたよ。あたしのお母さんなのに、ってね。母も、坊ちゃんを凄《すご》く可愛がっていました。それくらい、母はあのうちに馴染《なじ》んでいたんです。長女の緋紗子さんと、長男の望《のぞむ》さんは、年の割にはとても落ち着いていて、手の掛からない優秀なお子さんでしたから、やんちゃな末の坊ちゃんを可愛がったのも分かるような気がしますね。

五

とにかく、特別な雰囲気のある家だったですねえ。

昔のいいおうちというのはああいうもんなんですね。

天井が高くて、和洋折衷がすんなり溶け合っていて、レースのカバーが掛かった三点セットがあって、窓に重いカーテンが掛かっていて——映画の中の家みたいでしたよ。

いつも音楽が流れていました。クラシックや、英語の歌や、華やかで上品な感じの音楽が流れていました。旦那様が音楽好きだというのもありましたが、ラジオが点《つ》けっぱなしになっていたのは、緋紗子さんのためだとも言われていました。音の鳴る方向で、お部屋の位置を確認しやすくするためだとか。

あたしも、子供の頃から母に頼まれたものを持っていったり、母を呼びに行ったり、あの家には年に数回は出入りしていました。でも、母や妹と違って、あたしはどうしてもあの家の雰囲気には溶け込めませんでした。

違いすぎる、というんでしょうか。なんだかお芝居の中の家みたいで。

始終お客様が来ている家でした。あちこちから話し声がするんですが、誰もが舞台の台詞《せりふ》みたいな上品な言葉を使っているので、いつも不思議な心地がしました。妹は長いことあそこにいたがりましたが、あたしは十分とあの家にはいられませんでした。舶来ものの時計やオルゴールや、見たことのない人形など、あの家には高級で綺麗《きれい》なものがいっぱいありましたから、妹はよく入り込んで舐《な》めるようにそういうものをジッと見ていました。

あたしは駄目。ちょっとでも中にいると、独特な空気に圧倒されてそわそわしてきちゃうんです。だからいつも、お勝手口から母を呼んで、頼まれたものを渡したらサッと帰る。おうちの人に会ってもぺこっとお辞儀してすぐに帰る。そんな調子でした。親に似ず人見知りする子だねえ、ってよく言われたものです。母も、妹がお使いをしたがっていて、いったんあの家に来ようものなら長っ尻《ちり》なことは知っていましたから、こっそり私に使いを頼むんです。私だったら余計なことは言わずにすぐ帰りますからね。

なんだか、ツンと来る匂いがするんです。

消毒薬の匂いに似た匂い。病院だからだと思っていました。だけど、母も妹も、消毒薬の匂いなんかしないよって言うんです。母にそう言ったら、医院と住居は完全に分かれてるから、おうちには消毒薬なんて置いてないって言う。病院だと思い込んでるから、そんな気がするだけなんじゃないのって。

でも、必ず匂うんです。勝手口の戸を開ける度に、ツンと鼻に来る。なんていうんでしょうね、冷やっとする、ハッとする匂い。いつも拒絶されたような気がしました。

つまりは、あの匂いが気に入らなかったのかもしれません。病院だって、いくら内装に気を配って、看護婦さんたちがにこやかでも、あの匂いを嗅《か》ぐと、ああここは病院なんだ、生と死の境界線の場所なんだ、って思うじゃないですか。あの家に行くとああいう気持ちになるんです。ここでは浮かれてはいられない、きちんと真面目にしていなくちゃ、用心して気を付けていなくっちゃ。そんなふうに感じて、一刻も早くここを離れるんだ、と気ばかり焦る。

もちろん、こんな意見は少数派ですよ。そこのところ、勘違いしないで下さいよ。

あのうちは古くから篤志家《とくしか》として知られていてみんなに尊敬されてましたし、子供たちや若い人はあのうちに憧《あこが》れていました。

昔、コレラか何かが流行《はや》った時も、一家が総出で、不眠不休、報酬なしで大勢の病人の面倒を見てくれたそうです。戦前のことでしょうけど、あたしが子供の頃はそれを恩義に感じている人がまだいっぱい残っていました。この感じ、うまく説明できませんが、とにかくあそこは特別なおうちなんです。

例えばですね――今は話の都合上、あたしも「青澤家」なんて口にしていますが、みんなは絶対にあの家の名前は出しません。あたしも、随分長いことあのおうちが「青澤」という苗字《みょうじ》だって知らなかったくらいです。

で、みんながなんて呼んでいるかというと、「丸窓さん」というんですね。「丸窓さんが」「丸窓のところでは」なんていうふうに呼んでいました。

丸窓。文字通り丸い窓です。

石造りの家の壁に、昔の潜水艦の絵みたいなまん丸の窓が三つ並んでいて、それがとても印象的な家なんです。昔の当主が医学の勉強のために洋行なさった時に知り合った、ドイツ留学中の建築家が設計したとか。でも、作ったのは日本の職人ですから、窓のところの青いタイル貼りなんか、いかにも日本の左官職人が試行錯誤しながら作ったという感じで、どことなく和風なんですよね。嵌《は》め殺しで青っぽい緑色の曇りガラスが入っていました。

ちらっと内側を見たことがあるんですが、その三つ並んだ窓は、三つの小さな小部屋に仕切られているんです。一つ一つの広さは半畳くらいでしょうか。真ん中は洗面所で、深い流しが一つ。バケツで水を汲《く》んだり、そのまま流しに水を張って作業ができるようになっていました。その左右の小部屋には木のドアがついていて、向かって右側は電話室です。

そして、左側は、棚が一つあるきりの何もない部屋。あたしが見た時は、花を生けた花瓶がぽつんと置いてあるだけでした。不思議に思って、あの部屋はなんだと母に聞いたら、なぜか言葉を濁して、「奥様の」としか言わなかった。

はっきりと聞いたわけではないんですが、奥様が一人でお祈りをするのに使っておられたようです。最初からそういう用途だったのかどうかは知りません。よく、西洋の映画で、神父さんが電話ボックスみたいな小さい部屋に入って、訪れた人の顔が見えないようにして、懺悔《ざんげ》を聞いているところがありますよね、なんとなく、あたしの中ではああいう感じなんです。

遠くからも、その三つの小部屋に明かりが点いているのがよく見えるんです。

冬の学校の帰り道で、友達と他愛のない賭《か》けをしました。通りかかった時、窓に幾つ明かりが点いているか、なんてね。雪が降ってると昼間でも暗いから、あの家は雪の海に浮かんでる船みたいに見えました。

あの家は、誰もが知っている、あの地域の中心だったんです。

六

ええ、緋紗子さんと望さんは、さしずめ青澤家のお姫様と王子様でしたね。

色白ですらっとしていて、とても綺麗な顔立ちでしたし。どこにいても目立ちました。

目立つというよりも、知らず知らずのうちに目が惹《ひ》き付けられる、というほうが正しいでしょうか。なんだか、おとぎばなしを絵に描いたようでしょ。あまりにもできすぎてますよね。我々とは住む世界が違う。見る度にそう思いました。

不思議なお二人でしたね。

他にも、いわゆるいいところのお嬢様、お坊ちゃま、みたいな人には何人も会ったことがありますが、あのお二人は、どこかあたしたちの理解を拒むようなところがありました。わがままだとか、天真爛漫《てんしんらんまん》だとか、逆に完璧《かんぺき》だとか、反発するとか、大体育ちのいい人はなんとなく分かるじゃありませんか。なるほど、大事に恵まれて育ったんだからこうなったんだな、というのが。ちょっと浮世離れしているという点では、あのお二人も同じでしたが、その浮世離れの仕方というのが――

うまく言えません。非の打ち所のないお二人です。美しくて、冷静で、頭がよくて、にこやかで礼儀正しくて、決してはしゃいだり傲慢《ごうまん》になったりしない。誰にも文句は言えないと思います。

少しは分かりますよ、みんなの憧れや崇拝を当たり前に受け続けることの大変さは。スターで居続けるのは大変です。みんなに注目されていますし、ちょっとでも理想から外れたことをすれば非難が殺到して、たちまちスターの座から引きずり下ろされてしまいますからね。スターなら引退すればいいけれども、あの人たちは何代も続く、世襲制のスターなんです。生きている限り引退はできない。そういうことでしょ。

あのお二人には、あきらめのようなものがありました。自分の立場に対するあきらめ。いえ、大袈裟《おおげさ》だと思うかもしれませんが、自分たちの世界に対するあきらめみたいなものを感じたんです。絶望と言い換えてもいいかもしれない。あのお二人は、あまりにも絶望していたので、あんなにも優しくて非の打ち所がなかったのかもしれない——そんな気がするんです。

特に、緋紗子さんは。

七

事件当日のことは、あたしから話せることはありません。実際、あたしも新聞記事の内容と同じくらいのことしか知らないんです。

母に直接あの日のことを聞こうなんて、これっぽっちも思いませんでした。もし、母が話したいという気になったのなら聞こうとは思いましたが、母が話したくないこと、忘れたがっているものをあえて聞くことはないでしょう。結局、あの日の話を母から通して聞くことはありませんでした。

でも、母のところに通って辛抱強く話を聞いていた刑事さんは、とても感じがよかったです。五十くらいの男の人と、ぽっちゃりした婦警さんがいつも二人でいらしていましたが、その男の人は、一見、刑事さんには見えませんでした。どちらかといえば学校の先生みたいな感じで、見た目は無骨でしたが、穏やかで誠実な人でした。

　手先が器用な人でね。病院の廊下で、何かしているなと思ったら、小さな折り紙で鶴を折っているんです。あたしが怪訝《けげん》そうに見ていると、照れた顔で苦笑いをしてね。本当はひどいヘビースモーカーだったのに、医者に止められてしまったので、煙草が吸いたくなると鶴を折るんだそうです。今では考え事をするのに鶴を折るのが習慣になってしまった、と恥ずかしそうに笑っていました。

　知らなかったんですが、連鶴という折り紙があって、昔から折り鶴にはものすごく沢山の折り方があるんですってね。江戸時代には、伊勢地方のお坊さんが、「秘伝」として連鶴の折り方を書いた本を出しているんだそうです。あの人は、その中のものを、幾つも目の前で折ってくれました。大きな鶴の尻尾《しっぽ》に小さな鶴が乗っているのとか、沢山の鶴が手を繋《つな》ぐように輪になっているのとか、水面に映った鶴のように、お腹のところで向かい合わせになっているのとか。ちょいちょいと小さな鋏《はさみ》で切れ込みを入れて、魔法みたいに折ってみせてくれました。みんな風流な名前がついていてね。あたしは相変わらず体調が悪かったですし、病院の廊下に座ってると、あたしのほうが病人だと思って看護婦さんが声を掛けてくるほどでしたから、よほど気の毒に見えたんでしょうか。刑事さんはいつも親切でした。そうそう、水面に映った鏡みたいな鶴の名前だけ、覚えています。「夢の通い路」と言うんだそうですよ。綺麗《きれい》な名前ですよね。

　お二人は、お医者さんの許可を貰《もら》って、毎日ちょっとずつ、足繁く通ってこられました。

母も最初は全く無反応だったのですが、だんだんお二人を信用して、少しずつ話す時間が長くなっていったのを覚えています。でも、母の話からは犯人の手掛かりはなかったんでしょうね。親しくなってきても、帰って行く刑事さんたちの顔は浮かない様子でした。

新聞や週刊誌の記事を読むのはつらいことでした。何が起きたのか知りたいと思って、最初はいろんな新聞を買い集めて読んでいましたが、そのうち母を疑うような噂が出てからは、怖くて新聞が読めなくなりました。新聞を開くと、関連記事のところだけが浮き上がって、本当に棘《とげ》みたいに胸に刺さる感触があるんです。新聞を開こうとしたまま、何十分も動けない時もありました。旦那《だんな》が先に新聞を読んで、「大丈夫だよ」と言われてからじゃないと新聞が開けなくなったくらいです。

二ヶ月近くそんな状態が続きました。捜査は完全に暗礁に乗り上げていましたからね。その頃にはあまり顔を見せなくなっていましたが、久しぶりに訪ねてきた刑事さんたちは、疲労と苦悩でひどい顔をしていました。あの顔を見たとたん、新たな怒りと絶望が込み上げてきました。いつまでこんな日が続くのだろう。こんなに一生懸命に働いている人もいるのに、しかもみんなの税金が使われているのに、どこまであたしたちをひどい目に遭わせるんだろう。何を恨めばいいのか、誰に文句を言えばいいのか分からず、悶々《もんもん》とした日を送っていました。

八

犯人死亡、のニュースは寝耳に水でした。

見たことも聞いたこともない名前。火が点《つ》いたようにマスコミは熱狂していましたが、あたしたちは完全に置き去りにされていました。事件の中心部にいた人たちだけが、ぽつんと取り残されていたんです。

たちまち、犯人だという男のこれまでの人生が掘り返されて新聞や雑誌を埋めましたが、なぜか遠いところの世界にしか思えませんでした。とにかく、あたしたちは疲れ切っていたんです。母ですら、犯人逮捕の記事を読んでも、ほとんど反応を見せませんでした。

みんながじわじわと不安でいっぱいになりました。

これで終わったのか。

こんな終わり方なのか。

だけど、あたしたちはこれからもこのままで生きていかなければならないのか！

あっけない終幕に、誰もが恐怖に近い絶望を覚えました。なにしろ、犯人はもう死んでしまっていましたから、マスコミの熱狂は、事件発生の頃に比べてあっというまにしぼんでしまいました。たちまち、事件は終わったものとして忘れ去られていったんです。

あたしたちは「世間」に置いていかれました。

けれど、不思議なもので、犯人逮捕の日から、新聞も雑誌も怖くなくなりました。憑《つ》き物が落ちたように、何も怖くなくなったんです。事件の記事を読んでも、何も感じなくなりました。

あの刑事さんが、わざわざ家まで事件終結の報告にいらっしゃいました。濃い灰色のスーツを見て、ああ、もう秋になったんだな、と思いました。

刑事さんは、一応、穏やかな表情でしたが、どこか割り切れない表情に見えました。それはあたしたちも同じでしたから、長いことみんなで気まずくうつむいたまま、もじもじしていたと思います。

犯人が毒を入れた酒を持ってきたことは確かなようです、と刑事さんは言いました。言外に、真犯人がいることを疑っているような口ぶりでしたが、それ以上は何も言いませんでした。

私は、別の線を追っていたのですがね。

帰る間際、玄関で靴を履きながら、彼が独り言のように呟《つぶや》いたのを覚えています。

それは、誰ですか？

思わずあたしが尋ねると、刑事さんは、「いや」と笑って答えませんでした。そして、思い出したように、ポケットから、あの「夢の通い路」の鶴を出して、母に渡しました。

いつもの安い折り紙ではなく、金箔《きんぱく》を散らした、綺麗な和紙で折ってありました。

お元気で、あなたは何も引け目を覚えることはないんですよ、お元気で、と刑事さんは唱えるように言いました。

母は、鶴を受け取ったとたん、崩れるようにワーッと泣き出しました。みんなびっくりして、私と刑事さんとで支えましたが、母の号泣はなかなか止みませんでした。

違うんです、刑事さん、違うんです、あたしは生き残るべきじゃなかったんです、と母は切れ切れに叫んでいました。何が違うの、どうしてそんなことを言うの、お母さんは何も悪くないじゃないの、とあたしも泣きながら叫びましたが、母は、違うんです、違うんです、と首を振って叫ぶばかりでした。

刑事さんは何も言わずに帰っていきました。

あたしと母は外まで見送りにでて、暫《しばら》く二人で泣いていました。

母は、何が「違う」と言ったのか、そのことも終生話そうとはしませんでした。

あの鶴は、今も母の位牌《いはい》の前に置いてあります。

九

あたしは、緋紗子さんが怖かったんです。

なぜかは分かりません。言葉では説明できません。

早い話が、妬《ねた》んでいたのでしょう。目は見えませんでしたけれど、それでも彼女は全てを持っていました。いいえ、目が見えなかったからこそ、彼女は全てを手に入れたのです。

こんなことを言ったら、目の見えない人は怒ると思います。でも、緋紗子さんはただの人じゃないのです。他の人の基準では、あたしたちの基準では比べられないんです。

　彼女は自分の目と引き換えに、世界を手に入れたのです。そして、その世界は、あたしたちの知っている世界とは違っていた。あたしには、あのひとが誰かと交渉をして、自分でそれを手に入れたような気がしてならないんです。この世に生を受けた時に、目をあげるから世界をちょうだい、そう言ったように思えるんです。だから、あたしはあのひとが怖かった。

　彼女がブランコに乗っているのを見たことがあります。

　近所の公園の、小さなブランコです。

　彼女は、子供の頃、ブランコから落ちて視力を失ったというのに、ずっとブランコが好きなままでした。

　彼女が夕暮れ時にブランコに乗っているのを見た時、思わずギョッとしました。

　とにかく、必死と言っていいほどいっしんに、かなりの高さまでブランコを漕《こ》ぐんです。大丈夫か、と見ているほうが不安になるくらい。

　そして、漕いでいる時の彼女の表情ときたら。

　満面の笑顔なんです。

　晴れやかな、世界を手に入れたような顔。あんな表情は、他の時の彼女にも、他の人の中にも見たことがありません。あの顔を見た時、あたしはとても後ろめたい、罪悪感のようなものを覚えました。なんだか、人間が見てはいけないもののような気がしたんです。

ふと、あたしは足元が沈み込むような気がしました。

彼女がブランコの上で感じている世界をほんの一瞬見たような錯覚を起こしたからです。

そこは、真っ白でした。上下左右、何もない真っ白な虚無の世界。どこまでも続く、果てしのない宇宙みたいなところで、彼女の乗ったブランコだけが揺れていたんです。

ああ、そうなのか。

その瞬間、あたしは悟りました。

彼女は幼い日、このブランコの上で誰かと取引をしたのだ。誰かが、ブランコを漕いでいる彼女に、おまえの何かと引き換えに世界をやるがどうだい、と彼女に話し掛けたのだ。

そして彼女は取引に合意し、次の瞬間自ら手を放したのだ、と。

＋

雑賀さんについては、ほとんど知りません。

子供の頃、何度かあのおうちで見かけたことがある程度でしたね。おとなしいけど、ごまかしのきかない、しっかりした子だったという印象があります。みんながざわざわ騒いでいても、いつも一人だけじっと周りを見ている、みたいな。うちの妹も、好奇心剝《む》き出しで何でもじろじろ見る子でしたけれども、それとはまたちょっと違うんですね。満喜子《まきこ》ちゃんは、揺るぎない。小さな頃から芯《しん》が出来上がっていて、この先も揺らぐことがない。そういう子でした。

彼女が母を訪ねてきた時は、あの満喜子ちゃんだとは分かりませんでした。

母と手紙をやりとりして、話を聞くことを承知していたのは知っていましたが、その相手があの時近所に住んでいた子だと、母に聞くまでは気付かなかったんです。

母は懐かしがっていました。

ようやく、あの事件の呪縛《じゅばく》から少しずつ逃れようとしている時期でした。彼女に頼まれて、母も誰かに話しておこうという気になったのかもしれません。

それはいいことだ、と思ったのも確かです。どこかで区切りが必要だ、心の中の整理をすることは悪いことではなかろう、と。父も最初は反対しましたが、母が「私は大丈夫、後悔はしませんから」と言ったので父も折れました。

それから、月に一度ですか、彼女が訪ねてきて、母と何時間も話していました。

雑賀さんは、とても真面目な、きちんとしたお嬢さんになっていました。彼女があの女の子だと思うと、来る度に、あの時の彼女がそのまま大きくなったような印象が強くなりました。

いいえ、彼女はいつも一人きりです。誰かと来たことはありませんでしたね。

時々、母のすすり泣く声が聞こえてきたりして、気を揉《も》みましたが、むしろ、彼女が来た後はいつもすっきりしたような表情で、こちらを拍子抜けさせました。今にして思えば、誰にも言えなかったこと、過去の話をすることは、カウンセリングのような効果があったのかもしれません。父も、「心配したけど、よかったみたいだな」と言ったほどです。けれど、本が出てからのあの騒ぎは、また母を家に籠《こも》らせてしまいました。

またぞろ、かつての事件を掘り起こすような動きが幾つかあって、あたしたちも神経を尖《とが》らせていました。あの時は、雑賀さんを恨みましたよ。最初は本にするなんて話はなかったじゃないか、卒業論文の資料にするだけだと言ってたじゃないか。父もあたしもカンカンになって怒っていました。

でも、あたしたちが抗議しようとすると、母が頑として許さなかった。

いいんですよ、これで。

母は、自分に言い聞かせるように何度もそう言っていました。母にそう言われてしまうと、父もあたしも、それ以上何も言えません。

確かに、あの騒ぎの時の母は、家に引き籠ってはいるものの、事件当時のように腑抜《ふぬ》けになっていたり、虚無的になっていたわけではなく、じっと長いこと一人で考え込んでいる、という感じでした。顔つきもしっかりしていましたし、雑賀さんに話をする時にまとめておいた昔のアルバムや手紙を一つ一つひっくり返して、日がな思索に耽《ふけ》っている、というのが正しい状況だったと思います。むしろ、開き直ったような雰囲気がありました。周囲の雑音など全く耳に入っていなかったんじゃないかな、と思います。ですから、あたしたちもそのまま母を放っておきました。例によって、聞こえないふりをしていれば、世間はすぐに次の話題に飛びつきましたから。あの本も、考え事をする母も、やがてはいつものように置き去りにされましたし。

母が、あの本を置いて、和室の文机《ふづくえ》で、丹念に写真をめくっていた姿だけが目に焼きついています。

雑賀さんには、あれ以降一度も会っていません。

今はどうしているんでしょうね。あれきり、何か本を出したという話も聞きませんが。

十一

あたしは、あの本を読んだことがありませんでした。

今回のあなたの申し出で、初めて手に取ってパラパラ読んでみた程度です。あたしたち家族にとっては、忌まわしい本でしたからね。かといって、捨てることもできませんでしたけど。

さっきも言いましたように、母は、終生あの事件については家族に語りませんでした。

刑事さんが挨拶《あいさつ》に来た時に、なぜ「違う」と言ったのかも分かりませんでした。

だけど、本を読んでいるうちに、ぽつぽつと記憶が蘇《よみがえ》ってきたんです。

母は、事件について通して話したことはなかったけれども、何かの拍子にちらっと事件の時のことを話すことがありました。

雑賀さんが家に来ていた時も、彼女が帰った後で、気持ちが昂《たか》ぶっていたのか、ぽろっと独り言みたいに話したことがあったんです。

そういえば電話が掛かってきた、と。

何の電話、とあたしが惰性で尋ねると、あの日だよ、と母は言いました。

母の目は、遠くを見てキラキラ光っていました。

そうだわ、電話が掛かってきたのよ、ちょうどみんなで乾杯をした瞬間に。あたしは口をつけたところで、なんだか変な味のお酒だな、と頭の隅で考えたんだけど、電話のほうが気になって、すぐに杯を置いたの。あの家の電話を取るのはあたしの役目だったから。なにしろおっかない音の電話だったし、ベルが鳴ったらお祝いの雰囲気がぶち壊しだものね、だから慌てて電話口に飛んでいったのよ。

電話って、鳴る前になんとなく分かるじゃないの、かちっという、ベルが鳴る前に特有の音がするでしょ、あたしは耳がよかったから、杯を口につけた時にその音を聞いていたのね、だからそっちに気を取られて、あまりお酒を飲まずに済んだのよ。

誰からの電話だったの、とあたしは興味を覚えて尋ねました。珍しく、母が話したがっているように見えたからです。

女だったの、若い女。名乗らなかったわ。なんだったかしら、おかしなことを言ったのよ。ええと、皆さんお元気ですか、お変わりありませんか、みたいな、おどおどした声で言うの。どちらさまですか、どなたに御用ですか、と言ったら、痩《や》せた犬を見ませんでしたか、と、これまた調子っぱずれなことを言うのよ。悪戯《いたずら》電話かしら、と思ったら、急に気分が悪くなってきて、眩暈《めまい》がしたわ。一瞬、家の中が暗くなったような気がしたの。どうしたんだろう、と思ったら、電話の向こうで「あっ」という声がして、いきなりガシャンと電話を切ったのね。でも、その時にはもうあたしも目の前が暗くなってきて、猛烈な吐き気が込み上げてきていたから、その音を聞くのと同時くらいにあたしも受話器を置いてしまったの。

この電話のことを、母が警察に話していたかどうかは知りません。

その時初めて思い出したような口ぶりでしたから、もしかすると、事件当時は忘れていたことなのかもしれません。

だとすると、どうなるのでしょう。皆さんお元気ですか、お変わりありませんか、なんて聞いてくるなんて、まるで事件のことを知っていたみたいじゃないですか。みんなが毒を飲んだかどうか、確認する電話だったのでは。痩せた犬というのも、酒を運んだ男を指しているのかもしれない。

もしかして、共犯者が本当にいたのかもしれません。もしかして、電話を掛けてきたその女が真犯人だったのかもしれない。そう夜中に布団の中で考えていると、いてもたってもいられなくなります。あの刑事さんを探して話そうかと思ったこともありますが、もうとっくに退職されているでしょう。それに、事件は終わったことになっているわけですし、いつも昼間になると今更どうしようもないと考え直すんです。

あと、もう一つ、母が言っていたことで、思い出したことがあります。

事件当日、お手伝いに来ていた女性の一人が、男が持ってきたお酒とジュースを運んでいる時に、何かに乗り上げて転びそうになったそうなんです。

危ないわねえ、と言って床を見たらね、赤いミニカーがあったの。

母はそう言いました。

坊ちゃんのじゃないのよ、坊ちゃんは、おもちゃが汚れるのを嫌がるから、沢山持っているミニカーは、ちゃんと専用のケースに入れて、家の中でしか遊ばないからね。でも、そのミニカーは、泥だらけだったの。もう乾いてはいたけど、外に出しっぱなしになってたんじゃないかしらねえ、それを誰かが家の中に持ち込んだのよ、坊ちゃんかしら。誰の持ち物だったのかしらねえ。今更どうでもいいことだけど。なんであんなところに置いてあったのかしら。

でも、いっそ、転んでいればよかったのにね。そうすれば、あのお酒とジュースに口をつけた人は減っていたのに。

母は悔しそうに言いました。

この話も、今になってみると何だか気になるんです。

もしかすると、家の中に、事件が起こることを知っていた人がいたんじゃないでしょうか。

それがどの程度までなのか、その人が事件に関与していたのかどうかは分かりません。だけど、その人は、毒が入っていることを知っていて、それをみんなの口に入れさせまいとしていたような気がするんです。そりゃ、ミニカーが置いてあったくらいじゃどうにもなりませんけれども、大きなお盆を持って動き回っている時に、タイヤの部分が滑るミニカーに乗り上げたらどうなるかは想像できるでしょう。廊下は板張りですし、スリッパはただでさえ歩きにくいですから、危険です。

単なる憶測ですけれど。

そんなこんなで、最近、いろいろなことが気になります。

この歳になって、母に宿題を残されたみたいです。あたしはどうすればいいんでしょうか。

このところ、明け方になるといつも同じ夢を見ます。

あたしは、白い湖の上を歩いています。忍者みたいに、水面の上をひたひたと歩いているんです。そのずっと先に、母が待っているはずなんです。その先に、「夢の通い路」があって、そこに行けば母に会えることを、夢の中のあたしは知っています。

あたしはただひたすら水面の上を歩いています。辺りは霧が立ち込めていて、何も見えないけれど、その先に母がいることは確かなんです。

あたしは急いでいます。ふと、下を見ると、あたしが歩く姿が水面に映っています。

あたしの下に、さかさまになったあたしが歩いている。

あたしは、自分の顔を覗《のぞ》き込みます。

でも、よく見るとあたしじゃないんです。

緋紗子さんです。

あたしの真下を、さかさまの緋紗子さんが歩いているんです。

あたしは悲鳴を上げます。彼女から離れようと、必死に走るんです。

でも、あたしの足の下の緋紗子さんも、同じように必死に走ってついてくる。どんなに走っても、あたしと同じ速さで彼女がついてくるんです。

怖くて怖くてたまりません。

あたしは走って、走って、走ります。ああ、これ以上走ったら心臓が破れてしまう。

そう思ったところで目が覚めるんです。

十二

母は、毎年事件の日に、青澤家のお墓参りをしていました。いつも一人で行きましたし、家族は誰も一緒に行こうとは思いませんでした。

母が亡くなってからは、誰も行きませんでした。

でも、今年は、私が母の代わりに行こうと思っています。あの事件のあった日に、母と同じように。

母は、骨の一部を海に撒《ま》いてほしいと言い残していました。母は、海の見える家で育ったんです。小学校も、海から道路一本隔てたところに建っていたから、いつも潮騒《しおさい》を感じていたって。散骨のための骨を取っておいたんですが、なかなか海に撒く決心がつかずに、ずっと家の中に置いていました。

でも、今年、青澤家のお墓参りをしたら、母の通っていた小学校まで行って、そこで海に撒こうと思います。そして、最初からこの本をきちんと読もうと思っています。

そうすれば、少しはすっきりするような気がするんです。

今年の夏も暑いですね。

あの時も、こんな夏でした。

この夏の終わりに、母の骨を海に撒くのはふさわしいような気がします。

最近、海を見るとおかしな情景が頭に浮かぶんです。

海の上に、空から一つのブランコが下がっている。

ブランコの鎖の先は見えません。高い雲の中から、光みたいにどこまでも伸びている。

そして、ブランコはゆっくりと海の上で揺れているんです。

もちろん、ブランコには彼女が乗っています。

あの日、私が見た彼女。

晴れやかな、この世のものとも思えぬ笑みを浮かべてブランコを漕《こ》いでいる彼女が。

私は目を細めて、水平線の上で揺れている彼女をじっと眺めています。

他の人には、彼女は見えません。あのブランコが見えるのはあたしだけ。

あたしが彼女を見た日。

いつのことかって？

あたしが黄昏《たそがれ》の中で、笑顔でブランコを漕いでいる彼女を見たのは、あの事件が犯人の自殺で終結し、数百人もの人が集まった合同慰霊祭を終えて帰る途中のことだったんです。

第五章　夢の通い路（一）

彼がその職業を選んだのは、蟻のせいだった。

道路脇の溝に、小豆《あずき》のアイスクリームが落ちていて、溶けかけた薄紫色の液体に、蟻がたかっていたのだ。それを見た時に、彼にはそれが自分にはふさわしい場所に思えたのだった。

幼い頃から真面目で成績もよかったので、母親は銀行員とか商事会社の社員とかそういうものになってほしいと考えていたようだ。下に三人のきょうだいがいて、指物《さしもの》職人だった父の収入で一家がやっていくのは決して楽ではなかったので、きちんと毎月給料が出る仕事についてほしいというのが母の悲願だった。優秀な長男は希望の星だったから、両親は相当無理をして彼を高校にやってくれた。彼も期待に応《こた》えるつもりだったし、早く独立して家計を助けるのは、彼の幼い頃からの切実な望みでもあった。

高校三年の春になり、彼は、なるべくいろいろな人の話を聞いてみようと考えていた。

もちろん、両親の望む、サラリーマンが第一希望である。

しかし、知り合いが得意満面で自分の勤めている中堅どころの商事会社を案内してくれた時、彼が感じたのは違和感であった。

最初、彼はそれが違和感だと気付かなかった。初めて会社というもの、オフィスというものを目にしたので、びっくりしているのだろうと思っていた。

きびきびと電話する男たち、白いブラウスも眩《まぶ》しいオフィスガールたち。活気があって、スマートで、明るい未来が満ち溢《あふ》れている。

自分がここに仲間入りするのだ、と考えた時、たぶん彼と同年代の青年であれば、顔を上気させ、希望に胸を膨らませたことだろう。やがては自分もあんなふうに電話を掛け、書類を作り、若い娘たちと軽口を叩《たた》いたりするところを想像したかもしれない。

しかし、彼の場合、胸の中で膨らんだのは違和感だけだった。

自分が彼らと働いているところを、全く想像できなかったのである。

彼は、感じている違和感に当惑していた。なぜだろう。なぜ自分はあそこにいられない、ふさわしくないと思うのだろう。

会社を出てからそう打ち明けると、知り合いは、それが彼の就職に対する不安だと受け取ったらしかった。大丈夫、誰だって、会社に入る時は不安なもんさ。照ちゃんのことだもの、一年もすれば、バリバリやってるに決まっている。数字も強いんだろ、経理でも任されれば、出世だってできるぞ。彼は明るくそう請け合った。

曖昧《あいまい》に頷《うなず》いたものの、胸の違和感は膨らむばかりである。

なぜだろう。新聞配達だって、護岸工事の手伝いだって、伝票整理だってやったことがある。働くことが嫌なのでも、会社員生活が不安なわけでもない。だが、どうしてもあそこが自分のいる場所には思えない——

彼は首をひねった。単に人生経験の不足から、こんなことを考えるのだろうか。

そう思いながら、他にも幾つか教師に頼んで卒業生の勤める会社を見せてもらった。

しかし、どこに行っても同じ違和感を覚えた。

それを正確に説明するならば、嘘臭い、とでもいおうか。

オフィスという場所があまりにも表層的で、彼は欺瞞《ぎまん》を感じた。彼の感じている世の中というもの、人生というものに比べて、どうも上澄みだけに見えるのである。

思えば、子供の頃から、恵まれない生活環境の中、彼はいつも周囲の人々に「いい子ちゃんぶってる」「すかしてる」「俺らを見下してる」などと言われていた。実際、自分は他の人とは違う、ここから抜け出して家族にいい生活をさせてやりたいと思っていたことは否定しない。口に出したことはなかったが、ごみごみしたプライバシーのない生活は嫌でたまらなかった。しかし、いざ本当に抜け出せるということになってみると、その先にある世界がしっくりこないばかりか、正直言って全く魅力を感じないのだった。

そんな自分の胸の内を、誰にも打ち明けることができずに夏休みを迎え、彼は毎日氷を運ぶ仕事を手伝っていた。ぎらぎらと照りつける太陽の下で、汗だくで冷たい氷を運んでいるのは、なんとも不条理な気分になる。

重労働を終えて製氷工場から帰る時、町工場の一角がざわざわと興奮に包まれているのに気が付いた。警官が忙しく駆け回り、野次馬を追い払っている。

「どうしたんだ」

「女房が亭主を刺したらしい」

「メッタ突きで血だらけだってさ」

「あそこは痴話喧嘩《げんか》が絶えなかったもんな。下半身の緩い亭主でよ。いつも殺してやるって叫んでたっけ」

「昼間っから女房の目を盗んでレコを連れ込んでたらしいぜ」

「そこに帰ってきた女房が頭に来て」

「まさか本当にやるとはなあ」

遠巻きにしている人々のひそひそ声が耳に入ってくる。

人垣の間から、工場の入口に呆然《ぼうぜん》と立ち尽くしている中年女の姿が見えた。警官が何事か話し掛けているが、全く反応しない。よく見ると、彼女の手も、紫色の上っ張りも、黒くなりかけた血に染まっていた。路地に整然と並んでいる朝顔の鉢との対比が異様である。

住居部分の入口の上がりかまちで泣いている若い女が見えた。白い浴衣《ゆかた》の膝《ひざ》から下がはだけて、ふくらはぎが生々しい。そのふくらはぎが、死に際のカエルの足のように、びくんびくんと震えている。

彼は棒立ちになった。戦慄《せんりつ》と悪寒が身体を走りぬける。

これまでに実感のなかった何かが、突然牙《きば》を剝《む》いて自分を貫いた気がした。

いつのまにか、心臓がどくどくと波打っていた。

なんだろう、この感覚は。

彼は混乱し、意味もなく周囲をきょろきょろと見回した。

ふと、視界の隅に、黒い塊が目に入った。

ひょいと身体をかがめて目を凝らすと、それは何かにたかっている無数の蟻だった。

ぎょっとして反射的に身を引いたが、落ち着いてもう一度見てみる。

浅い側溝に、白い紙袋が落ちている。中に入っていた二本の棒つきの小豆アイスが溶けて、べったりと紙袋にくっついていた。薄紫色のアイスクリームは、既に原形をとどめなくなっており、ところどころに小豆の粒が剝き出しになっていた。そこに、わらわらと集まった蟻の群れが忙しく行き交っていたのである。

彼は、その紙袋が、あそこで立っている女の持ち物であると直感した。

凄《すさ》まじい暑さの夕暮れ。労働を終えた女が、つかのまの涼と甘味を求めて無意識のうちに亭主の分も小豆アイスを買う。そして、ふと家を見ると、浴衣のはだけた若い女が出てくる——彼女の中の何かが切れる。彼女は、自分が駆け出したことも、アイスを落としたことも気付かない。

その時、彼は何かを見た。

畳の上で血塗《ちまみ》れで倒れている男、足を震わせ泣く女、上っ張りを血で汚して立ち尽くす女、そしてそこに群れ集まる物見高い人々。その人垣の外にぽつんと立っている少年。

まさしくそれが、今彼が側溝の中に見下ろしているものの正体だった。

これが、俺の生きる場所だ。

彼はそう確信した。もう迷いはなかった。

翌年、高校を卒業した彼は、警察官になった。

二

望んで刑事になったものの、やはり周囲とは馴染《なじ》まなかった。いわゆる組織の色というものに染まらなかったのである。それは、本人の資質によるものなのか、無意識のうちに拒絶していたのかは分からない。しかし、ここでも彼は、どことなく「あいつはインテリだから」「俺たちとは違う」と遠巻きにされていた。かといって、温厚だし、冷静だし、地味な仕事もコツコツやるし、でしゃばったり功を急ぐというタイプではなかったので、同僚たちには一目置かれていた。

この仕事が好きだとか、天職だとかいうつもりは全くない。

しかし、ここが彼の居場所であることは確かだった。組織はともかく、その仕事は彼に合っていた。

酒は好きだったが、ごく限られた同僚以外とは飲まず、専ら一人で飲んでいた。行きつけの店での彼は、どうやら教師か研究者だと思われていたようである。彼は自分のことはあまり話さなかったし、静かに酒を飲ませてくれる店を選んで通っていた。

高校時代の友人に紹介されて、見合いのような形で妻を貰《もら》ったのは三十二の時だった。

その頃には、もう父は亡く、きょうだいも皆独立し、ようやく肩の荷が下りたところであった。

欲のない、おっとりとした、どこか少女のような妻とは最初からうまがあった。けれど彼女は見かけによらず芯《しん》が強く、長患いをした母も辛抱強く看取《みと》ってくれ、二人の男の子もできて、彼は自分にしては上出来だと思える家庭を築くことができた。

仕事は忙しかった。そして、彼はその仕事に魅了されていた。

どの現場に行っても、あの夏に見た蟻のような、奇妙な生々しさと実感がある。その戦慄に触れる時、いつも彼は、俺という男はなんと罪深いのだろう、と後ろめたさを覚えるのだった。

つまるところ、俺は人間というものの正体が知りたいのかもしれない。恐らくは、自分がどういう人間なのかを。

飲み屋のカウンターで煙草を吸いながら、彼はいつもそんなことを考えていた。

俺もああなのか？　追い詰められたら、極限の状況にいたら、誰かを殺《あや》めてしまうのか。人は皆そうなのか。しょせん、理性など何の抑制にもならないのか。

四十二になったある週末、いつものようにカウンターで飲んでいた彼は、胸に尋常ならざる痛みを覚え、異変に気付いた主人が呼んだ救急車で病院に運ばれた。

煙草を止めなさい、でなければ残りの人生は保証できない。

医者にそう宣告された彼は、仕方なく指示に従うことにした。働き始めてからどんどん吸う量が増え、当時は一日にふた箱近く吸っていたのである。

しかし、第二の伴侶《はんりょ》になっていた煙草を止めるのは予想以上につらかった。飴《あめ》やキャラメルに切り替えても、元々甘いものは好きではなかったし、口の中がべたべたして渇きを覚えるのが不愉快だ。

ある日、久しぶりに高校時代の友人に会った時、彼は煙草が吸いたくて最高にイライラしていた。難しい事件を手がけていて、煮詰まっていたせいもある。話に集中できず、手が無意識のうちに煙草を探す。それに気付き、ごまかすように猪口《ちょこ》に手を伸ばす。

そのさまを見かねたのだろう。友人は、テーブルにあった箸《はし》袋を裂いて、一つの長い長方形の紙にすると、おもむろに折り始めた。

意表を突かれて注目すると、彼はたちまちそれを立体的な蛇腹に作り上げてしまった。

煙草のことも忘れて感心する。

「ほう。どうやるんだ？」

「折り紙ってのは、数学的なんだよ。おまえさん、数学得意だったろ」

友人は、高校を卒業していったんは就職したが、苦労して大学を出て、どこかの研究室に入っていた。そういえば、昔から手先が器用で、男の癖に折り紙もうまかったっけ。それも、鶴や兜《かぶと》といった定番ではなく、自分でデザインを考えた創作折り紙なのだ。

それ以来、彼の思索や酒のお供は、何枚かの紙切れになった。

いつもポケットに入れておくのは、十五センチ四方の広告を四つに折ったものである。

どこでもそれを広げたり畳んだりして考えることができる。口淋《さび》しくなったり、酒を飲んでいて間が持てなくなった時に、それを手に取るようにした。

折り紙というのは、四つの辺がきちんと同じ長さでないと、仕上がりが悪い。最初は市販のものを買っていたが、意外に長さが揃っていないのと、少しでも安上がりにするために、彼は自分で作ることにした。休日になると、きちんと曲尺《かねじゃく》でサイズを測って、新聞広告を折り紙用に裁断するのが習慣となった。妻も、広告や、お菓子の包み紙などを彼のためにとっておいてくれた。

彼の腕は見る見るうちに上達し、凝ったものに手を出すようになった。創作折り紙や、幾何学模様を立体にした折り紙も面白かったが、やはり最後に戻ってきたのは、折り紙の基本かつ究極ともいえる折り鶴である。

鶴は元来おめでたい動物であり、紙の鶴は、元々神事として折られたのが最初らしい。紙は神の道に通じるため、一羽一羽精魂込めて折るべし、という古文書の記述が残っているほどである。最初の折り鶴は伊勢《いせ》神宮で作られたという伝承のせいか、江戸時代にさまざまな形の鶴の折り方を著したのも、伊勢地方のお坊さんであった。

彼は古文書の写しを手に入れ、図解を見ずに完成図だけからそれをどう折るか考えるのを好んだ。

何羽もの鶴や大小さまざまな鶴が繋《つな》がっている連鶴を作るには、紙に鋏《はさみ》を入れなければならないが、どんなふうに鋏を入れるか考えるのは面白かった。一定のパターンを理解してしまえばあとはそれの応用であるものの、そこに囚《とら》われると新たなものができない。

それは、彼の仕事にも似ていた。人間の行動はある程度はパターン化されていて、感情の流れを読むことができるけれど、それが先入観となると、それ以外のものが理解できなくなる。

折り紙を背広のポケットに忍ばせるようになってから三年が経過し、彼は四十六歳になっていた。

そして、彼はそれまでに知っていたパターンでは到底理解できない、生涯忘れえぬ、あの大量毒殺事件に遭遇することになる。

三

人間には勘というものがある。

経験と職業に基づく直感というものもある。

彼は、そういうものが存在することに気付いていた。あえて口にしようとは思わなかったが、そう解釈せざるを得ないことが何度かあったのである。

その頃NHKで放映されていたアメリカのTVドラマで、評判になっていた刑事ものがあった。

いわゆる倒叙ものといわれる推理ドラマで、最初に犯人が犯行を行うところを見せてしまうのである。犯人になるのは大抵社会的地位のある頭のいい人物で、一見完全犯罪と思える殺人事件が起きる。そこによれよれのトレンチコートを着たいかにも凡庸そうな殺人課の刑事がやってきて、犯人を油断させる。

しかし、彼は、実は観察眼の鋭い凄腕《すごうで》の刑事で、犯人の身辺にまとわりついては犯人を苛立《いらだ》たせ、じわじわと犯人を追い詰めていくのだ。

同僚の中には、あまりにも現実とかけ離れていると言って嫌っている者もいたが、彼は分かり易く明瞭《めいりょう》な動機があって、きちんと一時間以内に終わる刑事ドラマが嫌いではなかった。

そのアメリカのＴＶドラマを妻と一緒に見ていた時、一度だけ彼女が尋ねたことがある。

「ねえ、あなたも最初に会った時に、犯人って分かるの？」

そのドラマの中で、刑事はしばしばこう言うのだった。

——私には最初から、一目見てあんたが犯人だと分かっていた。絶対に犯人はあんただと思っていた。はなっから、あんたを疑っていたんだ。

彼は返答に困った。

彼の扱うほとんどの殺人事件は、最初から犯人が分かっていて、被害者の脇で呆然《ぼうぜん》としているか、己の行為の恐ろしさに逃げ出すものの、すぐに潜伏場所が割り出せてしまう、という類《たぐい》のものだったからだ。

目の前のＴＶの中にいるような、タキシードにシャンパンが似合い、プール付きの邸宅に住んでいて、複雑な利害関係があり、周到に準備をして犯罪を犯したものの、アリバイ工作をしたり偽装工作をしたりして、「弁護士を呼んでくれ」と言うような犯人にはお目にかかったことがないし、これからもお目にかかることはないだろう。

「いや、ちっとも分からん」

結局そう答えたものの、彼の中では「そういうこともありうる」と、どこかでもう一人の自分が答えていた。

そういうこともありうる。

確かにそんな気持ちがあったものの、それを証明する機会が訪れるかどうかは分からなかった。

そして、それからそう遠くないある日、自分にその機会が訪れることも、まだ彼は知らなかったのだ。

四

その日は夏の終わりが近付いていて、朝からひどい蒸し暑さだった。台風が近付き、午後からひどい雨になることも分かっていた。

家を出る時、彼はやれやれと胸ポケットを押さえた。そこには、いつも通り四つに畳んだ広告が入っているけれど、夏場は汗で湿って使い物にならなくなる。しかも、この天候ではいよいよ「折る」ことは無理だろう。以前、やはり大雨に遭って、ポケットに入っていた広告がずぶ濡《ぬ》れでくっついてしまい、ぼろぼろになった紙を搔《か》き出すのに苦労したことがあった。今日は最初から抜いておいたほうがいいかもしれない。

うだるような暑さが続いている上に、今日は先延ばしにしてきた書類仕事の片をつけなければならないときている。仕事を愛する彼も、さすがにげんなりして、署に向かう足も渋りがちだ。

だが、それとは別に、彼は職場に出て行く気がしなかった。

嫌なことが起きる。

朝起きた時からそんな予感がしていたのだ。

最初、それが予感だとは気が付かなかった。体調が悪いのか、天候のせいだと思っていたのだ。しかし、家を出る頃には、それは確信に近いものに変わっていた。

きっと今日は、嫌なことが起きる。

彼は胸ポケットを押さえながら、広告を出すべきかどうか迷ったが、いつもと変わったことはしないほうがいいような気がして、結局そのままにしておいた。

天気のせいか、署内にはいつもより人が多く、みんなムスッとして書類仕事をしていた。午後からは雨が降り出し、時折強く窓を叩《たた》き、そのくせ普段よりとても静かに感じた。

「うーっ。ちっとも集中できやしねえ」

「煙草も湿っぽいぜ」

そこここで呪詛《じゅそ》の声が漏れてくる。

彼は、出がらしのお茶を淹《い》れ、自分の机に戻る途中で、ポケットからあの紙を出してみた。案の定、じっとりと湿って、畳んでいるのを開くのも難しい状態である。

冷たいものばかり飲んでいると消耗するので、なるべく温かいものを飲むようにしているのだが、机に持ち帰ると、その熱さが耐えがたいものに思えた。

彼は、何気なく、四つに畳んだ紙をコースター代わりに湯のみの下に敷いた。

冷めるのを待ちながら、黙々と書類を埋めていく。しかし、喉《のど》は渇いているのに、なかなかお茶は冷めなかった。

内心イライラしながら、彼はボールペンを走らせる。イライラが口から溢《あふ》れ出してきそうだ。暑い。書類が面倒臭い。きっと、嫌なことが起きる。書類の字が頭に入ってこない。

ふう、と溜息《ためいき》をつき、無意識のうちに手が胸ポケットを探ったが、そこにあった紙は湯のみの下敷きになっていることを思い出した。

ようやく冷めてきたお茶をぐびりと飲む。

温《ぬる》いだけの、味のなくなったお茶はまずくて、彼は思わず顔をしかめた。これなら、白《さ》湯《ゆ》のほうがまだましだったな。

疲れた気分で湯のみを置こうとした彼は、ふと、湯のみを載せていた紙に、何かくっきりと文字が浮かび上がっているのに気が付いた。

湯のみが当たっていた部分がリング状に濡れていて、その部分に、重なった下の紙に印刷されている文字が浮き出ているらしい。

そこに浮き出ているのは、何の偶然なのか、二つの文字だった。

丸い輪っかになった滲《にじ》みの中に、斜め左上と、斜め左下に、一文字ずつ。

女　悩

彼はギョッとした。目がその二文字に惹《ひ》きつけられた。蒸し暑さは変わらず、汗みずくなのに、肌寒い心地すらした。

どうして広告にそんな文字が？

恐る恐るくっついた紙をめくってみると、それは薬局の広告だった。

のぼせ、冷えなど女性特有の症状に
腰、膝《ひざ》、関節の痛みにお悩みの方に

彼は苦笑した。

なんだなんだ。そういうことか。たまたま、この中の二文字が浮かび上がっただけか。

馬鹿馬鹿しい、と安堵《あんど》しながらも、背中の冷たさは消えなかった。

今日は、とても嫌なことが起きる。

再びそんな文章が頭に浮かんだその瞬間、やけに大きな音を立てて電話のベルが鳴り響いた。

五

凄《すさ》まじい雨と風の中、第一報を聞いて現場に向かう途中、誰もがまだ半信半疑だった。こんなひどい天候の中、そんなことが起きるなんて本当だろうか。

いよいよ風は強く、バケツをひっくり返したような雨は威力を増していた。交差点で止まると、激しい横風に車が揺れるほどだ。

わざとこの天気を選んだのだろうか、と彼はちらりと考えた。人は出ていないし、雨戸も閉め切っているし、傘も役に立たない、目も開けていられない天気だ。必然的に、目撃者は減るし、音も聞こえない。足跡などの証拠も消えてしまう。

いや、きっとそんなはずは。

しかし、この悪天候の中でも、異様な人だかりが見えた。合羽《かっぱ》を着た群集が、雨の中、身動《みじろ》ぎもせずに人垣を作っている。

その向こうでは、駆けつけた警官が、通行を規制していた。彼らも大きな合羽を着ているが、皆、白い膜で包まれているように身体の上で雨が撥《は》ねている。何事か叫んでいるのだが、なにしろこの雨なので、無声映画のようにしか見えない。

そして、パトカーや救急車が道を塞《ふさ》ぐように何台も停まっているのを見て、ようやく彼は現実感が込み上げてきた。

覚悟していたものの、車のドアを開けると、たちまち轟音《ごうおん》と雨と風が全身を叩きつける。小走りに警官の群れの中に飛び込んでいく。家の中に辿《たど》り着くまでに、プールで泳いだかのようにずぶ濡れになった。

ようやく玄関に着いて中に入ってから、それが立派な家なのに気付く。雨があまりにもひどくて視界が悪いのと、警官に案内されるままに家に入ったのとで、家の全容を見る余裕がなかったのだ。

でかい家だ。金持ちそうだ。ふと、タキシードとシャンパンが似合う犯人、という言葉が頭に浮かぶ。

が、そんな観察は、鼻を突く臭いに吹っ飛んだ。

「うっ」

踏み込んだ彼らも、一様に鼻を押さえる。

酸っぱいような、苦いような、金属臭のような、凄まじい臭いが家の中に漂っていた。

ふと、廊下に倒れている女に気付く。全身をよじったような、不自然なポーズ。

あの体勢じゃあ、苦しいだろうに。そんなことを思った。

「ひでえ臭いだ」

マスクをした救急隊員が、手を振りながら奥から出てきた。

「入っちゃいけません、吐瀉物《としゃぶつ》の中に、まだ有害な物質があるやもしれません、換気をしたいんですが、この天気で窓が開けられない」

殺気を漂わせて叫ぶ。

「警察だ。死んだのか」

「息がある人は病院に運びました。あとはもう駄目です」

「何人運んだ」

「五人です」

「医者は」

「まだ来てません」

「毒なのか」

「十中八九間違いありません。乾杯して、みんなで飲んで、一斉にやられたようです。あちこちにコップが転がっている。青澤先生まで。できれば、このまま立入禁止に」

そう叫ぶ救急隊員の顔も真っ青である。

「おい、大丈夫か。気分が悪いのか。君も毒にやられたんじゃないか」

「いえ、大丈夫です。大丈夫――」

そう言いつつも、よろめいたので、支える。喉の奥から変な音がして、彼も吐きたいのだと気付く。慌てて抱きかかえて外に運び出す。

「おい、ここで吐くな。誰か、頼む」

担ぎ出されていく男を見送り、彼はそっと廊下を振り返った。二人の人間が倒れている。それがもはや、冷たい物体になっているのは一目瞭然《いちもくりようぜん》だった。

彼はゴクリと唾《つば》を飲み、ハンカチを出して口を覆うと、そろりと廊下に足を踏み入れた。放り出されたコップから流れ出した液体が、廊下を濡《ぬ》らしている。

全てを目に焼き付けようと決心し、何も触れないように慎重に廊下を歩いていく。

ごうごうと荒れ狂う風の音はしていたが、家の中は死の静寂に包まれていた。

文字通り、死の静寂だ。奥の部屋から明かりが漏れているが、やけに暗く感じる。

廊下に倒れている女は、どちらも手伝いという感じだった。片方は四十代そこそこ、もう片方は六十歳くらいだろうか。エプロンをつけたまま、身をよじって絶命している。ここまで這《は》ってきたのか、喉をかきむしった跡があり、髪に付けたヘアピースがずれてしまっていた。酸っぱい臭いは吐瀉物と、失禁した尿の臭いが混ざっているのだった。

彼は思わずハンカチを押し付ける手に力を込めた。こめかみに冷たい汗が湧いてくる。

ふと、足元に赤いミニカーが落ちているのに気付いた。

ぎくっとする。この家には、子供がいる。

奥の部屋を覗《のぞ》き込んだ彼は、顔を打たれたように全身を硬直させた。

天井の高い、広い部屋。

そこには、想像以上に大勢の人間がいた。

サッと目が人数を数える。十二人。

最初に浮かんだのは、雑魚寝《ざこね》をしている、という感想だった。

剣道部の合宿で、広間にみんなで転がっていたところを連想したのだ。

が、そう思ったのはほんの一瞬で、次の瞬間、彼はあまりの惨状に全身が凍りつくのを感じた。

どの遺体も、その苦しみを全身に焼き付けて絶命していた。

まるでゴーゴーを踊っているかのようなポーズで、着衣を乱れさせ、苦悶《くもん》の表情を残し、椅子やテーブルを蹴《け》り、おのれの排泄物《はいせつぶつ》にまみれている。

着物を着た女性や、シャツ姿の老人、恰幅《かっぷく》のいい五十代の男らが、ソファの後ろや上に倒れている。座り込み、膝を抱えるようにして死んでいる年寄りもいる。

どれも、命の最期を不本意に燃やし尽くした、無念の敗北感があって無残だった。

テーブルの陰で、折り重なって倒れている少年たちを見た彼は、心臓をつかまれたように震え上がった。ちょうど、下の子と同じ年頃の子供たちである。土気色の顔を無防備に天井に向け、力なく口を開け、人形のように手足を投げ出していた。

なんとむごい。親はこの中にいるのだろうか。

学生服を着た青年の姿もあり、彼は再びゾッとした。まさか、もしかして、うちの幸雄《ゆきお》では——そんな恐怖が込み上げ、反射的に顔を覗き込んだが、柔らかい茶色の髪といい、色の白さといい、長男ではないことは確かだった。滑稽《こっけい》なほど安堵している自分に動揺する。

突然、大量の死者と同じ部屋にいることを実感して、彼は叫びだしたくなった。さっきの救急隊員も、毒気にやられたのではなく、この大勢の死者の姿に気分が悪くなったのだと気付く。

何かが裂け、かつて感じた生々しい、これまでになく禍々《まがまが》しくも生々しい現実感が彼に襲いかかってきた。小豆《あずき》アイスにたかる蟻の群れが、絨毯《じゅうたん》に撒《ま》き散らかされた吐瀉物に溢《あふ》れ、混ざり合って、部屋を満たす。彼は、全身にざわざわと肌を這う蟻の感触を感じた。

冷たい、この世ならぬ悪意がたちこめていた。

ちっぽけな彼を押し潰《つぶ》すような、揺るぎない巨大な悪意が。

彼は、一瞬にして恐怖に呑《の》み込まれるのを感じた。

逃げろ。逃げるんだ。この場所から一刻も早く。

見ろ。目に焼き付けるんだ。殺害現場を隅々まで見ておけ。

二つの声が同時に頭の中に響く。

彼は、必死に意識して大きくハンカチの内側で溜息《ためいき》をついた。

何が彼の足を踏みとどまらせたのかは分からない。しかし、彼はかろうじて部屋の中にとどまり、青ざめた顔でぐるりと部屋の中を見回した。

ほとんど手のつけられていないご馳走《ちそう》。あちこちに転がっているコップ。

ふと、何か違和感を覚えて、彼は何気なく後ろを振り返った。

ぎくっとして、身体がひきつった。

が、そこにあるのは空っぽの籐椅子だった。

ゆったりとした一人掛けの、飴《あめ》色の籐椅子。藍染《あいぞめ》のカバーの付いたクッションが置いてある。

何がおかしいのだろう。

冷静さを取り戻した頭の隅で考えていた。その理由はすぐに分かった。

他の家具が皆、苦しんだ住人の動きでずれてしまっているのに、その椅子だけが定位置にあるからだ。

秩序を失った部屋の中で、その椅子だけが平静を保っているようだった。

この椅子に座っていた人間は無事だったのだろうか？　これだけ大勢の人間が部屋にいたのだから、誰かがここに座っていたはずだ。すぐに席を立ってしまって、移動したからか？

その時、なぜか脳裏にはっきりとあの二文字が浮かんだ。

女　　悩

思い出してぎょっとする。

さっき、湯のみの下に浮き出た広告の文字。

どうやら、無意識のうちに、その籐椅子に座っていたのは女だと思っていたためらしい。

彼はもう一度部屋の中をぐるりと見回し、そっと廊下に出た。

薄暗い廊下を歩いているうちに、ほとんどいつもの冷静さを取り戻していた。

彼はきょろきょろしながら家の中を歩き、台所らしきところを覗き込んだ。

テーブルの上には、ラップで包んだおかずや、重ねた鮨桶《すしおけ》、ビールやジュースの壜《びん》、お銚子《ちょうし》が整然とならんでいた。ここで準備をして、向こうに運んでいったのか。

ふと、彼はテーブルの上に置いてある紙に気付いた。

なんの変哲もない白い便箋《びんせん》が一枚置いてあり、小さな一輪挿しが載せてあった。萎《しお》れたツユクサが一本だけ挿してある。

特にこれといった特徴のない字で何か書いてある。

それを一読した彼は、思わず呟《つぶや》いていた。

「いったいなんのことだ、こりゃあ」

六

医者と鑑識が到着したらしく、外はますますうるさくなった。人数が増えたせいか、雨の音よりも人の声のほうが大きくなる。

マスコミも来たな、と彼は直感した。

面倒なことになりそうだ。

どやどやと作業員が入ってきて、一緒に入ってきた同僚が耳打ちした。彼もずぶ濡れである。

「駄目です。病院に着く前に三人死にました」

「生存者は？」

「一人は助かりそうです。まだ意識はありませんが」

「じゃあ、話を聞くのは無理だな。最初に通報したのは誰なんだ」

「近くの交番からです。今日はここでお祝いがあって、近所の子も何人か来てたようです。その子が遅れてきて、発見して、交番に駆け込んだらしいです」

近所の子。胸に鈍痛を感じた。あそこで、子供が何人も死んでいた。

「犯人らしき人間は？」

「今日に限って、酒とジュースを配達してきた若い男がいたらしい。黄色の雨合羽《あまがっぱ》で積んできたところを見た人間がいます。普段は馴染《なじ》みの酒屋が運んでたんで」

彼より年下の同僚は、困ったような顔で更に声を低めた。

「大騒ぎになりますよ」

「だろうな」

「ここ、青澤医院です」

「青澤医院？」

彼はその名前にあまり深く気を留めていなかった。同僚は続ける。

「ここの主人は、四高から帝大を出た、県の医師会のボスです。もう息子が随分前に跡を継いでますが」

「そうか。ひょっとして、みんな」

「ええ。奥さんも、息子夫婦も、孫も一緒に死んでます。一家皆殺しですよ。救急隊員も、顔知ってました」

思わず彼も顔を歪《ゆが》めた。社会的地位のある人間。この先に待ち受ける捜査の困難さを予感した。さっき奥の部屋で感じたのとは別の、煩雑で神経をすり減らす現実が有無を言わさずに押し寄せてくるのを感じ、膨大な仕事を予期して、彼は先回りして疲労を覚えた。

が、その時何かが頭にひらめいた。

「おい」

「はい？」

彼は顔を上げて同僚を見た。

「三人死んだと言ったな。一人が意識不明で助かりそうだって」

「ええ」

「もう一人はどうした？」

「もう一人？」

「病院に運んだのは五人のはずだぞ」

「えっ、そうですか。聞いてないな」

そこにまた一人、年嵩《としかさ》のベテラン刑事が入ってくる。やはりびしょ濡《ぬ》れで、いつも苦労して撫《な》で付けている残り少ない髪が悲惨なことになっている。

「もうテレビと新聞が来てるよ。耳ざといこった」

挨拶《あいさつ》代わりに文句を言う。

「タロウさん、病院に運ばれた人について何か聞いてます？」

同僚が尋ねた。タロウさんというのは名前ではなく、苗字《みょうじ》が太郎丸《たろうまる》というのである。

「ああ。三人死亡、二人は面会謝絶」

「二人？　二人、生き残ってるんですね？　どちらも意識不明で？」

彼は勢いこんで尋ねた。

太郎丸は、暗い表情でちらっと彼を見た。

「一人は意識不明。もう一人は身体には別状ないが、ショックがひどいんで、鎮静剤で眠らせてるそうだ」

彼は胸を躍らせた。生存者だ。事件を最初から見ていた生存者がいる。

しかし、太郎丸は、彼が期待したのを感じとったのか、なぜか気の毒そうな顔になった。

「ここの孫娘だよ。青澤緋紗子。中学生くらいだと思う」

「青澤。ここの孫か。生き残ったのか」

彼は胸を突かれた。彼女は、祖父母も、両親も、きょうだいも、いっぺんに亡くしてしまったのだ。

「証言が取れるかどうか」

太郎丸は苦虫を噛《か》み潰《つぶ》したような顔で彼を見る。

「どうして？　ずっとここにいて、事件を目撃してたんでしょうに」

彼が不思議そうに聞くと、太郎丸は小さく首を振った。

「青澤緋紗子は目が見えないんだよ」

七

台風は去ったが、一夜明けた街は、別の嵐に包まれていた。

東京からも続々と報道陣が押しかけ、街には異様な雰囲気が漂っている。

当初、情報が錯綜《さくそう》していたため、事件の全容が明らかになったのは、昨夜遅くになってからだった。

K市内の医師、青澤家の三代の誕生日を祝う会で、大量毒殺事件が発生した。警察では、その日の午後一時頃、ビールとジュースを運んできた三十代前後の、黒い野球帽に黄色い雨合羽を着た若い男が事情を知っているものとみて、捜索を開始している。

毒物は青酸系化合物と見られ、その日家にいた十七名が死亡。一人が意識不明の重体。

その中に、青澤家の一家六人と、親戚《しんせき》四名が含まれており、あとは近所の住人だった。

史上稀《まれ》に見る凶悪な重大事件として、県警本部は早急に犯人逮捕をする旨を宣言し、捜査本部を設置。五十名を超える体制で捜査を開始した。

地元の名士でもある被害者一家の死は、県の医療界にも衝撃を与え、さまざまな憶測を生み始めている——各紙で伝えられている概要はこのようなものである。

その凄《すさ》まじい嵐の中、彼と同僚は期待を胸に病院に向かっていた。

無言で車に揺られているものの、不安とプレッシャーに胸の内も揺れている。

県の医師会からは、早々に事件の早期解決を求める声明が寄せられていた。

市民からは、情報提供の電話も多数ある一方で、見えない毒殺魔への不安を訴えるものが大部分とも聞く。

彼も同僚も、腕組みをしたまま話さない。

が、思い出したように同僚がぼんやりと口を開いた。

「あの人たち、誕生日が命日になっちまったんですね」

「そうだな」

「親子三代で誕生日が一緒って、どのくらいの確率なんでしょうね」

「俺、下の弟と、従兄弟《いとこ》が同じ誕生日だぞ。そんなに珍しくもないんじゃないか」

「でも、三代ですよ。やっぱり珍しいんじゃないのかな」

窓の外を見たまま、他愛のない会話を続ける。

事件発生から丸一日が経って、青澤緋紗子が目覚め、落ち着いているので事情聴取の許可が下りたのだ。

目が見えないと聞いて落胆したものの、事件現場に居合わせたことは間違いない。

なんとか糸口を見つけなければ。それも、犯人逮捕に繫《つな》がる糸口を。

「照さん、自分以外の家族が、こんなふうにいっぺんに、みんな死んじゃったら、どうします？」

同僚は、相変わらず顔を見ないまま尋ねた。

「うーん。どうだろうな」

彼は言葉を濁す。考えたくもない。

「俺は、駄目ですね。一人だけ生き残るなんて、真っ平です。後を追いますね」

彼はちらっと隣の席を見た。同僚の表情は見えない。本気で言っているのか、沈黙を埋めるための会話なのかは分からなかった。

病院の廊下を歩いていると、看護婦が何度も注意を促した。

「一見、落ち着いているように見えますが、それを信用しないでください」

彼女は傷ましそうに言った。

「患者さんがどんな状況に置かれていたか、くれぐれも忘れないでくださいよ。あの子は、家族が苦しみながら死んでいくところを最初から最後まで、ずっと同じ部屋にいて聞いていたんですから。どんなに恐ろしい経験だったか、そのところを斟酌《しんしゃく》してくださいよ」

彼女は何度も念を押した。

白く冷たい廊下。彼も同僚も、徐々に緊張が高まってくる。

同時に、彼はひどく不安を感じていた。昨日、あの部屋で感じた巨大な冷たい悪意。あの時感じたものは、全くこれまでの経験も想像も超えた、未知のものだった。

そう、人智を超えている、というような。

そう考えて、何を馬鹿なことを、とすぐに打ち消した。

廊下の奥の白い扉の前に立つ。

ガチャリと扉が開かれた。

彼と同僚は、会釈しながら看護婦に続いて中に入る。

顔を上げて、ベッドの上に身体を起こして座っているその少女を見た時、脳裏にいつか聞いた妻の声が響いた。

ねえ、あなたも最初に会った時に、犯人って分かるの？

彼は、目の前の少女を見つめていた。

彼は、彼女が、あの部屋の動いていない籐《とう》椅子に座っていたことを確信した。

そして、彼は胸の中で妻に返事をしていた。

そう。分かる。こんな体験は初めてだが、今俺は、最初に見た瞬間にあの事件の犯人が分かった。

彼は、ゆっくりと少女のベッドの脇に置かれた椅子に腰を下ろした。

それは、今俺の目の前にいるこの女だ。

第六章

見えない人間

—

いえ、私は勝手に飲《や》らせてもらいますから。あなたも是非どうぞ。暑い中、わざわざこんなところまでお越しいただいたんですから。

はい、そのほうが私も飲みやすいですから、ご遠慮なく。

グラスを？　よろしいんですか？　じゃあ、ちょっと行儀が悪いですが、このままで。

缶ビールだけは切らさないようにしてるんですよ、私の唯一の楽しみなんでね。休みの日の昼間に、一人でゆっくり飲むのだけが。

女房は、友達の家に行ってます。休日は放っといたほうが私の機嫌がいいって分かってるんで、誰かの家に集まって、キルトだかなんだか作ってますよ。その誰かが、そういうのの手芸作家らしいんです。一度、お義理で女房と一緒に彼女の個展に行ったことがありますが、その手間の掛かっていることといったら、ゾッとしましたねえ。昔、高校時代に、こっちは全くその気のない女から手製のセーターを貰《もら》った時のことを思い出しましたよ。好きな女の子が作ってくれたものだったら、彼女が自分のために費やしてくれた時間に感激するでしょうが、そうでない場合、相手が自分のために費やした手間は、恐怖でしかないでしょ。

キルトを実際に作ってるところを見たこともありますが、よくあんな面倒で疲れることするなあ、と思います。でも、休みの日は、家で一人でぼうっとしてたいんで、女房が出掛けてくれるのは、正直有難いです。ええ、子供はもう独立してますから。

実はね、私は外では飲まないんですよ。会社でもずっと、下戸で通してるんです。本当は、酒は大好きなんですけどね。会社と関係ない、ごくごく親しい一部の友人だけです、外で一緒に飲むのは。

喫茶店も好きじゃないんです。学生時代から、どうしても入らなきゃならない時は、注文して、一口も飲まずに残してました。もちろん、店の人には嫌がられましたよ。友人も不思議がってましたし。今は、セルフサービスで、目の前で入れてくれるところが増えたので、少し平気になりました。

なぜかって？

馬鹿らしく聞こえるかもしれませんが、喫茶店や飲み屋って、運んでくる間に毒を入れる隙がいくらでもあるじゃありませんか。だからです。

二

うーん。どうなんでしょうねえ。あの事件のせいだったかどうかと言われると、よく分からないんですよ。私は、もともと潔癖症気味のところがあって、どちらにしてもこうなってたんじゃないかと思います。小さい頃から、他の人が触った煎餅《せんべい》とか、饅頭《まんじゅう》とか、絶対食べませんでしたからね。友達とジュースの回し飲みもできなかったし、洗面所のタオルを家族で共有するのが嫌で嫌でたまらなかったことを覚えています。

現に、弟は、当時こそ暫《しばら》くはジュースが飲めなかったけど、あそこから引っ越してからは全然平気になって、美味《うま》いものなら誰がくれたものでも警戒せずに何でも口に入れてました。だから、特にあの事件がきっかけだったとは思いません。

今となっては、むしろ当然の自己防衛と思います。

世の中、異物混入が流行《はや》ってるじゃないですか。職場の給湯室なんて、何だってできる。誰に恨まれてるか分からないし、どこにいかれた人間が潜んでるか分からない。

特に、男は危険ですよね。子供の頃から母親に何でもやってもらうことになれてるから、いつでも目の前に自然に飲食物が湧いてきたような錯覚がある。自分の口にモノが入るまでに、不特定多数の人間の手を経てるってことに気付かない。まあ、最近は、女もそうですけど。

仕事で何人か、外資系のいわゆるエグゼクティブという人間とつきあうことがあるんですが、あの人たちって、本当に、見えない人間がいっぱいいるんですよ。自分の留守の間に、管理会社の業者やメイドが家の中に入ることが全然平気なんですね。

いいえ、決して信用しているからじゃないんです。王様は、着替えを始め身の回りの世話を下々の者にやらせるでしょ。王様は、おつきの者が自分の裸を見たってちっとも恥ずかしいと思わない。それと同じですよ。彼らにとって、そういう人間は、見えない人間なんです。

三

事件のことはほとんど覚えていませんね。

私は当時受験勉強で頭がいっぱいだったし、あの家に行ったのは、弟たちがあんまりうるさく誘うんで、渋々ついていっただけだった。確か、親にも顔を出せと言われたんじゃなかったかな。天気は悪いし、暑くて勉強は進まないし、最低の気分だった。

本当に、蒸し暑い、おかしな天気だったな。

何かの鍵《かぎ》が回らなかったことを覚えています。

ほら、マンションの鍵とか、極端に湿度が高い時とか、鍵穴に入りにくくなるでしょう。金属は伸び縮みしますからねえ。あの日は、相当湿度が高かったんじゃないかな。気温も高かったし、あの辺りはフェーン現象なんかもあるし。

そうそう、学生鞄《かばん》の鍵でした。さっき言った通り、私は自分の持ち物に他人が触れることに敏感でした。だから、自分の部屋を離れる時は、いろいろ鍵を掛けるんです。むろん、中学生ですし大したものはなかったですよ。おもちゃの金庫とか、学生鞄とか。

学生鞄って、小さな、ちゃちな鍵が付いてたでしょ。あれがあの時、ちっとも鍵穴に入らなくて、回らなかった。それで、余計にイライラしたことを覚えてます。結局、閉めたかどうかは覚えてないな。

そのイライラを引きずったまま、あの家に行ったんです。着いたとたん、何か異様なことが家の中で起きていることに気付きました。

そう、異様なこととしか言いようがありません。阿鼻叫喚《あびきょうかん》？　いえ、そういう印象じゃなくて、今思い出してみると、中で倒れていた人たちは、記憶の中では黒いアメーバみたいな感じなんですよ。顔とか表情とか見た記憶がない。黒っぽいアメーバが、床の上で動いていた、という印象しかない。

それに、悲鳴や呻《うめ》き声も聞いた覚えがない。誰かの声じゃなくて、家鳴りみたいなものを感じた。家鳴りといっても、うまく説明できないんですが、家全体がワーンと震えているような音を聞いた。記憶がどういう仕組みになってるか分かりませんが、私の中では、そういう記憶なんです。それがワッと身体の中に響いてきて、これは大変なことになった、と思った。

動くな、そこにいろ、と弟たちに叫んだような気がします。

私は走り出していました。誰かを呼んでこなくちゃ、ということだけ考えていました。

一番近くの交番まで、十分くらいあったでしょうか。

でも、本当のところは、一刻も早くあそこから逃げ出したかったんだと思います。弟たちも見捨てて、一人であそこから離れたかったんだと。

交番に着いて、青澤さんのところが大変だ、みんな倒れて苦しんでる、というようなことを言ったと思います。最初は警官もきょとんとした顔をしていましたが、私が繰り返し訴えると顔色を変えてすぐに動き出しました。あちこち電話して、どんどん人が増えて、大騒ぎになっていって。

あの、自分を取り巻く世界が、スピードを上げていっぺんに動き出した時の、空恐ろしいような気持ちは印象に残っています。むしろ、あの家に入った時よりも、その時のほうが怖かった。あの家に起きていることが世界に認められて、剝《む》き出しの事実になってしまうのだ、と認識した時のほうがね。しかも、そのスイッチを押したのは自分だというのが怖かった。回転木馬のスイッチを入れて、乗ろうとしたのに回転木馬は回り始めていて、どんどん回るスピードが上がっていくのを見ているような感じ。最初にスイッチを入れたのは私なのに、あっというまに置き去りにされてしまった。そもそも私は自分から何かを働きかけるタイプじゃないんです。日和見主義とでもいいましょうか、周囲の顔色を窺《うかが》ってから動くタイプ。そういうのが染みついてますから、交番に駆け込んだ時は、自分がこんなことをしていいんだろうかと、心のどこかでびくびくしていました。

一つだけ覚えているのは、交番の若いおまわりさんが、インスタント・コーヒーを飲んでいて、カップにスプーンが入れっぱなしになっていたことです。私は、カップにスプーンが入れっぱなしになっているのが我慢できないんですよ。だけど、すぐに大騒ぎになったし、彼はコーヒーを飲むどころではなかった。

机の上に、スプーンの入ったカップが置きっぱなしになっている。

なんだか、それが、自分みたいに思えた。周囲のものが凄《すご》いスピードで動いているのに、私とそのカップだけが静止しているように感じたんです。

もちろん、何度も警察に話を聞かれましたが、私は交番に駆け込む前のほんの短い時間しかあの家にいませんでしたから、話すことはほとんどありませんでした。あの日、何度も出入りしていた弟たち、特に弟は随分しつこく話を聞かれていましたが、彼らにも証言できることはあまりなかったと思います。彼らを見ていて、同じことを随分何度も聞くんだなあ、と思ったことを覚えています。

はい、私があの事件に関して覚えているのはこれだけです。

四

そうですねえ。大変な事件でしたし、周囲はすっかり震え上がっていましたけれども、当時の私は、ひどく醒《さ》めた目で周囲を見ていたように思います。

思春期の頃って、いっとき、何でも斜に構えた目付きで見てる時期があるじゃないですか。世界が自分と相容《あいい》れない、敵対するもののように思えて、何かと大人を軽蔑《けいべつ》する時期。ちょうどあの頃がそうでした。世間のことなんか知るもんか、こっちはそれどころじゃないんだ、そんな気分でしたね。

だけど、一つだけ、私があの事件に対して感じていたことがあります。

仕方がない。

あの事件に関する私の感想はそれに尽きるんです。

仕方がなかった。

あの頃、私はずっとその言葉を胸の内で繰り返していました。恐らく、事件直後、あの家の中を見て、交番に向かって走っていく時からそう思っていたような気がします。

さあね。どう説明したらいいんでしょうか。

私は、子供の頃から世の中の力関係には敏感でした。転校が多かったせいかもしれませんし、下にきょうだいが二人いたせいかもしれません。一人よりも二人、二人よりは三人のほうが、いろいろな関係ができるものなんだと子供心にも感じていました。

クラスの中でも、力関係は大切です。親しくしてはいけない子、逆らってはいけない子を見極めることが、生きていく上で大事ですからね。場数を踏んでいるんで、その辺りを察するのは早かった。世の中には確固たるヒエラルキーがあって、応分の我慢はしなきゃならない。上に行くには、それなりのステップを踏んで、目立たぬように上がっていかなきゃならない。そういう処世訓が、随分早くから出来上がっていたように思います。

それが、仕方ない、というのとどう繋《つな》がっていくのかというと、やっぱりさっきの、見えない人間、というところに行き着くんですよ。

私たちは、生きていくには、他人から「見えない」ほうがいいということを本能的に知っています。転校生は目立っちゃいけない。人の目につかない、前からいたような顔をしてなくちゃならない。「見える」人間の背負うリスクが怖いわけです。だから逆に、自分を他人と差別化したい人は、他人から「見える」ようになりたいと願う。

あの家は、「見える」家だった。中の住人も。

あの家は、大きな権力を持っていた。それこそ、地域の隅々まで染みこんで、根を張った権力です。もちろん、彼らに「貴族の義務」的な美徳があったからだし、地域の人たちはその恩恵に与《あずか》り、尊敬を集めていたことは事実でしょう。

だけど、尊敬と軽蔑、憧《あこが》れと妬《ねた》みは紙一重。

長い歳月の間に、彼らは、自分たちに「見えない人間」を増やしていっていたんじゃないでしょうか。

「見えない人間」の奉仕と忠誠を、当然のものと思うようになっていたんじゃないか。「見えない人間」が何を考えているか、どれだけ存在しているか、想像しようとしなくなったんじゃないか。

私は、その象徴たる存在が、あの青澤緋紗子だったような気がするんですよ。

実際、彼女は目が見えませんでしたが、そのことに奇妙な皮肉を覚えるんです。

彼女は女王のように振舞っていましたし、周りもそう扱っていました。もちろん、彼女は誰かの助けがなければ生きていけませんし、目の見えない彼女を誰かが助けるのは当然のことだと思います。

だけど、彼女には、彼女に奉仕する人たちが文字通り「見えなかった」ことが、なんだか当時のあの家を表しているような気がして。

随分うがった見方だというのは承知していますし、僻《ひが》みだと分かっているんですけどね。でも、どうです。あの事件の犯人、あれはまさに「見えない人間」そのものじゃないですか。限りなく匿名に近い、社会的にもドロップアウトしていた「見えない人間」。青澤家にしてみれば、全く縁もゆかりもない、存在すら認知していなかった人間。

そういう人間にああいう目に遭わされたというのは、奇妙な符合だと思いませんか。私は、彼らがそういう存在から復讐《ふくしゅう》されたという錯覚すら感じるんです。

青澤緋紗子とチェスをしたことがあります。

もちろん、憧れていましたよ。あなただって、彼女と向かい合ってチェスをしたら舞い上がってしまうでしょうよ。あの聡明《そうめい》さ、美しさ、持って生まれた気品。そこにいるだけで圧倒され、魅せられてしまう。誰もが彼女の前では下僕になってしまう。こんな人がこの世にいるなんて、と驚嘆させられる。私は彼女と向かい合って座りながら、それまでに経験したことのない幸福を感じていました。

けれど、その一方で、私は奇妙な感慨に浸っていました。奉仕され、かしずかれているうちに、ますますこの人たちには権力や富や才能が集中していってしまう。そのことでいよいよ奉仕する人間が増え、更に巷《ちまた》の養分が吸い上げられてしまい、ごく一部の、この人のような恵まれた人の上に大輪の花を咲かせるのだ、と。

分かっています。人々は搾取されたがっているし、奉仕したがっている。青澤家を作ったのは「見えない人間」たちだし、彼らは青澤家を望んでいた。

だからこそ、仕方なかったんです。この世はままならぬものなんですよ。

五

きょうだいの関係というのは不思議なものですね。

子供の頃は、あんなに長い間、ずっと一緒に時間を共有していたのに、その後はぱったり疎遠になる。豆みたいだ。莢《さや》である親のほうは残るけど、一緒に長いこと中にくるまれていた豆のほうは、それぞれ弾《はじ》けて飛び散って、残らない。

うちは、きょうだい仲がそんなにいいほうじゃないと思います。というか、これが普通なんじゃないでしょうか。子供の頃は、物心ついた時から同じ家にいたからつきあっていたけど、バラバラになってみたら、別に必要じゃなかった、という感じ。

友人で、きょうだい仲のいい子もいましたけど、いつも不思議でね。なんできょうだいなんかと一緒につるんでるんだろう、他の人といるほうがいいのに、と奇異に感じていました。

しかも、うちは、三人ともタイプが全然違う。違うから仲がいいというところもあるでしょうが、うちはそうじゃありませんでした。互いに理解できなくて、それぞれが勝手にやっていた。母も大変だったと思います。子供どうしの団結とか、協力とか、そういう一体感が全くなかったから。

　弟は要領がよくて、人懐こいところもありましたが、私からみると、それが一種の強迫観念になっていました。常に、誰かに自分の存在を認めてもらっていないと安心できない。だから、落ち着きがなくて、すぐに新しいものに目移りして、結局どれも長続きしない。一見、友達がいっぱいいるように見えましたけれども、どの関係も浅くて、長く続いてる友達はいなかったように思います。弟が、青澤家に足繁く通っていたのも当然でしょう。あそこで認められれば、彼の心の平安は保証されますからね。そういう、認められるべき相手を選ぶのはうまいんです。進んでそういう対象の子分になりたがる。次男という立場のせいですかね。

　妹は——正直言って、今でもよく分かりません。

　子供の頃から、よく分からなかった。彼女とは、弟を通して接していたという感じだったので、直接関わった記憶があまりない。昔から、なんだかさっぱり分からない子だな、と漠然と思っていました。

　そもそも、何を考えているのかちっとも分からない。あれだったら、クラスの女の子とか、会社の女の子たちのほうがよっぽど分かりやすいですよ。

　感情的には安定していた、という印象があります。一人遊びが好きなくせに、他人のすることはよく見ていた。私や弟が、家で工作やなんかの宿題をしていると、じいっと離れたところから作っているところを見ていて、ごそごそ自分でも似たようなことをする。何も聞かない。そのくせ、私や弟のものよりも出来がいいんです。弟なんか、やり方を説明して、妹にやらせて、それを自分のだと言って提出したりしていましたよ。

デパートで、よく職人さんの実演販売があるでしょう。妹は、飽きもせずに何十分もそれを見てるんです。職人さんのほうが、「根気強い子だね」と感心したりして。

いつだったか、彼女が高校生くらいの時に、おまえは職人になればいいんじゃないか、と冗談半分に言ったことがあります。

おまえだったら、粘り強いし、師匠の技術を見て盗めるじゃないか。

そうしたら、彼女は首を振ってこう答えた。

違う。あたしは職人には向いてない。

それが真顔だったので、私はそんなことないよと言いました。謙遜《けんそん》かと思ったんです。

だけど、彼女は真顔で首を振り続けるんです。

あたしは、模倣しかできない。オリジナリティがないんだ、と言う。

私は反論しました。

誰でも最初は模倣から始まるんだぜ、きちんと模倣ができない奴には、オリジナルだって出来るはずがない、模倣しかできないなんていうのは自惚《うぬぼ》れもいいところだ、というようなことを言いました。

だけど、彼女はまだ首を振る。

違う、お兄ちゃんは誤解してる、あたしは技術を真似てるんじゃなくて、人を真似てるんだ。あくまでその人がしてることを真似してただけで、技術だけを真似してたんじゃない。あたしが真似したいのはその人本人なんだ、って真剣な顔で言うんです。

私が怪訝《けげん》そうな顔をしていたので、彼女は補足しました。

他の人になってみたくない？

彼女は私にそう聞きました。私は「え？」と聞き返しました。それがやけに唐突な質問に思えたからです。

あたしは一生あたしでしょ、お兄ちゃんにも、お母さんにもなれない。それどころか、他の人が何を考えてるか一生分からない、一生あたしの考えていることしか分からない、それってつまらなくない？

妹は真面目な顔でそう言いました。私はあっけにとられました。

そりゃそうだけど、当たり前だろ。逆に、他人の考えてることが分かったって、ちっともいいことないと思うけどな、と答えた。

妹はそこで少し考え込みました。

そうね、そうかもね。

彼女はそう言って、その時はそれで話は終わったんです。

で、いつだったか、ちょっと驚いたことがあった。

それまでも、噂で聞いたことはあったんです。

妹が家に友達を連れてきたことがあって、何かの拍子に喋《しゃべ》ったことがあった。その友達が、「マキは、物真似すっごく上手なんですよ」と言ったんです。私は「まさか。あの妹が」と思いました。なにしろ、彼女は家の中では無口で、無愛想で、余計なことはあんまり喋らないんです。TVを一緒に見ててもあんまり笑わない。だから、とてもじゃないけどそういうことをするとは思っていなかった。

あれは何だったかな。彼女が高校を卒業した春、何かのアルバイトをしていた。電話を掛けて何かのセールスをする、というバイトだったかな。それで、たまたまその日は何かの用があって早退して、バイト先で今日のノルマの電話を掛け終えられなかった、今からリストの残り十人家で掛けるからちょっと電話借りる、と家族に言ってから、電話を掛け始めたんです。

ぎょっとしました。

私が知っている妹の声じゃないんですよ。むろん、家の外でと中では人間違いますし、職場とそれ以外でも違います。だけど、そういう生易しいものじゃないんです。別人なんですよ。それも、電話を掛ける相手によって。

どうやらそれは、全くの振りの客じゃなくて、以前にその会社の製品を購入したことのある、対象を絞り込んだセールスだったようです。だから、単なる飛び込みセールスみたいに、けんもほろろに断られるということはなかった。むしろ、購入希望者に製品を説明する、というものだったのかな。相手がどういう人か、前もって調べてあったらしく、リストには顧客の情報が記載されているようでした。

彼女は、電話を掛ける前にリストの顧客情報を見て、暫《しばら》く考えるんです。それから、おもむろに電話を掛ける。彼女が、対象によってセールストークを変えていることは一目瞭《りょう》然《ぜん》でした。ずうずうしいオバサン風、気は弱いけど人柄はいい感じ、理詰めで畳み掛けて説得するタイプ、と、全く違う人間が電話を掛けているとしか思えないほど。

その時家にいたのは私と母だったんですが、二人で呆然《ぼうぜん》と妹が話すのを聞いていました。母も、妹があんな風に話すのを聞いたのは初めてだったらしく、「驚いたわね」と私の顔を見たのを覚えています。

妹が電話を掛け終えて、「おい、凄《すご》いな。どっからあんな声出すんだ」と私が言うと、彼女は不思議そうな顔をしました。私が、みんな声と性格が違っていた、というと、彼女は「ああ」と呟《つぶや》きました。

あれは高崎《たかさき》の伯母《おば》さんを思い出してやってみた、あっちは近所のケーキ屋のお姉さん、あれは高校の事務の女の人。

その時、私は、ようやく少し腑《ふ》に落ちたんです。

かつて妹が言っていたことの意味が。

妹は、本当に他の人になってみたいのだ。

今のは、セールストークを変えていたのではなく、なりきる相手を変えていたのだ、ということに。

母が無邪気に「ああ、そうだわ」と手を叩《たた》きました。

「そうよ、さっきの、誰かに似てると思ったら、ねえさんじゃないの、ほんと、そっくりだわ」と笑い出したんです。

確かに、言われてみればそっくりでした。高崎に住んでいる母の姉は、ずっと長いこと保険のセールスをやっていて、かなり押しの強い人なんです。

私が妹の電話を聞いてぎょっとしたのは、その声が、まさに私が知っている伯母そのものだったからなのです。

なんだかうすら寒い心地がしました。母は笑っていましたが、私は笑えませんでした。

それ以来、妹には奇妙な願望がある、ということを心に留めるようになったんです。

奇妙ではないのかもしれません。他の人になってみたい、というのは誰でも心の中に秘めている願望でしょうから。役者なんていうのは、そういう人間の願望が端的に表れた職業と言えるかもしれません。

けれど、妹のは、それとはちょっと違う。

他の人になりたい。それは、彼女にとっては、そのまま文字通りの意味でした。そこに、私は違和感を覚えたんです。

六

あの本が出た時ですか。

驚きましたね。その一言です。

まさか、妹があの事件をそんなに気にかけているとは思わなかったので。私たちもすっかり忘れていましたし。それに、私も弟も独立して別のところに住んでいて、きょうだいで顔を合わせることもなくなっていましたから、自分の家族が書いたものだなんて実感はついぞ湧きませんでした。

内容もね。うーん。家族が書いたものだと思うと、冷静に読めないものなんですよ。なんだか、あいつの顔ばっかり浮かんできちゃって。

それに、妹が大学に入ってからというもの、ますます彼女とは疎遠になりました。妹ばかりでなく、弟もですが。こっちは就職してるし、社会人と学生は、決定的に活動時間がずれてますからね。

本が評判になった時も、私は周囲の誰にもあれが自分の妹が書いたものだと教えませんでした。弟も、親しい友人には、「あそこに書かれてるの、俺だ」なんて言っていましたが、やっぱりあの事件に対しては関わりたくない気持ちが残っていたのか、彼にしてはおとなしくしていました。というよりも、本当に妹が書いたものなのか、半信半疑の気持ちがどこかで消えなかったせいだと思います。

正直いって、あの本で得た収入をどうしたのか、そっちのほうが気になりましたが、後で母から、取材者へ相当な謝礼をした上に、残りは全部、税金を払った後で母にくれたと聞きました。私たちにも、出演させたからといって、幾らか振り込んでくれました。

母に残りを渡した、と聞いて、私も弟もそれがいいな、と思いました。

母は、父と別れてから苦労していましたから。

ええ、あの事件の後、長野に転勤になってから暫くして、両親は離婚したんです。

七

あの事件がある少し前から、両親の雰囲気は険悪でした。

原因は、月並みですが、女です。あの街に引っ越す前から時折すったもんだがあったんですが、あの街への転勤が、家族の転機になるはずでした。あれを機に、父はすっぱり関係を終わらせると宣言していたんです。実際、父も最初はそのつもりだったと思います。

あの街に引っ越した時は、結構いい感じでした。やれやれ、これで家の中が穏やかになる、と胸を撫《な》で下ろしたのを覚えています。

けれど、やっぱり切れていなかったんですね。

そのことが発覚したのが、あの事件の少し前でした。相手の女は頻繁にやってきて、ホテルに滞在していたようです。そんなに大きな街ではなかったですから、誰かに見られたところが母の耳に入ったらしい。

それ以来、家の中はてきめんに暗くなりました。ただでさえ暗い、古い日本家屋なのに、余計に湿っぽくなったんです。

私が世間に対して斜に構えていた、と言いましたよね。その世間には、両親の関係というのが多分に含まれていました。私は、彼らの不協和音から逃れたくて、受験勉強に没頭していたのかもしれません。

あの日、私が青澤家に弟たちと一緒に行くよう言われたのも、父が早くに帰ってくる予定になっていたからです。あの日、何か重要な話し合いが二人の間で持たれることを、私は薄々知っていました。今すぐどうこうというわけではないけれども、そういう結果になった時のために、どういう準備をすべきか、という話し合いだったようです。

父は仕事も忙しかった上に、相手の女の人が来ている時はそっちに入り浸っていて、あんまり家にいませんでした。あの日は、母が何度も頼んで、ようやく実現した話し合いだったようです。だから、母に弟と妹を連れてあの家に行ってきてちょうだい、と頼まれた時、最後のところで断ることができなかったんです。結局、あんな騒ぎになって、二人の話し合いがどうなったのかは知りません。

私は密《ひそ》かに、あの事件が二人の修復のきっかけになってくれるのではないかとかすかに期待していました。家族を理不尽な犯罪で永遠に失ってしまうことに比べれば、一緒にいられることは素晴らしいことではないか、と考えてくれるのではないかと。

けれど、確かにいっときはみんなの結びつきを深めてくれたかのように思えたあの事件も、今にして思えば最後の藁《わら》を積んだようなものだったと思います。

父は、何かあった時、やはり母ではなく彼女と一緒にいたいと思ったのです。やはり最後は彼女と過ごしたい、と。

奇妙なことに、ずっと関係の修復を願っていた母も、なぜか事件の解決と共にあきらめたような気がします。犯人が自殺したという発表があった時、母が「もう無理ね」と呟いたことがありました。果たして、それがどういう意味だったのかは今でもよく分かりませんが。

父は、生活費や私たちの学費はきちんと振り込んでくれましたけれども、母にしてみればどこまで当てにできるか分からないと思ったのでしょう。実際、周りでも養育費が途切れて困っている人を見ていましたし。母は働き始めました。ずっと専業主婦だったので、大変だったと思います。子供が三人もいると、いろいろイレギュラーな出金もあります。我々はそういうものを父には頼めなかったらしく、母はやりくりに苦労していました。我々はそんな母の姿を見ていましたから、妹が母にお金を渡してくれたと聞いて、ホッとしました。その点では、彼女に感謝しています。

八

なんだかどうでもいいことをべらべら喋《しゃべ》ってしまいましたね。

その後も弟たちとは没交渉で、あっというまに歳月が経ってしまいました。こうしてみると、あの事件の日が、三人で遊んだ最後の日みたいな気がしてくるんですよ。本当はそんなことなかったはずなんですけど、あの日、三人であの家に向かっていた時しか、三人で一緒にいるところが思い浮かばないんです。ほんと、不思議ですね、きょうだいって。

いかがですか、もう一本。私はいただきますよ。やっぱり、休みの日の昼間にこうして飲むのは最高ですね。確かに、昼に飲むと結構回りますよね。どうしてなんでしょう。昼間のほうが代謝がいいからでしょうか。夜は代謝がゆっくりだから、時間を掛けて効き目を顕《あらわ》したい薬は、夕方飲むというでしょ。

時々考えるんですよ。

理解できないというのは罪なのか、って。

親でも子でも、きょうだいでも、理解できないものはできない。それっていけないことなのか。理解できないならできないと認めて、あきらめることだって理解の一つなんじゃないのか。そんなことを考えるんです。

だけど、今日び、世界は理解できないものを許さないでしょう。分からないと言ってはいじめ、得体が知れない、説得不能だと言って攻撃してしまう。なんでも簡略化・マニュアル化が進む。人が腹を立てるのは、理解できないからのことが多い。

本当は、理解できるもののほうがよっぽど少数派ですよね。理解したからって、何かが解決できるわけでもない。だから、理解できない世界で生きていくことを考えるほうが現実的だと思うのは間違いでしょうかね。

時々考えるんですよ。

妹は、何をああまでして理解したかったのかと。

なぜ、ああも他人になりたかったのかと。

家族で最後に食事をした時のことを思い出します。家族って、父と母が離婚して、父が家を出て行く時のことですけど。

父は至って普通の人だったと思います。真面目だし、善良だし、子供も可愛がってくれた。だから、父が去ると聞いても、私たちはそれを責めようとは思いませんでした。どちらかといえば、あきらめと淋《さび》しい気持ちばかりだったと思います。父に捨てられる、と惨めな気分の時もありましたが、なんていうんでしょう、出て行く父のほうがしょんぼりしていたので複雑な心境でした。父は父で、私たちに対して強い罪悪感を抱いていたようです。それでも、私たちは父を繋《つな》ぎとめる抑止力にはなれなかったわけですが。

その日は、ぽかぽかしたいい天気でした。

表面上は明るく、どこにでもいる家族だったと思います。私たちも、はしゃいでみせました。なんだかそうしなくてはいけないような気がしたんです。

母と妹がビーフシチューを作った。朝から煮込んで時間を掛けたもので、とてもおいしかった。

みんなでお代わりをして、とりとめのない話をしました。

ところが、時間が経つにつれて、なんだか気分が悪くなってきたんです。むかむかして、悪寒がしてきた。しかも、それは私だけではなかった。父も母も、弟も、顔が青ざめてきたんです。みんなが奇妙な表情で、互いの顔を盗み見ます。

「なんだか、気持ち悪くない？」

「おまえもか？」

父と母が顔を見合わせていたのを思い出します。

それからが大変でした。入れ替わり立ち替わり、みんなで吐く。トイレが待ちきれなくて、紙袋やビニール袋に吐いたので、家の中が臭くて、凄《すさ》まじい臭いでした。

「食中毒かな」

「そんな、あたるようなものは入ってないわ。何時間も煮込んでるし」

げっそりした顔で、両親がひそひそ話し合っています。

救急車を呼ぶことなど考えもつかないほど、みんなで交代で吐いていたんです。いや、あれは本当に苦しかった。

けれど、胃の中のものを全部吐いてしまうとすっきりして、みんなホッとした表情になりました。痺《しび》れや熱といった症状もない。水を沢山飲んで、人心地つきました。

「いったい何だったんだろう。やっぱり病院で見てもらったほうがいいんじゃないか」と父が言い出しました。

「そうね。原因が分からないのも気味が悪いし」

母も相槌《あいづち》を打ちます。そんな二人は、まだ夫婦のように見えました。その日は朝からぎくしゃくしていたので、アクシデントのせいでかえってしこりが取れたみたいでした。

その時でした。みんなの間に、突然同時に沈黙が降りたんです。

本当に、同時でした。なぜかみんながふうっとそちらを見たんです。

妹がぽつんと座っていました。

それまで誰も気が付きませんでしたが、妹だけは、平気だったんです。彼女だけは席に着いたまま、みんなが交互に吐きに行くのをじっと眺めていました。

そのことに気付いて、みんなは不思議そうに妹を見ました。

妹は妹で、しげしげと真顔でみんなを眺めています。

見ると、彼女は皿にほとんど手を付けていませんでした。

「どうしたの？　なぜ食べなかったの？」

母が妹に尋ねました。

「これ」

妹は、手に握っていた何かを差し出しました。

それは、ギザギザした葉をした草に見えました。

「なあに、それ？」

母は怪訝《けげん》そうな顔できききました。

「このあいだ、遠足に行った時、摘んできたの」

妹は淡々と答えます。

母の顔色が変わりました。

「マキちゃん、まさかそれを」

「入れたの。さっき」

「お鍋《なべ》に？　シチューの？」

母が上ずった声できくと、妹はこくんと悪びれずに頷《うなず》きました。

「それは何？」

母が、立ち上がって妹の手からその草をむしり取りました。

妹は「あっ」という顔をして、草を取り戻そうとしましたが、母は手を高く上げて、もう彼女には渡しませんでした。

「ええとね、吐くんだって」

母の顔が恐怖に歪《ゆが》みました。怖い顔で妹の顔を覗《のぞ》き込みます。

「毒草なの？」

妹は首を振りました。

「ううん。先生が言うには、吐き気がするだけだって。動物は、何か悪いものを食べてしまった時にこの草を食べて、胃の中のものを吐き出すんだって」

「なんで？　なんでそんなものをシチューに入れたの？」

母が悲鳴のように叫びました。

その時、初めて妹の顔に当惑のようなものが浮かびました。答えるべきか、答えないべきか迷っているかのように。

「よしなさい」

父が沈んだ声で母の肩を押さえました。

「私が悪いんだ」

父は、とても悲しい顔をしていました。たぶん、父は、それが自分に対する復讐《ふくしゅう》だと思っていたのです。何も言わなかった子供たちが、自分たちを捨てていく父親に対して起こした、せめてもの抵抗だと。

だけど、父は分かっていなかった。父は、私たちを、妹を、ちっとも理解していなかったのです。私が妹を理解していないのと同じくらいに。

テーブルはしんみりした雰囲気になりました。母も、父と同じことを考えているのが分かりました。違う、と言いたかったけれど、言えなかった。

妹は、ちらっと父を見てから口を開きました。

「知りたかったの」

「何が？」

父が恐る恐る尋ねました。

妹はかすかに首をひねりました。

「人に毒を飲ませるのって、どういう気持ちなのかって」

みんなが呆然《ぼうぜん》とした顔で妹を見ました。父ですら、あっけに取られた顔で娘の顔を見ています。

暫《しばら》くみんなが黙り込んで、ひたすら妹の顔を注視していました。

「で、分かったの？」

私はそう尋ねていました。むしろ、純粋な好奇心で尋ねたような気がします。

妹は、更に首をかしげました。

怒ったような、困ったような、複雑な表情でした。

「ううん。分からなかった」

彼女はそう言って、小さく溜息《ためいき》をついたのです。

九

缶ビールはいかがですか？

私はこうして、一人で飲んでいる時が一番落ち着くんです。缶ビールには細工がしにくいし、もし何か手を加えていれば見つけやすいですからね。

世の中には、理解できないこと、理解できない人間が溢《あふ》れています。けれど、全てを理解したいと思う人間もいるし、あることを理解したいと思う人間もいる。

妹が理解したいと思っていた人はたった一人でした。他の人になりたい、と言っていたのは、ある特定の人物だったんです。彼女がなりたいのはその人だけでした。

その一人とはもちろん、あの事件の犯人です。毒を入れた飲み物を送りつけ、無差別に大量虐殺を行ったあの犯人。

彼女は、犯人のことを理解したのでしょうか。彼女はその人物になることができたのでしょうか。私には、あの本を読んでも未《いま》だにちっとも分からないのです。

第七章　幽霊の絵

―

その蕎麦《そば》屋の入口に飾ってある掛け軸の絵は、幽霊の絵だと言われていた。

いつ頃からそんなことを言われていたのかは、今となっては分からない。だが、ここに通うような近所の人間なら、そう言われているのを誰でも知っている。

脇が近くの小学校の通学路になっているので、上級生が下級生にそう説明するのが定番になっているらしい。夏の怪談の季節には、子供がこわごわ見に来たりすることもある。

商店街の中ほどの角にある、どこにでもある蕎麦屋である。他の蕎麦屋とちょっと違う点といえば、通常ならプラスチック樹脂の食品見本が収められている店頭のガラスケースの中に、掛け軸と花入れがひっそり置かれていることくらいだろうか。風流といえば風流だが、盆と暮れに埃《ほこり》を払う程度で長いことほったらかしになっているため、掛け軸は薄汚れて、壁に保護色のように同化している。掛け軸の前に桔梗《ききょう》の造花を入れた竹の花入れが置かれているものの、桔梗の花びらもすっかり色褪《あ》せてしまっている。そのため、ほとんどの人はガラスケースの中など目にも留めずに暖簾《のれん》をくぐるのだった。

時々思い出したように常連客が掛け軸の由来を尋ねるが、ただでさえ無愛想で口数の少ない店の主人は「親父に掛けておけと言われたんだよ」と面倒くさそうに返事をするだけで、その後の会話がちっとも続かない。しかし、物好きな客が何年もかけて粘り強く聞き出したところでは、主人の祖父が旅先で偶然手に入れた掛け軸であること、掛け軸の入手時期と前後してお目出度《めでた》いことが続いたので、祖父にとっては縁起のいい掛け軸だったこと、だから商売をする場所にずっと掛けておくよう祖父から父に厳命され、それが現在の主人にも受け継がれているということのようだった。

「しかし、あんな気味の悪い掛け軸が縁起物だなんて信じられんなあ」

常連たちはそう陰口を叩《たた》いた。

「でも、実際に、店はそれなりに繁盛してるしな」

「蕎麦もつまみも味は悪くない」

「昔から縁起物っていうのは結構面妖《めんよう》なもんだぞ」

「エビスさんだって、よく見ると気味悪い」

「もしかして、実は由緒ある値打ちものだったりして」

「まさか。第一、落款《らっかん》もないんだぜ」

書が趣味である文房具屋の若旦那《わかだんな》――といっても、とうに四十半ばを越していたが――が首を振った。彼は、たまたま埃を払う時に居合わせ、ケースから出した掛け軸をじっくり見せてもらう機会があったのである。

見れば見るほどみすぼらしい掛け軸だった。日がな掛けっぱなしで、湿度や気温も管理されていないのだから無理もないが、そばかすのような茶色のしみが一面に散っているし、絵の線もかすれかかって、元の色まで失《う》せてしまっている。もし仮にかつては由緒ある絵だったとしても、これでは価値が上がりそうにない。

そもそも、これはいったいどういうつもりで描かれた絵なのだろう。

文房具屋の若旦那は首をひねった。

中央に一人の男がぼんやり立っているだけで、構図としても納まりが悪い。落款も署名も見当たらない。ひょっとして、屏風《びょうぶ》か何かの絵の一部を切り取って表装したのではないだろうか。表装した人間も大した美意識のなかった人間と見え、絵を引き立たせる気配りは皆無に思えた。

それに、なんだ、この男は。

仙人や老人というのならともかく、描かれた男は年齢不詳だった。つるりとした顔をしているのに、印象は老けている。これといって特徴はないのだが、そのくせ妙に残る顔だ。それも、決していい感じではなく、意識の隅に引っ掛かる、なんとなく不自然で不快な顔なのだ。これを幽霊の絵だと言い出した人間も、そんな不快さを感じてのことだろう。確かに、どこか尋常でない、人間ではない顔に思える。

そして、異様さの一番の要因は、この男の額に描かれたものだろう。

薄れてはいるけれど、男の額にはもう一つの目があったのだ。小さいけれど、確かに中央に黒目が描かれている。絵の中の男は、三つの目を持っているのである。仏像ならともかく、徳のある人物とも思えぬ男の額にある目。それが、見る者に小さな胸騒ぎを起こさせる。子供たちの間では、一人で通るとこの目と目が合う、とか、夜中にこの目が光る、などというもっともらしい怪談が語られているらしかった。

そんな変わった絵ではあるが、第三の目もちょっと見にはしみにしか見えない。強く訴えかけてくるものも、線に見るべきものがあるでもなし、単なる壁飾りにすらなるかどうか疑わしい代物《しろもの》なのだった。実際、あと十年もすれば絵自体が日に焼けて完全に消えてしまうだろう。

それよりも、文房具屋の若旦那が気に掛かっているのは、最近よくこの絵をじっと覗《のぞ》き込んでいる男のことだった。

最近よく、と言っても、ここ数ヶ月で二、三回見かけた程度だ。

しかし、この絵と違って、とても印象に残る男だった。

白い半袖《はんそで》の開襟シャツに灰色のスラックスという平凡なスタイルだが、シャツは着古しでもいつもきちんとアイロンが当ててあり、痛いような清潔感のある若い男だ。

髪を短く刈りこんでいるので、無駄なものは全て殺《そ》ぎ落とされた顔の線が際立っている。身体の線にも贅肉《ぜいにく》は一切なく、切り出して完成させたばかりの彫像を連想させた。

端整な顔立ちだ。顔色が悪く、頬に色が差していないので、よけいにその輪郭が強調される。高く張り出した額の下の目は、いつも暗く落ち窪《くぼ》んでいた。

蒸し暑く長い梅雨が続く、水ぶくれしてふやけた街の中で、その青年だけが冷たい静寂を湛《たた》えていた。

幾つなんだろう。

若旦那が最初に思いついた疑問だった。見た目には二十代半ばくらいと見えたが、その目付きや表情には、老成した雰囲気があった。

俺はこの顔をどこかで見たことがある。ずっと昔、子供の頃、白っぽい道端で――

唐突に、星の付いた帽子をかぶった横顔が蘇《よみがえ》った。

そうか、としちゃんか。

名前がすんなり出てきたので、少しホッとした。

戦地に赴く前に、郷里に帰ってきて道を行く登志夫《としお》の姿が幼い目に強く焼きついていたのだ。帽子の陰から、美しい横顔が覗いていた。

一族きっての秀才で、名古屋の陸軍幼年学校から陸軍士官学校に進んだ叔父《おじ》は、見た目も涼しげな美丈夫で、男も女も彼に憧《あこが》れていたものだ。物静かな男だったが子供好きで、遊ばせるのがうまかった。だから子供たちのほうも、彼が来ると、としちゃん、としちゃんと言って、子犬のようにいつもうるさくまとわりついていた――俺もその一人だった。

そうだ、あの叔父もこんな目をしていた。若いのにやけに老成していた。まるで、全世界に対する責任を一人で背負っているかのような、苦悩と焦燥とをあの静かな目に湛えていたのだ――

叔父は戦争が終わった後も、郷里に帰ることはなかった。大陸で命を落としたらしいということが分かっただけで、未《いま》だに骨すら戻っていない。

だから、彼の中の叔父は、いつまでも若く美しいままだ。その叔父が、かつての姿のまま、蕎麦屋の店先で掛け軸を覗き込んでいるあの男に重なったのかもしれない。

男はいつも、長いことその掛け軸を見つめているのだが、やがて突然興味を失ったかのようにぷいとその場を立ち去ってしまう。

若旦那にしても、その男について、決してそれ以上のことを知りたいと思っていたわけではない。ただ、気になる男だと時々目に留めていただけのことだ。


だが、その男に再びまみえる機会は、ある日偶然にやってきた。

恩師の法要で、同窓会を兼ねて街外れの寺を訪ねた時のことだった。


おや。

彼が見覚えのあるシャツ姿の男を見たのは、梅雨の晴れ間の鈍い光が、寺の隅にある紫陽花《あじさい》を照らし出しているその場所でだった。

きゃっきゃっという子供の歓声が響く。

その寺は、隣地に幼稚園を経営していたのだ。こぢんまりした庭のベンチに、あの男が腰掛けていて、周りで子供がまとわりついていた。

若旦那は、またしても既視感を覚えた。あの子供の一人が自分であるような――あの柔らかな日が射《さ》している小さな庭が天国かどこかで、叔父と一緒に自分が遊んでいるような、奇妙な感覚だった。

ただ、男は、叔父とは違って、特に子供の相手をしているという風ではなかった。じっとにこやかに子供たちを眺め、彼らが自分にまとわりつきながら勝手にお喋《しゃべ》りをしているのを感じている、という様子なのだ。その表情は慈愛に満ちているようでもあり、苦痛に耐えているようでもあった。若旦那は、柄にもなく、聖人、という言葉を連想していた。

「どうかなさいましたか？」

若旦那が棒立ちになっているのを見て、中年の住職が声を掛けてきた。

「あの人は、こちらと何か？」

関係があるのか、という質問を言外に匂わせてちらっと男を見ると、住職が「ああ」と唸《うな》って頷《うなず》いた。

「時々うちに来て、仏様を拝んでいらっしゃる方でね。ああして、帰りに子供と遊んでいかれるんですわ。お若いのに、いろいろと気の毒な方で——お知り合いですか？」

住職は柔らかな口調で答えた。

若旦那は口ごもった。

「いえ、うちの近所で時々お見掛けするんですわ。あの通り、男前なお人ですから、顔を覚えていただけで」

「はあ、はあ。お宅の近くでね。お宅はどの辺で？」

住所を告げると住職は合点がいったらしく、一人で何度も頷いた。

「今でも通院してはるんやなあ」

「通院？」

尋ねると、その視線を避けるように住職は庭を見た。

「三年くらい前に、浅野川《あさの》べりで、アベックが殺されたことがありましたなあ」

「ああ、そんな事件がありましたね。確か、犯人グループは、もう捕まったんじゃ」

「結婚を控えた若い男女で、犯人たちとは一面識もなかったのに、えらいむごたらしい殺され方をしたようですなあ——あの人の妹さんでしたんや」

「えっ」

心臓をつかまれたような心地がした。

「若いうちに両親をあいついで亡くされて、二人で助け合ってやってきたそうや。苦労して大学出て、働いてお金貯《た》めて、やっと妹さんを嫁に出せる、両親に顔向けできる、そう思うてた矢先に、あんなひどいことになってしもうて、気落ちして、虚《むな》しゅうて、病気になって長いこと入院してたそうです」

「そうだったんですか」

若旦那《わかだんな》は胸を痛めた。あの老成した顔はそのせいだったのか。

「元々、えらい思いつめる、線の細い性質《たち》の人やったのを、必死に抑え込んで、妹さんのために働いてきたようです。よくよく聞いてみると、両親も、そういった性質で、それが原因で、ほとんど自死に近い形で亡くなってたようですわ」

住職は淡々と続けた。

こんな個人的なことを自分に話してしまっていいのだろうか、と若旦那は思ったものの、好奇心は抑えられなかった。

　この住職は関西弁が強い。奈良か京都か、そっちのほうで暮らしていたようだ。そんなことを考えながら、耳を傾ける。

「なんでも、お隣に寝ていた患者さんが、仏教美術が専門の大学の先生だったそうや。それで、仏さんの教えに関心を持った、ゆうてたなあ」

「仏さんが救いになってくれればよろしいんですが」

「あの人は、教えというよりも、仏像そのものに興味があるようです。特に、白毫《びゃくごう》いうて、分かりますか、仏さんの額の真ん中に目みたいのがありますわな、あれに興味を持ってられるようです」

　若旦那はハッとした。額の真ん中の目。

　蕎麦《そば》屋の店先で、真剣に掛け軸を見つめている男の姿が目に浮かんだ。

　住職は柔らかな声の調子を崩さず、ぽつぽつと男との会話を再現した。

――この目は何なんです？　いや、そもそも、これは目なんですか？

――いえ、目とはちょっと違います。これは、菩薩《ぼさつ》さんの眉《まゆ》の間に生えてる毛ぇなんですわ。右巻きに渦巻いているから、丸い目のように見えるんです。それを、仏師は丸い粒で表現してるだけです。水晶の粒を入れて、それで表現することもあります。ここから、有難い光明が出てくるんです。

——目とは違うんですね。

——違います。三眼といって、本当にここに目がある仏さんもありますが、馬頭《ばとう》観音とか、不動明王とか、どちらかといえば憤怒《ふんぬ》の相を表す仏さんに付いてるものですわ。

——憤怒。

——ええ。うんと昔から、ここに目がついてる像いうんは、文化や宗教を問わず世界中にあるもんです。不思議ですわ。でも、実際に修行を積むと、ここに目のようなもの、熱のようなもんを感じるいうのは、洋の東西を問わず、よく聞く話なんですわ。関係あるかどうかは分かりませんが、ほら、教科書でフランシスコ・ザビエルとか、向こうの坊さんを見ますと、頭のてっぺんだけ禿《は》げてますわな。あれも、一説によると、修行を続けて精神力が高まってくると、体内でぐるぐる回ってるエネルギーが自分で調節できるようになって、頭上に高い熱を発するようになるから、自然と禿げてきてしまうそうなんです。だから、徳の高い僧侶《そうりょ》はみんなああいう髪型になる、いう話があるんです。もっとも、男性には多い禿げ方ですから、それをごまかすためにそう言うてるんやないかって気もしますわな。

——徳を積むと、ですか。いったいどんなふうに見えるんでしょう、ここにもう一つの目があると。

——さあね。私ごときでは分かりませんなあ。きっと、全く違うふうに、違う段階で世の中が見えるんでしょうな。

この住職は、最近親の跡目を継いだらしいが、継ぐまではかなりの遊び人で、世界を放浪し、アメリカに渡航してヒッピー文化などというものにも関わっていたらしい、と同窓会で誰かが言っていたのを思い出した。確かに、話の内容を聞いていると、一風変わった住職であることが窺《うかが》える。

話は続いた。

——どうすればいいのか分からないんです。私は。

——どうすればというんは。

——答えなければならないのに、どうやって答えたらいいのかが分からない。

——誰に答えるんですか。

——うまく言えませんが、この世界にですよ。

——復讐《ふくしゅう》はいけません、復讐は。復讐は必ず繰り返します。負の連鎖です。そんなことをしたって、何もいいことないです。妹さんだって浮かばれません。

——ああ、それは誤解です。私が、妹のことで、世間に恨みを持っていると思われるのは心外です。そういう意味じゃありません。

——じゃあどういう意味なんです。

——私は、今、世界から問い掛けられている。これだけ私という個人に対して大きな問いを投げかけられているのに、私は沈黙している。そのことに耐えられないんです。私は、どんな答えであれ、世界に返事をしなければならない。そういう意味で、私は今、大きな責任を感じているんです。

――責任？　責任というのは？　事件はあなたのせいじゃありません。何かひどいことに巻き込まれて、罪悪感を感じる人は多くいますが、その人のせいじゃありませんよ。あなたが責任を感じる必要はどこにもありませんよ。

――そうでしょうか。でも、実際のところ、巻き込まれたのは私です。他の誰かではなく、この私が選ばれたんです。だったら、それには何かの理由があるんじゃないでしょうか。私に対して、返事を求めているんじゃないでしょうか。

――ははあ。いや、私も分かりましたよ。

――え？

――あなたのお陰ですわ。

――何のことでしょう。

――私は、恐らく、あなたのためにここに帰ってきたんですわ。

――私のために？

――あなたが味わった苦痛に比べれば屁《へ》みたいなものですが、私もそれなりに世界に対して疑問を持っていたことでは同じです。お寺に生まれて、身近に仏の教えがあって、反発して、私も若い頃は、あちこち歩いてその答えを求めてきたつもりです。だけど、放浪することに疲れて、帰ってきて、おめおめ親の後釜《あとがま》に納まって、こうしてのほほんと偉そうに説教垂れておるわけですが、今こうしてあなたに会うたわけです。それは、あなたが仏の教えを受けるべきやったからです。

——私が？

——そうです。あなたの隣に仏教美術の先生が寝てた、いうのもお導きでしょう。あなたこそが、仏の教えを必要としている人だからこそ、そうなったんです。私のところにあなたがいらはったのもね。

——そうでしょうか。私は、運命という言葉は信じませんよ。お導きという言葉もね。

——どういう言葉を遣うかは自由ですが、私はこうして今ここに居合わせるべきやったし、あなたもここに居合わせて仏の教えを受けるべきやと思います。

——ご住職がそうおっしゃるのならば、そうなのかもしれません。とにかく、私は今責任を感じているし、この目が欲しいのです。この第三の目が。こんな苦しみを感じないで済むように、違う段階から、高いところから、自分やこの世を眺められるようになりたい。それだけが望みなのです。

「お友達は、もう集まってはるようですよ」

住職は唐突に話を打ち切り、廊下の向こうで若旦那を呼んでいる元同級生に注意を促した。すぐ近くの仕出し屋に移動するのだ。精進料理で同窓会というのも妙な気分だが、お互い成人病を気にする年代なので、集まりがいいことは確かである。

ふと、廊下の柱に貼ってある写真に目が引き寄せられた。

鮮やかな黄色い袈裟《けさ》をまとった僧侶が歩いている。

「これはどこですの？」

「うーん、スリランカだったかな。もうよう分かりませんわ。お恥ずかしい話ですが、若い頃は見境なく、あちこちほっつき歩いてましたからなあ」

住職自らが撮った写真らしい。

「今の話は、何卒《なにとぞ》ご内密に願いますわ。私があなたにこの話をしたのは、あなたがあの人に興味を持っておられると気付いたからです。くれぐれもあの方を煩わせたり、あの方のことを他言なさらないよう、お頼みもうします」

住職は真顔で頭を下げた。

むろん、若旦那《わかだんな》のほうでも、彼に直接話し掛けたり、彼のことを他人に話すつもりは毛頭なかった。

何気なく紫陽花《あじさい》を振り返ると、幼稚園の庭はいつのまにか無人になっていた。

陽射《ひざ》しは消え、子供の声も聞こえず、白いシャツ姿の男も、跡形もない。

二

住職の話は心に重く沈んでいたものの、日が経つと忘れた。しかし、若旦那とその男との縁はまだ途切れなかった。

三たび男に出くわしたのは、梅雨の終わりの激しい雨のさなかである。

もっとも、正確には、会ったわけではない。

業界の会合に出た帰り、雨がひどくなって、持っていた紙袋の底が抜けてしまい、若旦那は知人の煙草屋に寄らせてもらうことにした。

代わりの紙袋に荷物を詰め替えている間も、雨はびちゃびちゃと激しく降り続いていた。

ふと、近くを人が通る気配がした。

顔を上げると、店と住居を隔てる通路に面した磨《す》りガラスの引き戸の向こうを、動いていく影が見える。若い男の影だ。細い通路は奥まで続いているらしく、やがて影の気配は消えた。

若旦那が不思議そうに引き戸の向こうを見ていると、お茶を持ってきた細君が、「裏の下宿人ですよ」と呟《つぶや》いた。

「なるほど、裏にアパートがあるんですね」

「隣の金物屋が大家でね」

細君は、ちらっと険しい顔で引き戸を見た。

「若いのに、働きもせんで。具合が悪いらしいんですがね」

「へえ」

「調子のいい時は、バス通りのスーパーの配達を手伝っていたりしたんですが、最近はずっと部屋にこもりっきりで、めったに出てこないんですよ。ちょっと気味悪くて」

細君は口元に手を添えた。

「ふうん」

「いえ、見た目はきちんとした、大人しい、礼儀正しい人ですよ。綺麗《きれい》な顔してるし、いつもこざっぱりした恰好《かっこう》してるんだけれども」

細君は、陰口を叩《たた》いたと思われるのは困る、というふうに慌てて付け加えた。

ふと、その特徴を聞いて、記憶の中からあの男の姿が浮かび上がってきた。

まさか、彼では。

「不思議と、子供が懐く人でねえ。孫なんかも、よく話し掛けてて、いつのまにか知り合いになってたから驚いたですよ」

確信になった。あの男に違いない。寺の庭で子供に囲まれていた姿が見える。

やはり彼は、まだ立ち直ってはいないのだ。

痛々しい心地になる。住職の話が鮮やかに蘇《よみがえ》ってきた。あんなひどいことになってしもうて、気落ちして、虚《むな》しゅうて、病気になって――

「ばあちゃん、裏の兄さん、今帰ってきたろ？」

そこに、元気よく長靴を履いた男の子が駆け込んできた。小学校三年生くらいか。噂をすればなんとやらで、あの男が通路に入っていくのを遠くから見ていたらしい。

細君は顔をしかめ、たしなめた。

「帰ってきたけど、具合悪そうやったよ。病人の邪魔したらあかん」

「でも、ラジオの組み立て方教えてくれるって約束したもの」

「もっと調子のいい時にしとき。雨もひどいし」

「雨がひどいから、うちの中でラジオ組み立てるんやないか」

このくらいの歳の子は、下手な大人よりもよっぽど理屈っぽい。

細君がたじたじになるのを微笑ましく見守る。

「それに、兄さん、最近つきあい悪いんや。部屋でお経読んでるか、何だかよく分からんもの探しに出掛けてるし。今日こそつかまえんと」

仏の教えを受けるべきやと思います、というあの住職の言葉が蘇る。少なくとも、彼は仏の教えにすがろうとはしているのだ。そう思うと少しホッとした。

孫とのやりとりを続けている細君に礼を言って、若旦那は店を出た。

雨は相変わらず激しく降り続けている。


人の縁というのは不思議なものだ。これを縁と呼べるのかどうかは分からない。しかし、同じ街に住んでいても、一生言葉も交わさず、その存在すら気に留めずに終わる人間が大勢いるのに、なぜかひょんなことでその存在を知り、気になる人もいる。

彼のような存在をなんと表現すればよいのだろう。普段の生活や意識には全く含まれていないのに、ふと何かの拍子に心に浮かび、奇妙なざわめきを呼び覚ますあの男を。

梅雨は明け、酷暑が続いた。

毎度のことながら、蒸し風呂《ぶろ》に入っているような、うだるような暑さが続き、誰もが太陽から逃げるように日陰を探して歩いていた。

若旦那も、事務用品の納入の打ち合わせに行った帰り、あまりの暑さに「氷」の札が揺れる近くの甘味屋に飛び込んだ。

迷わず氷イチゴを注文し、眼鏡を外して額の汗を拭《ぬぐ》う。

開け放した窓から、ふわりと風が忍び込み、ふうと一息ついた。

その時、窓の外から小学生の会話が耳に飛び込んできた。

「――最近、何言うてるかますます分からんようになったんや」

「おかしいんとちゃうの、その兄さん」

あれっと思って窓を振り返ると、二人の少年が歩いていくのが見えた。

声に聞き覚えがある。これは、あの時の。

「見た目は前と変わらんし、算数とか教えてくれる時はちゃんとしてるねん。兄さん、理科とか算数とか、先生よりうまく教えてくれはる」

「じゃあ、何やの、その、三つめの目ぇいうのは」

「分からん。前から、三つめの目ぇ探してる、探してる、とは言うてたけど。誰かから教わった、言うてたな。三つめの目のある場所見つけた、見つけた、ってずっと一人で繰り返してるから、つまんなくなって帰ったわ」

「おかしいわ、それ」

「なあ」

「それより二組のあれ——」

声は遠ざかっていった。

不思議な心地になった。

明らかに、あの男の話だった。

三つめの目のある場所を見つけた。それはいったいどういう意味なのだろうか。

まるで辻占《つじうら》のようだ、と若旦那は氷イチゴの冷たさに額を押さえながら思った。

何かに迷った時、人の多い通りや街角に出て、聞こえてくる言葉を待つという辻占。

今の子供たちの会話は何を教えてくれたというのだろう。なぜ、あの男の話がこうも折に触れ自分の耳に入ってくるのだろう。

それはつまり自分があの男のことを知りたがっているからだ、と気付いた。まだ名前さえ知らぬあの男。いや、名前などはどうでもいい。叔父《おじ》に似たあの男が何を考えているのか、大きな不幸を背負った彼がこれからどうするのかが知りたいのだ。

氷イチゴを食べ終えると、ようやく火照《ほて》った身体が冷めてきた。

やっと日が傾いてきたのを確かめて、若旦那は予定にはなかった場所へ歩き出した。

紙袋を取り替えさせてもらったあの煙草屋。

あの店の裏に、あの男が住んでいる。名前も知らないし、言葉を交わしたこともない。何度か偶然見かけただけの男。

世界は無音で、剝《む》き出しだった。頂点は過ぎたとはいえ、じりじりと太陽が世界を焦がし続けている。

若旦那《わかだんな》は、見覚えのある煙草屋の前に立った。

街の中はしんと静まり返っていた。店先は無人で、あまりの暑さに店番は奥に引っ込んでいるのだろう。いや、店先どころか、街全体が無人のような気がした。

若旦那は、暫《しば》くぼんやりと店の前に立っていた。

すぐそこに、狭い通路がある。そこに入り、奥の角を曲がれば、あの男に会える。若くて老成しているあの男、聖人のようなあの男が。

俺はいったいこんなところで何をしているのだろう。

噴き出す汗を感じながらも、若旦那はそこに立ち尽くしていた。

しかし、彼はついに一歩も動けなかった。狭い路地に立ち入ることもなく、あきらめたように踵《きびす》を返し、彼は近くにバス停を探した。


重たげに夏は過ぎる。

枝豆の莢《さや》やとうもろこしの芯《しん》、西瓜《すいか》の白い部分やアイスキャンデーの棒の数を増やし、出入りの酒屋がビールの空き瓶をがしゃんと鳴らす音を聞きながら、夏はのろのろと過ぎてゆく。子供たちが冷たいものを飲みすぎてお腹を壊し、叱られながら正露丸《せいろがん》を飲むのを横目に、夏が逝く。

いつまでも夏は終わらないように思えたのに、実は次の季節がすぐそこに忍び寄っていることに気付くのは、台風のニュースを聞いた時である。

その日は、朝起きた時からむっとするような湿気が家にこもっていた。

むろん、連日最低気温は二十度を超えていたが、これは明らかに低気圧が近いことを示す空気である。起きた瞬間から全身が汗まみれだと気付くのは気持ちのいいことではないし、その日は小学校の登校日だったから、子供たちも家の中もバタバタしていた。

店を開けると、やはり蒸し暑く粘つく空気がムッと鼻を突いて、憂鬱《ゆううつ》な気分になった。

こいつは早い時間からひどい天気になりそうだ。

近所の医院に薬を貰《もら》いにいった母が、文句を言いながら帰ってきた。

「臨時休診だってさ」

「へえ。どうかしたのかな、高野《たかの》先生」

「あたしが忘れてたのよ、今日は、高野先生が昔世話になった、偉い先生のお祝いの会があるって、そういや、こないだ言ってたわ。医院の前まで行って思い出したのが悔しいねえ。もっと早くに思い出せばよかったのに」

母が文句を言っているのは、休診にではなく、自分の記憶力に対してだったようだ。

「風が強くなってるよ。配達は早めに行ってきたほうがいいよ」

髪を撫《な》でつけながら母が若旦那を見た。

彼はその通りだと思い、いつもは朝にやっている仕分けを後回しにして、出掛けることにした。

嫌な風が吹いていた。まだ昼前だというのに空は既に真っ暗で、気まぐれな風があっちこっちからオートバイの上の身体に吹き付ける。まだ雨は混じっていないようだが、やたらと湿っぽくて、べたべたする。

午後の嵐に備えて、人々が忙しく立ち働いていた。それにしても、風が吹いているのに蒸し暑さだけはますますひどくなるばかりだ。店に出る前に着替えたシャツが、もう汗だくで肌に張り付いていた。

心の中で悪態を吐《つ》いていた彼を、何かが押しとどめた。

いや、何かが目に留まったのだ。

黄色い袈裟《けさ》。

あの寺で見た写真が鮮やかに蘇《よみがえ》った。

僧侶《そうりょ》が正面から歩いてくる。

あの男だ。あの男が、袈裟をまとってやってくる。

いつのまにかスピードを落としていた。それでも、みるみるうちに男は大きくなってきた。むろん、彼が見ていることになど気が付いていない。

袈裟かと思ったのは、黄色い雨合羽《あまがっぱ》だった。黒い野球帽をかぶり、俯《うつむ》いてきびきびと歩いてくる。

顔色の悪さと、端整な顔は相変わらずだった。いよいよ贅肉《ぜいにく》が削《そ》げ落ちて、鋭い輪郭が露《あらわ》になっている。

嵐の予感に慌てふためく街の中で、彼はやはり冷たい静寂を湛《たた》えていた。若さと老成とが、もはや一つに溶け合って、若いのか年寄りなのか判断できないほどだ。やはり、黄色い袈裟をまとった僧侶に見える。

そんな観察をしていたのはほんの一瞬だった。たちまち彼の姿は後ろに消えていった。

バックミラーに、黄色い背中が遠ざかっていく。

どこへ行くのだろう。

鏡の中の背中を見送りながら、若旦那は考えた。

引き返して追いかけるには、信号は青だし、車は多い。彼は後ろ髪を引かれながらも配達に向かった。


午後になると風は更に激しさを増し、とうとう雨が混ざり始めた。

「もう雨戸を閉めたほうがいいかしら」

「でも、蒸し暑いし、真っ暗になるからねえ」

妻と母が、軒先を見上げながらぼそぼそ話している。

ラジオを点《つ》けっぱなしにして、台風情報に聞き入る。

客はほとんどなく、人通りも減る一方だ。早々に店じまいをしているところもある。納品書の整理をしながらも、若旦那は脳裏からさっきの黄色い雨合羽が消えなかった。いや、彼の頭の中では、それは袈裟をまとったあの男になっていたのだ。どこに行ったのだろう。もうアパートに戻っただろうか。今は部屋で経文を読んでいるのかもしれない。

「あ、降ってきた」

妻の呟《つぶや》きを聞いて顔を上げると、店の前のアスファルトが白くなっていた。大粒の雨が、いきなり路面を叩《たた》きつけているのだ。

「うわあ。窓、どこも開いてないわよね？　やだ、あたし、お風呂場《ふろば》、開けてたかも」

妻は自問自答して飛び上がると、家のほうに駆けていった。母も続いて様子を見に行く。父は、町内会のご隠居仲間で山中《やまなか》温泉に出掛けていた。これじゃあ、露天風呂には入れないな。そんなことをのんびり考える。

雨音はどんどん大きくなり、レジのそばに置いたラジオの音すら聞こえなくなった。なのに、頭の中は静まりかえってゆき、あの冷たい静寂を湛えた男が一人で歩いていた。男はひたひたと歩き続けている。雨の檻《おり》の中を、たった一人で。

暫くぼんやりしていたらしく、我に返るとラジオの音が聞こえ、雨は小降りになっていた。これから暫く、強くなったり弱くなったりを繰り返すのに違いない。

妻が戻ってきた。

「あー、慌てた。よかったわ、雨が吹き込んでなくて。そうだ、懐中電灯、どこだっけ」

「階段の下の戸棚だろ」

「あれ、壊れてたのよ。電池替えても点かないんだもの。こないだの雷で停電になった時、大騒ぎしたじゃない」

「そうだった。忘れてたな。よし、今のうちに新しいの買ってこよう」

「大丈夫？　ひどい雨よ」

「今は小降りになってるから大丈夫さ。ついでに、俺、昼食ってくるわ。午前中からバタバタしてたから、考えてみりゃ、まだ昼飯食ってなかったんだ」

「早く帰ってきてよ」

「うん」

そう言って外に出たものの、もう傘は役に立たなかった。眼鏡を押さえつつ、近くの電器店に走り、懐中電灯を包んでもらって小脇に抱え、どこに行こうか考えて、蕎麦《そば》屋に行くことにした。ざるでも掻《か》き込んで、さっさと帰ろう。

雨混じりの風が不快だった。

街は色を完全に失っていて、誰もが家路を急いでいる。

遠くでサイレンが鳴っていた。消防車か？

蕎麦屋に飛び込むと、客は誰もいなかった。この店は、昼過ぎにいったん休むことをせず、昼から夜までずっと通しで営業している。

「いらっしゃい。ひどい天気だね」

無愛想な親父が、珍しく声を掛けた。

「風が。ちょっと歩いただけでずぶ濡《ぬ》れだよ」

「これ、使いな」

親父が手拭《てぬぐ》いを放ってよこしたので、ありがたく頭や肩を拭《ふ》く。

「ざる一枚。ビールも」

「いいのかい」

「もう今日は店じまいするよ。これからますますひどくなるんじゃあ、商売になりゃしない」

親父が瓶ビールの栓を抜くのを見て違和感を覚えたのは、いつもの栓を抜く爽快《そうかい》な音が聞こえないからだと気付いた。また雨が強くなったのだ。

バラバラと近所のトタン屋根を叩く雨の音で、何も聞こえなくなる。

「ひゃあ」

二人で天井を見上げて悲鳴を上げる。あまりにうるさいので、なんだかじっとしていられないほどだ。

板わさをつまみながらビールを飲んでいると、またサイレンが聞こえた。

「なんだか、さっきから、消防車だか救急車がやけに行くね」

「火事かな」

「こんな大雨でも水掛けるのかねえ」

雨に混じって聞こえてくるけたたましいサイレンに耳を澄ます。

不安を掻き立てる、不幸の音。

サイレンはなかなか止まなかった。遠ざかったと思ったら、またすぐに次が来る。

この様子では、かなりの台数が出ているのではないか。

「なんだろう」

「変だねえ」

親父が天井の近くの棚のTVを点けた。しかし、古い退屈なドラマをやっているだけで、ニュースらしきものはない。

ざる蕎麦を片付け、蕎麦湯を飲んで一服していると、再び雨の音が弱まった。

若旦那《わかだんな》は、窓の外に目をやった。裏のヤツデの葉がゆらゆらと揺れている。

「少し止んできたかな。ごちそうさん、この隙に帰るよ」

「そのほうがいい。毎度どうも」

親父の声を背中に聞き、代金を置く。

強風吹きすさぶ外に出た若旦那は、思わず顔をしかめた。

弱まってはいるが、雨が顔をもろに叩きつけたからだ。

しかし、次の瞬間、彼は凍りついたようにその場に立ち尽くした。

店の前の人影。

すぐ近くに彼がいた。

頭の中の風景が盗まれて、現実になってしまったような気がした。

灰色の、しかし鋭い輪郭のシルエット。

彼は、雨が全身を叩きつけるのにも構わず、じっとショーケースの中の掛け軸を見つめていた。

いつからそこに立っていたのだろう。

彼は、さっき見た雨合羽《あまがっぱ》を身につけていなかった。

白いシャツはもう完全に濡れてしまい、下のランニングシャツの線がくっきり浮かんでいたし、スラックスも雨が染みて真っ黒になってしまっている。野球帽もぐっしょりと濡れ、ひさしからぽたぽた雫《しずく》が落ち続けている。

彼は、自分を見つめている男に全く気が付いていないようだった。

いつもそうだ。俺は傍観者で、彼の世界に入っていくことはできないのだ。

ふと、若旦那はそんな苦い感慨に襲われた。

男は、身動《みじろ》ぎもせずに、ただひたすら掛け軸に見入っている。

若旦那もまた、その横顔をじっと見つめていた。

よく見ると、その唇が動いている。何事か、ずっと一人で呟いているのだ。

その表情には、それまでに見たことのないものがあった。

安堵《あんど》のような、脱力感のような、充足感のような、満ち足りたものが。

ここに来るまでの間、どこにいたのだろう。さっき店に入る時には、まだここにはいなかった。これまでどこかで何かをしていたのだ。この雨の中、彼が満足できるようなことを。いったいどこで、何をしていたのだろう。

若旦那はそんなことを考えていた。

結局、彼は、男が何と呟いているのか聞き取ることはできなかった。

やっと返事ができました、と。

これが私の返事なのです、と、男が繰り返し呟いているのを。

第八章

花の声

——

ファミレスって、おかしな言葉だねえ。

そう思いません？　聞く度に違和感を覚えるんだな。

本当はファミリーレストランの略なんだろうし、頭では分かってるんだけど、俺はいつもファミリーレス、つまり家族がない、って言葉を連想しちゃうんだな。そう、セックスレスなんかと同じ用法ね。

ファミレスって、明るくてテーブルが広いから仕事場にしてる人も多いし、打ち合わせやビジネスランチで使う人も多い。

俺の印象だと、この店なんか、ちゃんとしたファミリーが食事してるところなんて、あんまり見かけないね。たぶん、ちゃんとしたファミリーがここに来てるのは、割に限られた時間帯なんだと思うのよ。俺が来るようなこういう夜遅い時間って、それこそファミリーレスな、一人とか、訳ありの親子とか、学生なんかがほとんどだね。どこかいびつな、家族としてはあちこち欠けてるような人たちばっかり。そういう人たちが、ぴかぴか明るい店内に、ぽつん、ぽつんと暗いロウソクみたいに座ってる。

ファミレスのお客って、笑わないのね。

最近そのことに気付いた。従業員の笑顔が客のためじゃなくマニュアルのための笑顔だって知ってるし、客もファミレスそのものが目的じゃない。時間潰《つぶ》しだったり、一人で家にいるのが嫌だったり、気分転換だったりする。一番じゃないけど、まあここでいいかっていう妥協の場所。そんなあきらめが店員と客の双方にあるんだよね。だから、みんな素の顔をしてて、笑ったり表情を繕ったりしない。それぞれのテーブルの上に、自分の部屋の日常が持ち込まれてる。

そう考えると、ファミレスって言葉は案外当たってるのかも。

二

うーん、結婚してたこともあったんだけどね。

正直、必要だと思えなくて。

いや、相手に問題があったわけじゃない。彼女には何の落ち度もなかった。ほんと、いい奴だった。こっちから一方的に言い出したのに、慰謝料だのなんだのと騒がなかったしね。嫌いじゃなかったし、向こうもそうだったと思う。

だけど、なんて言うのかな、どうしても一緒にいる理由を見つけられなかったのね。生活のため、家のため、老後のため、世間体のため。淋《さび》しいから。役に立つから。人はいろいろ言うけど、どれも俺からしてみれば大した理由には思えなかった。

この女、なんでここにいるんだろう。

しまいのほうには、彼女を見る度にそう思った。別に疎ましいとか、嫌だとかいうんじゃないんだ。純然たる疑問形でね。ホワイ？　なんのために、この女は今ここに、俺と同じ空間に存在するんだろうって。

彼女のほうでも、そういう俺の視線に気付いてたんだろうね。

あんたのその不思議そうな視線に耐えられない。あんたはあの目の残酷さにまるで気付いてないし、あたしの存在そのものを否定されてるみたいで、ほんとにつらかった。でも、あんたの場合、悪気があるわけじゃないんだよね。だから余計に残酷なんだけど。

別れ際に、そんなふうに言ってた。別れられることにホッとしてたと思う。

さあ、そもそも何で結婚したんだろうね。周りがしてるからじゃないの。一回してみるもんだって思い込みもあったし、結婚して楽しそうにしてる友人がいたから。周囲の人間が結婚してくと、なんだか自分が取り残されたみたいで、焦るじゃない？

うん、家事は苦にならない。むしろ、自分のやり方でできるんで楽だね。

女って、本質的なところではぶきっちょだし、ガサツだと思うんだよ。別に、差別してるわけじゃない。子供産んで育てるのって大変だから、きっと、大雑把《おおざっぱ》でもいいから、とにかく前に進めるように造られてるんだと思う。男は神経質だね、本当のところは。

なんでこんな話してるんだろう。いいの、こんなんで。聞きたいのはこんな話じゃないでしょ。

ああ、残念ながらエンジニアとしては大成しなかったね。機械いじりやモノづくりは好きだったけど、発想のひらめきとか、粘りとか、パイオニアになろうという野望とかが全然なかった。今は営業とか企画とか、全部ひっくるめた仕事になってる。この仕事は結構自分に合ってると思うよ。

よく言われるけど、俺って欲がないんだよね。

情感もないって言われる。デリカシーって奴か。

エンジニアとしての欲がなかった、仕事に対して欲がなかったってことに関しては、時々残念に思うことがある。極めてみるってことには、今でも憧《あこが》れがある。

だけど、生活に対する欲望っていうのは、今でもよく分かんないのね。

億ションに住んで、外車何台も乗り回して、別荘建ててっていうのが、なんで成功なのかよく分からない。あれのどこが羨《うらや》ましいんだろう。家って、基本的に必要なものは誰でも同じでしょ。風呂《ふろ》とトイレとキッチンと、寝るところと寛《くつろ》ぐところ。書斎だの庭だのって多少部屋やスペースが増減するにしても、どんなでかい家もアパートも構成してる要素は同じ。広さに違いはあるにしろ、億ションと、アパートと、そんなに値段の違いがあるってことがどうしても理解できないんだよ。理解できないといえば、アメリカ人だってそうだな。彼らの成功といえば、プール付きの豪邸、いい車、いい女、シャンパンとワインでホームパーティ。あまりにも芸がない。あいつら、想像力もなさそうだけど。

冷たいってよく言われるよ。なんで冷たいのかもよく分からないんだよね。分かってたら、もうちょっとなんとかなったかもしれない。

俺と長い間一緒にいた人間って、みんな死んじゃうんだよ。この頃になって、俺のせいなのかなって思う時がある。俺の冷たさや薄情さが、一緒にいる人間の中に移って、どんどん蓄積されていって、それに耐え切れなくなっちゃうんじゃないかって。

別れた女房も、別れて半年もしないうちに死んじゃった。交通事故だったけど、自殺なんじゃないかっていう人もいる。今となっては分からないけどね。

学生時代の友人もそうだった。サークルで四年間ずっと親しくしてたんだけど、就職して配属になった勤務先で、人間関係に悩んで自殺した。

だけど、考えてみると、俺の周りで一番最初に死んだのが、あの兄さんなんだね。

あんたが来るまで、そのことをずっと忘れていたんだ。

三

うーん。俺は今でも、あの事件の犯人が兄さんだったとは思えないんだ。

そりゃ、俺はガキだったし、今でもお世辞にも人間観察が鋭いとはいえないけどさ。

だけど、当時の、世間でいうところの稀代《きだい》の殺人鬼、異常な悪魔みたいな言われようにはずっと違和感があった。どうしても、俺の知っている兄さんとはイメージが重ならないんだ。

え？　何で「兄さん」と呼ぶのかって？

さあ、考えたこともないよ。俺の中では、あの人は「兄さん」なんだ。俺には四歳離れたほんとの兄もいるけど、あれは「兄ちゃん」だからな。あの人は「兄さん」さ。それ以外の呼び名はない。

あの事件の犯人が兄さんだって分かった時は、おふくろが半狂乱になってたね。というか、鬼の首でも取ったみたいに狂喜してた。あたしの目は正しかった、あの男はおかしいと思ってた、絶対何かやらかすと思ってたって、煙草屋に来たマスコミや、近所の人たちに得意そうにしてるのが恥ずかしくてたまらなかった。

そのくせ、俺が兄さんと親しくしてたのをマスコミに知られるんじゃないかとびくびくしてて、取材陣が来ると俺を慌てて追い払うんだ。俺も、兄さんのことを根掘り葉掘り聞かれるのは嫌だったから、取材らしき人が来ると、遊びに行くふりして逃げたけどね。だけど、あんまり得意そうに毎日客にべらべらまくしたてるのに頭に来たから、夕飯の時にこう言ってやった時があった。

おかあちゃん、楽しそうやなあ。そんなにお隣に殺人鬼が住んどったんが嬉《うれ》しいんか。毎日、唾《つば》飛ばして自慢してはるもんなあ。

いやあ、あの時のおふくろの怖かったこと。あんなに怒ったのは、後にも先にも見たことがない。ついでに、あんな凄《すさ》まじいビンタ喰《く》らったのも、あれが最初で最後だね。

でも、おふくろのほうも、図星というか、当たってると思ったのか、次の日から黙り込んでしまって、マスコミを避けるようになったのは事実さ。

ああ、子供の頃は、仲のいい子が大阪の船場《せんば》から転校して来た子でね。そいつの影響で今よりもずっと関西弁がきつかった。確かに、俺が今、あんな口調で子供に嫌味言われたら、ぶち切れて殺してるかもしれないね。あのくらいの年齢の子供は、弁も立つようになって、正直で、残酷だからなあ。

うん、今となっては、おふくろに同情するところはあるけどね。

近所に住む、得体の知れない若い男と自分の子供が親しくしていて、自分の言うことはちっとも聞かずに屁理屈《へりくつ》ばかりこねる。心配だけど、どうすることもできない。そんな状況は、母親としては不安だし腹立たしいだろう。

その若い男だって、働いてはいないけど、素行や身なりに取り立てて問題があるわけでもなく、言いがかりをつけるところがない。おふくろは、言いがかりをつけるきっかけ、子供と引き離すきっかけをずっと探してたんだろうと思う。

そこに、あの事件だ。しかも、本人が自殺してこの世からいなくなってしまった。

おふくろは安心したんだ。もうあの男が息子に関わってくることはない。しかも、自分の目が確かだったことが証明された。だから、あんなにはしゃいでしまったんだ。

それにしても、共同体っていうのは、一人でいる男には、昔から本当に冷たいねえ。あの兄さんにしたって、家族を昔殺されて、長いこと病気してたっていうのに、具合が悪くて働いていないってだけで、「ふらふらしてる若い男」ってことにされていた。

俺だって、バツ一だって知られてるからいいようなものの、何かあったら真っ先に不審人物にされるんだろうね。実際、いろいろ事件起こしてるのは、大体無職の若い男だし。俺には会社という所属先があるだけまだましだ。

最近の、家族持ちの独身者に対する憎悪って凄《すご》いよね。なんなんだろう、あの憎悪って。こっちは別に家族持ちを羨ましいと思ってないけど、否定もしない。幸せにやっていってほしいし、邪魔する気は毛頭ない。だけど、向こうは憐《あわ》れんでるくせに妬《ねた》んでる。昔はただただ憐れみだけだった。一人でいるのは、可哀相で惨めな人だった。だけど今は憎しみと妬みが入ってる。おまえらばっかり楽《らく》しやがってって思ってる。

鈍感な俺でも、さすがにそれはひしひし感じるよ。

それでもまだ、今は昔に比べれば、いろいろな家族形態を受け入れるようになってきてると思う。

当時の兄さんは、本当に孤独だったんだろうな。

四

静かな人だったよ。頭は凄くよかったと思う。

理科や算数を教えてもらった時の明快さは、今でも鮮やかに印象に残っている。俺がエンジニアの端くれになれたのも、兄さんのおかげさ。

簡単なことを難しく言う奴は幾らでもいるけど、難しいことを分かりやすく説明できる人って少ないもんだよ。

兄さんが学問に関して話をする時は、なんていうのかな、兄さんの頭の中に、立体的に理論が構築されているのが見える感じがするんだ。緻密《ちみつ》で、きちんと体系がなされている。細かいところまでしっかりしているから、どの方向から質問しても、一貫性があって、イメージしやすい。

それに、兄さんは子供だからといって態度を変えたりしなかった。子供のほうは、自分を対等に扱ってくれる人間を本能で察知するんだね。だから、兄さんは子供にもてたんだよ。

大人って、子供に対して時間をケチるんだよね。

自分の使える時間全体を百とするなら、子供に使うのは十くらいと決めている。近所の大人だったら、よその子に使うのは、二か三くらいかな。声掛ける時も、ここで一くらい使っといてやるかっていう割り当てを計算してるのが見え見えなんだ。だから、何か話し掛けて、子供がそれに食いついてきて、一のつもりだった時間を三使わせられそうだって感じると、みんな慌てて子供を突き放す。

子供は、大人が自分に対して時間を惜しむのに敏感だ。惜しまれると余計に欲しくなるから、必死に大人から時間を奪い取ろうと頑張る。大体逆効果になって、失敗するんだけどね。そうやって大人に対する不信とあきらめを覚えていく。

普段はさんざん自分の時間をケチってるくせに、何かあった時だけ、「さあ、包み隠さず全部話してごらん」と親や先生は言うんだな。

自分の時間はくれないくせに、おまえの時間をまるまるこっちに寄越せと言われたら？　子供が抵抗するのは当然だね。

だけど、兄さんは子供に自分の時間を惜しまなかった。まあ、実際、働いてなくて時間があったせいかもしれないけどね。

兄さんは、優しかったよ。

異常なところなんてなかったよ。

時々おかしなことを言うことはあったけど、怖いとか、常軌を逸してるなんてことはなかった。むしろふわんとして、浮世離れした感じだったなあ。他人を傷つけるよりは、傷つけられるタイプだった。苛《いじ》めるより苛められるタイプ。

勉強の話をしてる時は恐ろしいほどクリアで緻密なのに、それ以外の話になると、たちまち目がぼんやりして、夢見心地で遠くなる。

自分の話はほとんどしなかったね。聞いてもはぐらかされる。

確かに、事件の前の数週間は、お経ばっかり読んでて相手をしてくれなかった。

俺も懲りずにしつこく通ったんだけどね。学校帰りに声を掛けるのが習慣になってたから。

でも、俺が非難したり、哀願しても、悲しそうな顔で俺を見るばっかりだった。あの目を見てると、何も言えなくなってしまって、いつもあきらめて帰ったんだ。

ああそうだ、三つめの目って話はよくしてたなあ。

修行すれば、突き抜ければ獲得できるはずなんだ、なんて、ぼんやり呟《つぶや》いていたっけ。

俺はそういう話に興味なかったし、ああまた兄さんの夢みたいな話が始まった、って聞き流してたからよく覚えていないねえ。

それよりも、よく覚えてるのは、声のことだね。

うん、話をしてると、時々、兄さんがハッと天井を見たり、窓の外に目をやったりする瞬間があるんだ。

どうしたのって聞くと、声がしたって言うんだ。

空耳じゃないのって言うと、違うって首を振る。

兄さんは、いつも真顔で言ってた。

僕には花の声が聞こえるんだって。

五

そりゃ、確かに、こうして口にしてみると荒唐無稽《こうとうむけい》な話だけど、あの時あの場所にいて、兄さんと話をしていたら、そんなに馬鹿らしく聞こえないと思うよ。

なにしろ、関数や方程式の話を整然としてる最中に、「あっ」とあらぬ方角を見るんだ。

また聞こえたのって、俺も慣れっこになっていった。

もちろん、俺には何も聞こえなかったんだけどね。

花の声。何の花かは知らなかったよ。俺も聞いたんだ。花ってどんな花。桜とかチューリップとかなのかい、それとも花なら何でもいいのって。

すると、兄さんは曖昧《あいまい》に首を振る。

白い花だ、って言っていた。白い綺《き》麗《れい》な花だ。満開だ。いっぱい咲いてる。

俺が聞くといつもそう答えた。

白い花といってもいろいろあるからねえ。百合《ゆり》とか、菊とか、木蓮《もくれん》とか。そういう名前を挙げても、兄さんは首を振るだけだった。

すごく綺麗な声だ、と兄さんは言った。

あの声の話をする時の兄さんは嬉《うれ》しそうだった。

うん、兄さんは、とても端整な顔をしていた。普段は俯《うつむ》きがちで、どちらかといえば淋《さび》しそうにしてたから、たまに笑みを浮かべると、凄くハンサムだったよ。花の声の話をしている兄さんは、嬉しそうでハンサムだったから、俺もなんとなくその話をしている兄さんを見るのは嬉しかった。

もちろん、実際に聞こえてるのかどうかは分からなかったし、俺には聞こえてようが聞こえてなかろうがどうでもよかった。兄さんに、精神的に脆《もろ》い部分があるのは子供心にも気付いてたから、兄さんが気持ちよくしてればそれでよかったんだ。

うん、声に関しては、事件が公になってから、いろいろ面白おかしく、変なふうに書かれていたねえ。天の声が聞こえて、あの家族を殺せというお告げを受けたとか、毎日聞こえてくる声に悩まされてたとか。俺も幾つか週刊誌の記事を読んだけど、あれじゃあ、丸っきり、兄さんが変態みたいじゃないか。

ああ、遺書にもそんなふうなことが書かれてたっていうけど、記事にあったような内容じゃなかったと思うよ。

問題は、あの声に実体があったんじゃないかってことだね。

え？　警察には言ったよ。だけど、結局、信じてくれなかったみたいだ。あのメモを見たのは俺だけだったみたいだしね。

あれは、事件の前々日だったかな。

兄さんが、大事そうに小さなメモを持ってるのを見たんだ。

学校から帰って、友達の家に行く途中で、歩いている兄さんにバッタリ会った。

兄さん、それ、何？

兄さんは、嬉しそうにそのメモを抱えていた。両手で包むようにして、大事そうにしていたから、何を持っているのか気になったんだね。

声に貰《もら》った。

兄さんはそう答えた。

俺はあっけに取られたよ。もちろん、いつも兄さんが言ってるあの声のことだと気付いたけど、それまでその声が実在するなんて考えたことなかったからね。

何貰ったの？

俺は兄さんの手を覗《のぞ》き込んだ。たぶん空っぽじゃないかと思ってたんだけど、驚いたことに、そこには一枚の藁半紙《わらばんし》みたいなメモが入っていた。畳んだ跡があって、几帳面《きちようめん》な字で、二つの住所が書かれているのが分かった。一瞬、女文字のような気がした。

住所は完全には読み取れなかったけど、片方に「山形県」と書かれているのだけは分かった。

兄さんは、「うふふ」と少女みたいに笑って、アパートに帰っていった。

俺は、そのことをあまり深くは気に留めなかった。だけど、兄さんの言う「声」が、実際に存在しているのかもしれないということは頭のどこかでちらっと考えた。

このメモについて考えるようになったのは、兄さんが死んで、警察が大挙してやってきて、マスコミがさんざん質問していったずうっと後だ。それまでは、正直言って忘れていたんだ。

最初の波が過ぎ去ったあとで、もう一度刑事さんが来たことがあって、俺は兄さんの話をした。最初に来た刑事さんたちは殺気立っていたし、おふくろは俺に兄さんの話をさせたがらなかったから、実質的に、きちんと話をするのは初めてだった。

学校の先生みたいな、穏やかな、真面目な刑事さんだった。ぽっちゃりした婦警さんと一緒で、この人も聞き上手で、話しやすかった。

刑事さんは、俺が兄さんの手に持っていたメモの話をした時に、とても興味を示した。

俺がその理由に気付いたのは、もっと大きくなってからだね。メモに書かれていたのは、あの毒入りのビールとジュースの発注の依頼人とされていた山形の医院の住所と、犠牲者が大勢出た送付先のあの医院の住所だったんじゃないかってね。

六

つまり、兄さんは、誰かにあのメモを渡されて、あの二つの住所で伝票を切ったということになる。それがどんなに重要なことか、ちょっと考えてみれば分かることだ。もう一人、事件に関わっていた人間がいる。殺人教唆の可能性については、兄さんが犯人だと断定された後も、ずっとくすぶっていたようだね。兄さんの精神状態がよくなかったことは警察も知っていたし、動機も全く分からなかった。

兄さんの交友関係は徹底的に調べられていた。とにかく、あの人を見たことがある、という程度の人間でもしつこく調べられたと聞いてる。兄さんが時々仏像を見に行っていたお寺の住職なんか、何日も取り調べを受けて、まるで犯人みたいな扱いだったと怒っていたそうだ。

何より、彼と、送り主になっていた山形の医院、そして毒が送られた医院を繋《つな》ぐ線が問題になっていた。同じ市内にある被害者のほうの医院を知っていたのはまだ分かるけれど、当主の古い知人である山形の医院の住所をなぜ彼が知っていたかについては、あの事件の大きな謎とされていたはずだ。

だから、俺が見たメモが、真犯人から渡されたものだとすれば、大きな物証になるわけだ。

警察は、兄さんの部屋はもちろん、近所のどぶ浚《さら》いまでしていた。もちろん、俺が見たメモが残っていないか探すためさ。だけど、小さなメモだったし、とうとう見つからなかったようだ。すると、今度は俺の証言のほうが疑われた。子供だし、単なる見間違いだったんじゃないか、メモなんて存在していなかったんじゃないか、という疑惑が強くなってきたらしいんだな。

そりゃ、俺にしてみれば面白くないよ。でも、メモが見つからないのではどうしようもない。

結局、殺人教唆の可能性はうやむやになってしまったみたいだね。

あの男女一組の刑事さんはその後も来た。何度もメモの話をさせられたけれど、やはり肝心のメモは見つからないようだし、刑事さんも表情が険しかった。刑事さんたちは俺の話を信じていたけれど、警察の公式見解としては、兄さんが一人で全部やったというものに傾いていたことはその口調から分かった。

でも、あのメモを見たのは本当だ。兄さんの筆跡でないことも確かだ。俺は、勉強を教わる時にずっと兄さんの書く字を見ていたからね。

兄さんは、癖のある、筆圧の強い小さな字を書く。あのメモの字は、似ても似つかない、綺麗なさらっとした字体だった。

悔しかったし、割り切れない感情は持っていたけど、当時の俺にはそれ以上のことはできなかった。あの頃は、事件の真相よりも、自分がメモを見たのを信じてもらえないことのほうに不満を持ってたんだと思う。あのメモが、兄さんの潔白の証明になるなんてことまでは思い至らなかったね。

だけど、今になってみると、改めて確信するよ。

やっぱり、兄さんは嵌《は》められたんだ。

真犯人？　それは、絶対に女だね。

七

いや、兄さんに恋人はいなかったと思う。

そもそも、人づきあいというものがほとんどなかったからね。子供とは普通に接してくれたけれど、大人どうしのつきあいが苦手みたいだった。

それに、近所の大人たちからは胡散《うさん》臭く見られてたしね。

ただでさえ働いていないことで心証が悪かったのに、兄さんの住んでたアパートの大家である金物屋の夫婦と、近所との折り合いが悪かったせいもある。

とにかく夫婦揃って偏屈でね。ゴミの出し方だの、町内会の分担だの、何かにつけて周囲といざこざを起こしてたよ。あのアパート自体、近所に何の断りもなくいきなり建て始めて、いきなり入居者が次々とやってきて、彼らが私道を通るっていうんで、随分周囲の顰蹙《ひんしゅく》を買っていたらしい。

職人とか、飲み屋の経営者なんかが住んでいて、ほとんどご近所と顔を合わさない人が多かったから、昼間も近くにいる兄さんは目立ったんだ。金物屋に対する反感も、アパートの住人に対する偏見も、兄さん一人が背負う形になった。やっぱり、運が悪いというか、苛《いじ》められるタイプなんだよ。伏し目がちで申し訳なさそうにしてるから、余計ね。

だけどねえ、女っていうのは目敏《めざと》いね。

なにしろ、兄さんはハンサムだったからね。やつれてたけど気品があったし、痛々しいところも、かえって女から見ればある種の色気を感じさせたんだと思う。

良識ある近所のお母さん方の評判は悪かったけど、若い娘がチラチラ兄さんのことを見てることには気が付いたよ。あと、水商売のお姐《ねえ》さんたちがよく露骨に兄さんに声を掛けていた。

もちろん、兄さんはそういうのが全然駄目でね。本当に、かわいそうなくらいどぎまぎして、逃げ出してしまうのさ。

男の癖にカマトトぶってんじゃないよ、とか、いろいろあけすけなことを言われてたことを思い出すね。カマトトというのが分からなくて、おふくろに意味を聞いたら、また怒られてねえ。

一人、兄さんにつきまとっている女がいたっけ。とんかつ屋の娘だったか、喫茶店の娘だったか。あんたは病気なんだから、あたしが面倒みてあげる、心を落ち着かせる人間が必要なんだ、みたいなことを切々と言ってるところを見たことがあるよ。いかにも垢《あか》抜けない、骨の太い、どん臭い娘でね。兄さんはほとほと当惑していた。必死に逃げ回っていたけど、それがかえって彼女に追わせる結果になった。

そんな二人をみんなが陰で笑いながら見ていたよ。兄さんをよくからかっていたお姐さんたちは、さんざん彼女を馬鹿にしていたっけ。自分より器量が劣る女に対しては、なんて残酷なんだろうね、女って。

おぼこ娘の図々《ずうずう》しさには敵《かな》わないねえ。あのお面で心を落ち着かせるだってさ。まあ、何とかは三日見ると慣れるっていうから。そんなことをこれみよがしに言われても、彼女は全然動じなかったけどね。どっちもどっちだよ。

だけど、ある時からふっつり姿を見せなくなった。親が店を畳んで奥さんの郷里に引っ越すことにしたと聞いてたけど、本当のところは知らないな。とにかく、兄さんがホッとしていたその表情だけ覚えてるよ。

そういうのを除けば、全く女の影はなかった。

だけど、あの「花の声」っていうのは絶対に女のことだと思うんだ。白い花。綺麗《きれい》な声。

そりゃ、やっぱり女のことだろう。

兄さんがその「声」のことを話す時は機嫌がいいという話をしたけど、その話を始めた頃、兄さんには微妙な変化があったような気がする。

お経を読み始めた時期とも重なるんだけど、なんというのかな、うまく言えないが、目標を見つけた、とでもいうのかな。心のよりどころ、というのも陳腐な言葉だけど、何かを見つけたんだと思う。

その何かが「声」だったのかと聞かれると、イエスともノーとも言える。

それまでの兄さんは、とても不安そうだった。生活の中心をどこにすればいいのか分からなくて、水溜《みずたま》りの木の葉みたいにくるくる回っていた。雨や風に打たれて、ぼろぼろだった。だけど、あの事件の直前の兄さんには、信念みたいなものが感じられた。相変わらず哀しそうだったけど、運命を受け入れた人のあきらめみたいなものがあったんだ。

兄さんは、いったい何を見つけたんだろうね。

慎重に瓶の蓋《ふた》を外し、毒を混ぜながら、兄さんは何を見ていたんだろう。

兄さんは器用で几帳面《きちょうめん》だった。作業は慎重に進めただろう。自分の部屋で、一本ずつ、丁寧にもう一度蓋をした。誰かが開けたとは分からないように、蓋の歪《ゆが》みも直し、ビールの気が抜けないように、配慮もしただろう。

死の配達に向かう兄さん。

兄さんは、とても食が細かった。ろくに食事も摂《と》ってなかった。体力は落ちてたはずだ。だけど、ビールとジュースを届けた兄さんは、とてもきびきびしていて、おかしなところはちっともなかったそうじゃないか。何かが兄さんを突き動かしていたんだ。

あのひどい天候の中で、毒の入った瓶を運びながら、兄さんはいったい何を見ていたんだろう。

八

あの事件で世間が大騒ぎになっている頃、兄さんは体調を崩して寝込んでいた。

でも、そんなことには誰も気付かなかった。全く兄さんの存在は忘れられていた。

俺も、周囲の大人たちが興奮しているのに一緒に浮かされていたね。あの時は、町中が異様な雰囲気だったよ。市内は警官だらけだった。

捜査が続いている間も、夏が終わっても、兄さんは一人でひっそりと衰弱していったんだ。

俺もすっかり兄さんには寄り付かなくなっていた。

遊んでくれなくなってから暫《しばら》く経っていたし、その頃は野球に夢中になってたしね。

何かの拍子に、兄さんの様子を見に行ってみようと思ったのは、もう新学期が始まって暫く経っていた頃だった。

兄さんの部屋のドアの前に立った時、なんだか異様な感じがした。

かつては何度も入った部屋なのに、その時はその部屋に入るのに物凄《ものすご》く抵抗があった。

俺は暫くぐずぐずしていたね。入りたいけど、入ってはいけないような気がして。

その時、廊下をのっそり、頭を五分刈りにした男が歩いてきて、俺はぎょっとして飛び上がった。

その部屋に用かい、とその男は言った。口調から、職人のような気がしたね。

俺が頷《うなず》くと、帰れ、帰れ、帰ったほうがいい、その部屋の男は病気だ、肺をやられてるみたいだから、ひょっとすると、坊主にうつるような病気かもしれない、もうずっと寝込んでるんだ、と男は言った。その時は怖かったけど、今にして思えば親切で言ってくれたんだろうね。もし結核だったりしたら、大変なことになる。

俺は尻尾《しっぽ》を巻いて逃げ出した。だけど、ドアの前に立った時に感じた異様な雰囲気は忘れられなかった。もう、あの部屋の中に自分の知っている兄さんはいないんだ、そんな気がした。

九

俺が最後に兄さんを見たのは、秋晴れの爽《さわ》やかな朝だった。

集団登校の集合場所の公園に行く途中、ふっと白い影とすれ違った。

あれっと思って振り返ると、兄さんだった。

影、と思ったのも無理はない。兄さんはがりがりに痩《や》せていた。髪もぱさぱさで、老人みたいにやつれていた。シャツの肩が落ちて、背中が薄くなっているのが分かった。

兄さん、と声を掛けると、一瞬間を置いてから振り返った。

やあ、と微笑んだ兄さんは、やっぱり兄さんだったけど、あの衰弱はただごとではなかった。枯れ木みたいに肌はスカスカだし、目は落ち窪《くぼ》んでいた。

俺はあまりの面変わりに絶句してしまったよ。

声を聞きに行くんだ。

兄さんは、聞いてもいないのにそう答えて、くるりと背を向けて歩いていってしまった。

歩くのもつらそうで、足取りは心許《こころもと》なかった。途中で倒れてしまうんじゃないかと思ったくらいだ。

俺は暫く兄さんの後ろ姿を見ていたけれど、学校に行かなきゃならなかったから、慌てて走っていったよ。

大家が兄さんを発見したのは、それから一週間も経たない頃じゃなかったかな。

好天が続いて、気温が高かったからだろう。

両隣の部屋から、兄さんの部屋から異臭がするという申し出があったらしい。

真冬だったらあの大家は放っておいたに違いないぜ、と近所の人は噂していた。警察を呼んだのも、もう他の部屋の住人に知られてたからだし、もし知られていなかったら、自分でどこかに遺体を処分しに行って、何食わぬ顔で次の店子《たなこ》を探していただろう、とも。

兄さんは家賃は半年ずつ入れてたから、損はしなかったはずだって。

大家が遺書を処分しなかったのも奇跡だった、とみんなが意地悪く噂した。一緒に両隣の住人が部屋に入ったから、捨てるわけにもいかなかったんだろう。

兄さんは身寄りがなかったし、もし病気を苦にした自殺で片付けられて、遺書も身の回りのものも処分されていたら、あの事件はそのまま迷宮入りになっていたかもしれないわけだ。

だが、遺書は発見された。そして、人々はその内容の重大さに気が付いた。

かくて、あのおぞましい事件の第二幕が始まったってわけだ。

＋

事件の影響、ね。

分からないな。兄さんの影響はあるよ。エンジニアになったことだとか。

兄さんが犯人だとは思ってないし。

誰かにやらされたんだよ、あれは。兄さんの脆《もろ》さにつけこんだ誰かが今も野放しになってるんだ。うまいことやったね。兄さん一人に罪を押し付けて、自分は逃げ切ったんだ。

本？　知らないな。あの事件を書いた本？　知らなかったな。へえ、結構評判になったの。物好きな女だね。で、犯人は誰になってるの？　明記されてない？　そりゃそうだろう、兄さんじゃないんだもの。

話したら腹減ったな。タラコスパゲッティ、頼んでもいい？

自分で作ると、タラコの皮を剝《は》がすのが面倒でね。

別れた女房は、魚卵の類《たぐい》が嫌いでね。痛風が怖いと言って。痛風になるのは、体質からいってほとんど男なのにね。変なところが臆病《おくびょう》な女だった。

マンホールが怖いと言って、絶対に足をのせなかった。子供の頃、大水が出て、蓋の外れたマンホールの穴に落ちて溺《おぼ》れた子がいたんだそうだ。

あんたはいつもマンホールの蓋にのっているくせに、絶対に落ちないんだよね。

そんなことを言ったことがあったな。

あんたは平気なんだけど、見ているあたしはいつも死ぬほど怖い思いをさせられる。この人はいつ穴に落ちるんだろう、今日だろうか、明日だろうか。そう思ってあたしばかりがハラハラさせられる。なのに、あんたはちっともそのことに気付かないんだ。

よく意味が分からないだろ？

はは、だからみんな死んじゃうのかな。俺の分のストレスも背負いこんじゃうんだ。

兄さんみたいに、みんなのストレスを一人で溜《た》め込んで、死んじゃうんだな。

兄さんは、犠牲者なんだよ。

兄さんの骨は、兄さんが時々仏像を見に行っていたという寺で引き取ったよ。あそこの住職は、ちょっと変わった、面白い人だった。もちろん、きちんとした葬式なんかなかったよ。俺も別れの挨拶《あいさつ》をしたかったけど、そんな機会もなかった。あの、二人の刑事さんが密葬に立ち会ったという噂をちらっと聞いた。あの人たちも、兄さんが犯人だと思ってなかったからだと思う。

十一

高校時代に、一度だけ兄さんのことを思い出したことがあったな。

暑い夏の盛りでね。

野球部の試合の帰りだった。たまたま、普段通ったことのない道を一人で歩いていたんだ。

風がなくて、街全体がげんなりしていた。

暑かった。試合には負けたし、疲れ切って、ひどい気分だったのを覚えてる。当時はまだ精神主義が幅を利かせてたから、水分補給なんて考え方はなかったし、あまりにも疲れてて、水を飲む気もしなかった。

一種、熱に浮かされたような状態になってたんだろうねえ。

死にそうだ、と思いながら歩いてたんだ。今にも倒れてしまいそうだって。

「じゃあ、死んじゃいなさいよ」

突然、そういう声が聞こえたんだ。

ぎょっとするほど鮮明だった。

俺は立ち止まって、辺りを見回した。

アスファルトから陽炎が上がっていて、周囲の景色がぼやけていて、誰も歩いていなかった。

俺は混乱したよ。頭が変になっちゃったのかと思った。空耳にしては、あまりにも鮮明だったからね。

だけど、周りには誰もいない。

鈴を転がすような声、という表現が頭に浮かんだ。とても明るい、きっぱりした、あっけらかんとした声なんだ。若い女の声。あの声はそういう声だった。

ふと、顔を上げると、そこに真っ白い花がいっぱい咲いていた。

百日紅《さるすべり》の花だ。

圧倒される白さだった。こんなに花を付けるものなんだ、と思うくらい、木が真っ白に見えるくらい咲き誇っていた。

なんだかゾッとしたんだ。全身から血が引いていくのが分かるくらい、ゾッとした。実際、体温が下がっていたんじゃないかと思う。あの肌寒さは今でも思い出せるほどだ。

そうか、これが兄さんの聞いた声なんだ、と思った。

不思議だね。兄さんのことなんて、ずっと忘れていた。事件のことも、兄さんが死んだこともすっかり忘れて毎日を送っていたのに、あの瞬間、兄さんのことを思い出していたんだね。

どうしよう、というのと、そうかこれか、というのと、恐怖と納得が両方頭に浮かんだのを覚えてる。

そこでぼんやり立ってると、ふと、空耳ではなく、本当に話し声が聞こえてくることにやっと気が付いた。

百日紅の木の向こうに窓があって、そこから女の人が数人で笑いさざめく声が聞こえてくる。窓は開いているらしい。

俺は少し落ち着いてきた。なんだ、なんだ。木の向こうの窓から聞こえてきた声が、花の声みたいに聞こえたんだ。考えてみりゃ、なんでもないことじゃないか。

古い、立派な家だったけど、どこか荒《すさ》んだ、寂れた感じのする家だった。洋風の家で、丸い窓が三つついててね。

元は医院を開業していたらしく、看板を塗りつぶした跡があった。

俺は気を取り直して歩き出した。暑くて死にそうだ、なんて考えていたから、たまたま会話の中の「じゃあ、死んじゃいなさいよ」という台詞《せりふ》だけ浮き上がって聞こえたんだ、そう自分に言い聞かせて、やっと平常心を取り戻した。

だけど、きっと、兄さんが聞いたのもああいう声だったんだ、と俺は思った。

死んじゃいなさいよ。

兄さんは、あの朝、そう言われたんだ。

あんなふうに明るく、きっぱりと。

あんな声でああもあっけらかんと言われたら、誰でもそうせざるを得ないような気がするだろう。

だから兄さんは、はい、と言って、部屋に戻って自ら首に縄を掛けたんだ。

第九章　幾つかの断片

「消えたわね。世界が」

「うん。不思議だね。時々、潮騒《しおさい》がなくなる瞬間がある」

「本当に——本当に静かになるのね。あたしには、まるで世界が消えたみたいに感じる。あっ、また」

「うん」

「この世に二人きりになったみたい」

「そうだね」

「ほら、また。こんなに続くなんて珍しい」

「スペインじゃあ、『天使が通った』って言うらしいよ」

「へえ。綺麗《きれい》な言葉ね。こういう静かな瞬間のことを?」

「うん。というよりも、何人かでお喋《しゃべ》りをしていて、ふっと全員の話が同時に途切れて静かになってしまった瞬間のことをそういうらしい。向こうの人は、日本人なんかに比べてずっとお喋りだからね、きっとそういう瞬間が珍しいんだろう」

「ふうん、そうなの」

「キリスト教圏らしい言葉だね」

「でも、うちも賑《にぎ》やかよ」

「そうなんだ。大家族なんだね」

「しじゅう誰かがいて、しじゅうTVやラジオが点《つ》けっぱなしになってて、とてもうるさいの。天使が通るような時間なんてないわ」

「素敵じゃないか。いつも沢山の家族に囲まれているなんて」

「よくはないわ。うちは、天使が通れない家なの。だからあんなにも——」

「あんなにも？」

「なんでもない。天使の通る隙間もない家なんて」

「一人よりはいいよ。みんながいるほうが」

「一人になりたい」

「え？」

「一人になりたいの」

「どうして」

「それが許されないのなら、せめて、いてくれなくちゃ困る人や、あたしと一緒にいなくちゃならないと思ってる人じゃなくて、この人と一緒にいたいと思う人といたいの」

「みんな君のことを大事に思っているんだよ」

「贅沢《ぜいたく》なのかしら。一人きりになりたいと思うなんて。でも、あたしは一人だけの国に行きたい。せめて、二人だけの国に」

のママみたいに」

「天使がいっぱい通ったのね。きっとみんな、あたしたちの話を聞いてるんだわ――うち

「あっまた」

二

人間は罪深いの。生まれながらに犯している罪も沢山ある。この世に生まれ落ちたことがその証拠なの。人間は罪を悔い改めながら生きていくの。ごらんなさい、この世がどんなに苦悩に満ち、血と暴力に満ちていることか。こんな世界に生まれ落ちることが罪でなくていったい何だというの？　これが人間が罪深いことの何よりの証拠よ。歓《よろこ》びはほんのつかのま。苦しみの海につかのま射《さ》し込む弱い光に過ぎないの。

悔い改めなさい。孤独に生まれ落ちた瞬間から、罪は罪。自分の背負う罪を自覚することが大切なのよ。祈りなさい。必ず誰かが見ている。罪を犯したところを、誰かがきっと。

罪深き堕落を、邪《よこしま》な意志を。

そんなあなたを、誰かが必ず見ている。

三

「ユートピアって知ってる？」

「うん」

「中国の桃源郷みたいに、夢の国なんですって。誰もが憧《あこが》れる、理想郷って意味なんですって」

「ああ。トマス・モアの小説だね」

「トマス・モア？　それは誰？」

「十六世紀頃の、イギリスの思想家だよ。政治家でもあった。ヘンリー八世の離婚問題に反対して、反逆罪で死刑になったんだ。ルネサンスの影響を受けていて、彼は宗教や王権などのしがらみのない上での平等な社会をユートピアと名づけて、それを理想としたんだ」

「へえ」

「当時は、空想的な、いわばSF小説のような感じで受け取られていたみたいだ」

「なんだか、思っていたのと違うわ。もっと綺麗な、天国みたいなところのことかと思ってた」

「そうだね。西洋は、宗教的な問題が占める割合が大きいから」

「行きたいと思ってたけど、やめたわ。別の国にする」

「別の国？」

「名前を考えていたのよ。あたしたちの国。あたしたちだけの。あっ、誰か来たわ」

「子供たちだよ」

「ピーちゃん、ピーちゃん」

「ピーちゃん、この人、誰?」

「誰?」

「この人は、あたしの友人よ」

「ゆうじん?」

「ゆうじんっていうの?」

「ゆうじん?」

「そう」

「ゆうじん、ゆうじん。ゆうじん、遊ぼう」

「遊ぼうよ、ゆうじん」

「分かったよ。じゃあ、向こうに行こうか。教会の庭で遊ぼう」

四

淋《さび》しいおじいさんがいました。

おじいさんは、ずっと一人で暮らしています。身体が弱いので、いつもうつらうつらと子供の頃の夢を見ています。

不思議よね、何十年も長い間一人で暮らしていると、だんだん子供の頃のことが昨日のことのように思い出せるようになるんですって。たとえば、そうね、去年みんながママに貰《もら》ったビスケットのことを覚えている？　ねえ、とてもいい香りがしたわね。紅茶の葉っぱを混ぜた、熊の形をしたビスケットのこと。ほら、そう言ったら思い出したでしょう？あの素敵な香り。クリスマスのわくわくした気分。まるで昨日のことみたいに。

こんなふうに、おじいさんは子供の頃のこと——川で麦藁《むぎわら》帽子をかぶって魚採りをしたことや、浜辺で花火を打ち上げて遊んだりしたことを、とても鮮やかに思い出すことができるの。そういう素敵な思い出のほうが、病気で苦しんだ長い時間のことよりも、大事だし綺麗だものね。

おじいさんは、花火が大好きだったの。夏休みになると、親戚《しんせき》のおじさんや、近所の友達と一緒によく花火で遊んだの。観に行くのも好きで、花火大会があると、ちょっとくらい遠くても真っ先に出かけていって、夜空を彩る大きな花をじっと見上げていて、ちっとも飽きないの。どーん、どーんとお腹に響く音を聞きながら、夜空に散る花火を、その花火の明るさで自分の頬に感じる光を確かめるのが好きなのね。ほら、みんなも見たことがあるでしょう。花火を見ている友達の顔が、白黒みたいに見えるところを。

ねえ、おじいさんは淋しいのよ。みんなみたいに、いつでも一緒に遊んでくれる友達が一人もいないの。子供の頃の花火を、毎日うつらうつらしながら思い出しているだけなの。ねえ、かわいそうでしょう。みんなはいつも遊んでくれる友達がそばにいるけれど、あのおじいさんにはいないんだから。

ねえ、内緒だけど、おじいさんのところに遊びに行ってあげない？　おじいさんの好きな花火を持っていって、一緒に楽しく遊んであげるのよ。ねえ、いい考えでしょう？　他のみんなには内緒よ。こっそり行って、おじいさんを驚かせるの。どんなにびっくりするかしら。どんなに喜ぶかしら。きっと、とっても喜んでくれるわ。

第十章　午後の古書店街にて

八月二日（土）

雨。急に蒸し暑くなってこたえる。慌てて帽子を買う。

いきなり2、3、5を訪問。K君もすぐに慣れてくれてスムーズ。有難い。どれも平均一時間半かかったものの、ほとんど思い出話。見るべき内容はなし。けれど、みんな、当時のことをよく覚えている。どの目も懐かしそうなのが面白い。

宿も冷房なく暑い。テープが伸びそう。汗だくで起こす。

夕方、一人でMに行ってみるが休み。張り紙があった。急な休みらしい。

八月三日（日）
はっきりしない天気。やはり蒸し暑く、眠れない。
1、7、8を訪問。1はもう亡くなっていたし、7も入院中。病院を訪ねてもよいと許可を得る。連絡しておいてもらうことにする。8も、二十分もせずに完了。だが、テープ起こしが大変なので、今日はそちらに専念することにする。
夕方、雷雨。それが上がって少し涼しくなった。

八月四日（月）

いきなり快晴。夏本番の暑さ。歩くとこたえる。ついコーラばかり飲む。反省する。

K市民総合病院で7の話を聞く。懐かしい。私のことを覚えていてくれた。21を紹介してくれたので助かる。連絡してくれるというのでお言葉に甘える。

Mに寄ってみるが、まだ休み。近くの人に聞くと、親戚《しんせき》に不幸があったとのこと。

SとTを覗《のぞ》いてみる。Gのバックナンバーをまとめて何冊か発見。

夜はテープ起こし。全然進まない。話している時間はたったの五分でも、書き取るとなるとべらぼうな時間がかかるものだ。速記でも習っておくんだった。

八月五日（火）
快晴。容赦ない暑さ。K君もバテているようなので、今日は観光。庭を見て、冷やし中華を食べる。
K君を宿に帰し、K君、青の部屋にいたく感心。私は4を訪問。やや険悪。動機を疑っているよう。途中、互いに黙り込む場面があり、少し疲れた。
Y、A、Hを覗く。狭くて探しにくい。Gのようなバックナンバーは置いていない雰囲気。宿に戻り、二人で少し飲む。K君、一人喋《しゃべ》りまくる。疲れているのだ。申し訳ないと思う。バイト代に少し上乗せしよう。

八月六日（水）
晴れ時々曇り。9と12はずっと留守。10、11、15、16は取材拒否。11は早めの夏休みで留守にするというが口実か。K君、二日酔いか、元気ない。宿で休んでいてもらい（なるべくテープ起こしに専念してもらう）、13、14を訪問。期待していなかったが、意外に収穫あり。外から見ただけではどう繋《つな》がっているか分からないものだ。
Mに寄ったら開いていた。疲れたので、ちらっと中を見回して棚の場所を確認するだけにする。

八月七日（木）
快晴。K君は夏風邪を引いたらしく不調。炎天下に出なければ平気だというので、ずっとテープ起こし。しかし、部屋の中も地獄。ついジュースを買ってきてがぶ飲み。ジュース代だけで随分使っている。テープもあっというまになくなってしまい、束のを買ってくるが高い。9は亡くなっていた。12は相変わらず留守。17、18は電話のみの取材。

八月八日（金）
曇り時々晴れ。K君回復。テープに専念してくれる。
21を訪問する。午前中いっぱいかかる。有意義。
勢いづいて20を訪問。要領を得ない。無駄足。

Mに寄る。主人の話を聞く。

八月九日（土）
K君、帰京。テープの一部を持っていって、自宅でも起こしてくれるとのこと。多謝。
午前中、19を訪問。
Mに寄り、主人の話を聞く。Gのバックナンバー、早速何冊か用意しておいてくれる。
夜は久々、一人でぼんやりする。
21から、思い出したことがあると電話がある。
明日もう一度訪問することにする。

八月十日（日）

21を再訪問。やや衝撃。予想していたことでもあり、意外でもある。

いったん帰り、情報を整理。次はいつ来られるか。人の戻るお盆明けか。

Mに寄り、主人と話。二人で本を探す。数冊購入。

夜、一人でテープ起こし。残りは宿題。手伝ってくれる人が欲しいが、これ以上人数を増やすわけにはいかない。自分でやるしかなさそう。

二

そうそう、この筆跡だ。

思い出した。こんな字だった。

かっちりとして無愛想な、感情を見せない均一のタッチ。

すっかり忘れてましたよ、こんな本を作ってたこと。もう現場を離れてから何年も経つもんで、余計にね。

本当はいつまでも本を作っていたかったんですけど、どんどん下から突き上げられて、つまんない管理職になっちゃった。

もちろん、本のタイトルを聞けば、いっぺんに思い出しますよ。自分が作った本はみんな覚えてます。やっぱり、どれも可愛いもんですよ。売れたか売れなかったかは抜きにしても。

驚きましたよ、お電話いただいた時は。こんなに何年も経ってから、この題名を聞くとは思わなかった。だけど、不思議なもんですね。名前を聞いたとたん、わっと当時のことが身体の中に蘇《よみがえ》ってきましたよ。

売れましたよ、当時は。

話題にもなったしね。この事件のニュースを見た覚えはあったけど、こんなに大変な事件だとは知らなかったと、反響が大きかったです。

でも、非難の電話もいっぱい掛かってきたな。

まず、タイトルに対しての不満が多かったです。あんなに悲惨な大事件なのに、「祝祭」とは何事か、というお叱りが大部分でしたね。だけど、僕はいいタイトルだと思ったし、内容にも合っていると思った。「祝」という字は使っていたけれど、あれは神に祈るという意味もあるし、作者にとってあの事件が、ただならぬ厳粛なものだったということが伝わってくると思ったんです。だから、あのままで押し通しました。

文庫にはなっていません。本人が許可しなかったというのもあるし、こういう時事ネタが入っているようなものは文庫にしにくかったというのもあります。

作者の女性ですか？

不思議な人でしたね。当時、まだ大学生だったというのに、ひどく落ち着いていた。本になると言うと、大抵の人は多かれ少なかれ舞い上がるものですが、彼女は驚いてはいたけれども、浮かれるという感じじゃなかったですね。

むしろ、面倒なことになった、という感じでした。最初は断られたんです。だけど、説得の末折れました。仕方ない、自分がこんなことをするのは最初で最後だという雰囲気がありました。「こんなこと」というのは、彼女が他人に関わって、調べものをして、ものを書くというようなことです。

予定外だった、というようなことを彼女は何度か口にしました。

これは資料として使うつもりだったので、人の目に触れさせるつもりはなかったと。あれは、謙遜《けんそん》ではなく、彼女の本音だったと思います。

なんとなく分かるんですよ。この先も書いていって、この道に進む人なのか、これっきりの人なのかというのは、話をしたりしているうちにね。彼女はこれっきりという感じでした。本人も強くそれを望んでいましたから。

実は、これが本になってから、彼女とほとんど会っていないんですよ。見本を渡してからは数えるほどしか会っていません。発売されて取材の申し込みが殺到しましたが、彼女が取材を受ける気はない、全部断ってくれ、と言ってきたんです。宣伝部は困っていました。作者についての情報は、こちらが作成した僅《わず》かなものしかありませんでした。事件の関係者なので、あまり表に出たくないという苦しまぎれの言い訳をして。

世間では、我々が囲い込んで作者を隠していると思っていたようです。大いなる誤解だったんですけどね。

彼女は、売れ行きや評判には興味がないみたいでした。本が出てしまった後はもう自分の手は離れた、そんな感じでしたね。

三

最初に読んだ時は興奮しましたよ。

とても二十歳ちょっとの女の子の書いたものだとは思えなかった。緻密《ちみつ》だし、冷静だし、文章も落ち着いているし。大学生だと先に聞いていなかったら、何歳の人間が書いたのか分からなかったと思います。

それに、何といいますか、その——こんな言葉が正しいかどうか分かりませんが、ある種の不吉さ、異様さを感じたんです。

うーん、うまく説明できないなあ。作者のものだけでない、本の中だけに生まれる冷徹な視線、奇妙な磁場みたいなもの。それがあったんです。

ご存じでしょう、世の中にはフロックというものがあります。

まぐれというか、ビギナーズラックというか、そういうものが確かに存在する。

誰かが何かを作った時、作者の意図にかかわらず、たまたまそこに何かが宿ってしまう時がある。この本がフロックなのかどうかは、彼女が次の作品を書かなかったので不明ですが、とにかくこの中にはそれがあったんですよ。実際の事件も、帝銀事件に並び称される興味深いものだったし、幕切れも謎めいていましたし。話題になるんじゃないかという胸算用はありましたね。

ここに事件の真相が書かれているのかいないのかは僕には分からないし、恐らくこの作品にとってそれは問題じゃないと思います。あえて言えばカポーティの『冷血』に近い感じかな。ノンフィクションにもフィクションにも収まらない、レッテルを貼りにくい、一概に文芸作品とは言いにくい、不安な感じがありますね。そこがこの作品の魅力だとも言えるんですが。

これまでに僕が出した本の中でも、かなり異質、異色の作品ですね。どの本にも似ていない。これだけ、色が違う。存在する世界が違う、みたいな感じがします。

四

ええ、この段ボールを引き取るのが最初に出した彼女の条件でしてね。

はい、彼女が原稿を書くのに使った資料一式です。

今、彼女の手元には何も残っていないはずです。これがその全部ですから。

テープもいっぱいありますよ。今じゃ、伸びちゃって聞けるかどうか分かりませんが。たぶん駄目じゃないかな。僕の私物として会社の棚に置きっぱなしにしてたんで、僕の保存が悪いと言われればそれまでなんですけど。彼女は、捨てるなり焼くなり、好きにして構わない、とにかく自分では持っていたくないから、と実にあっさりしたもんでした。校了したら、箱ごとどーんと送ってきて、何の未練もない。

いいえ、ざっとは見ましたが、きちんと全部見たわけじゃないです。僕としては、彼女自身が自分で調べて書いたものだということが分かればよかったんで、全部引っくり返して中身を見る必要性は感じなかった。

だけど、処分しろと言われたとしても処分できなかった。

そのノートは、取材日記ですね。

実に淡々としたもんです。本人もその通りの人で、淡々としてましたね。

中に書かれている数字は取材対象の人間に付けたもので、巻末にリストが別に作ってあります。最終的には四十人近くいましたね。行方が分からなかった人もいたし、会ってくれなかった人もいるし、リストの全部の人間に接触できたわけではないですが。

K君というのは、聞き取り調査に協力してくれた大学の後輩の学生だそうです。夏の北陸の暑さに参ってたみたいですね。

え？　このアルファベットは何か、ですって？

古本屋です。

五

彼女は、市内の古本屋を、店の名前の最初のイニシャルで呼んでいたらしいんですね。

ええ、『忘れられた祝祭』の中には、彼女が古本屋に入るところは全く出てきません。ルポとフィクション、過去と現在が渾然《こんぜん》一体となった作品ですけれども、彼女が取材するところは出てきても、古本屋に入るところは割愛されています。

さあね。特に何か深い理由があるとは思いませんでしたが。単に作品の効果上、シンプルにしただけなんじゃないかな。実際、今の形のほうがいいと思いますし。

ああ、日記に出てくる「G」というのはそれですよ。その薄い雑誌。

バックナンバーがまとめて入ってるでしょ。

同人誌というか、ミニコミ誌みたいなものですよね。まあ、いわゆるゴシップ誌です。地域限定の、地元の人間しか知らないようなゴシップや告発記事を載せた、とてもローカルな雑誌なんですよね。彼女は、事件当時に発行されたその雑誌を探していたようです。当時、流布されていた噂や、捜査状況をリークする記事や、医療関係者の間で被害者についての噂はないか、そんなところを調べていたらしいです。そういう、地域の狭い範囲で囁《ささや》かれている話題というのは、外側から見ると非常に見えにくい部分ですからね。被害者が町の有力者であったのならば、余計そうです。彼女は、被害者となった一家の過去や評判を知りたかったみたいです。もっとも、彼女が疑っていたような不穏なものを示すものは、ついに見つからなかったようですが。

しょぼいけど、気になる雑誌ですよね。

結構他愛のない内容でしょ。

ほとんど子供の悪口みたいなのもあるし、手作りな感じが溢《あふ》れている。

広告も風俗関係が多いしね。だけど、こういう雑誌って、商業雑誌を作りなれていると、やけに生々しくて、どきっとするんだなあ。

マスコミというものの原点を見るような気がして。

近所の掲示板が立派になっただけのことでしょ、マスコミって。こういうのパラパラめくってると、最初はこんなもんだったんだな、こんな感じで話が伝わって、市民運動とか新聞社とかできてくんだなって感慨深くなっちゃう。

その雑誌は興味あったから、結構隅々まで読んじゃいましたよ。だけど、被害者の医院に関する記事は見当たらなかったな。全部のバックナンバーがあるわけじゃないから、ないとは言い切れませんが。

うん、こうしてみると、彼女はかなり精力的に古本屋を回っていますね。

K市は古い城下町だし、旧制高校もあったし、幾つも大学があって学生街でもあるから、古本屋は多いでしょう。確か古本屋は数箇所に固まっていたから、回りやすかったんじゃないでしょうか。古い街には古本屋が似合いますね。

ええ、今我々がいるところも、世界一の古書街ですが、本当にここ数年で随分街の様子も変わりましたね。

今、また若い人の間で古本屋が流行《はや》っているというのが不思議ですね。

世の中の人間は、古本屋に入る人間と入らない人間に分かれますから。

え？

そのノートがどうしたんですか？

取材対象のうち、６番だけ出てこないって？

へえ、大したもんですね。

よく気が付きましたね。いえ、別にあなたを試したわけじゃありませんよ。

実は僕も最初にそのノートを読んだ時に気になったんですよ。無意識のうちに、頭の中で、出てきた番号を消去してるんですね。そうなんです、6番だけ、いつまでも出てこない。同業者ですか？　違う？

僕も彼女に聞いたんですよ。6番は誰かって。後ろのリストにも載ってないし。そしたら、事件の生き残りの女性だと言うんですね。

外国に行ってしまって、とうとう、一番聞きたかったことが聞けなかったって。それだけが心残りだったって。

六

一作限りの作家といえば、やっぱり思い出すのはマーガレット・ミッチェルですね。トランク一杯の原稿を編集者に送り、その編集者に更に何度も電報を送ったマーガレット・ミッチェル。彼女のしつこさに負けて、嫌々汽車の中で読み始めた小説が『風と共に去りぬ』だったという編集者、あの小説を一番最初に読んだ編集者というのが羨《うらや》ましい。考えられますか、あれを世界で最初に読むという僥倖《ぎょうこう》を。逆に、小心者の僕なんか、想像すると恐ろしくなりますね。もしかして、何かの間違いで原稿をなくしてしまったり、世に出す機会を失ってしまっていたりしたら。もしくは、くだらないその他大勢の原稿の一つだと思って、誰か別の編集者にあれを渡してしまっていたら。

どちらも考えるだにゾッとします。

そして、『風と共に去りぬ』に全てを注ぎ込んでしまったから、もう一冊も小説を書かないと言って、その通り実行したミッチェルも素晴らしい。確かに、あれには彼女の全てが注ぎ込まれたワン・アンド・オンリーな作品でした。

いえいえ、別にこれが『風と共に去りぬ』に匹敵する作品だなんて言うつもりは毛頭ありませんよ。今は編集者という仕事の話をしているつもりです。

『風と共に去りぬ』みたいなことが起こるから、編集者は面白いし恐ろしい。

普段は、もしかしたら、もしかしたらと、机の上の封筒の山の中に埋もれている傑作を探しているのに、ほとんどは報われません。なのに、思ってもいない時に、思いも掛けぬ方向から、ぽんと凄《すご》いものが飛び込んでくることがあるんですね。そういう時は、まるで最初から予定されていたかのように、あっというまに世に出ていく。

彼女が、こういう仕事はこれだけにしたいと思っていることは最初から感じていましたが、じゃあ、どんな仕事に就きたいんですか、と聞いたことがありました。

すると、彼女は「さあ」と言うんです。

元々、あまり笑わない人でした。真顔でこちらを見てね。

分からないけど、これじゃないことは確かだ、と。

何かしたいことがあるのか、と聞くと、彼女は暫《しばら》く考えて、知りたいことがある、とだけ答えました。そして、何か思いついたように言いました。

自分は、最初この本を出すことを正直いってよくは思っていなかった。だけど、今は感謝している。自分が知りたいことのために、この本を出すことが役に立つと思う。そんなようなことを言いました。

それが何なのか聞きだそうとしましたが、彼女は個人的なことだと繰り返すばかりで、結局教えてくれませんでした。

七

そういえば、本が出て一年近く経ってから、奇妙な電話が掛かってきたことがありましたね。

おかしな電話は珍しくありません。あれは自分が書いたから、この銀行口座に印税を送ってください、とか、けしからん盗作だ、とか、あれは私のことが書かれている、どうしてこんなに詳しく知っているのか、とか。驚きますよ。

いいえ、その電話はそういう意味での奇妙さではなかったな。だからかえって印象に残ってるんだと思います。

掛けてきたのは、落ち着いた、上品な中年のご婦人でした。

私は御社の本を読んだのだが、これはひょっとして雑賀満喜子さんの著作ではないか。私は彼女の古い知り合いだが、是非ご本人と連絡を取りたい、そんなふうな電話でした。

特におかしな素振りはありませんでした。

この本はペンネームで書かれていますし、写真も出していませんから、作者の知り合いであるというのは本当であると思われました。

けれど、作者のほうから、もし私と連絡を取りたいという人、特に当時の知り合いからだったら、こちらから連絡を取るので連絡先だけ聞いておいてほしいという申し出がありましたので、僕は作者の連絡先は教えず、そちらの連絡先を作者にお伝えしますとだけ返事をしました。

すると、電話の相手が一瞬黙り込んだんです。

その時、相手の背後から何か音がするのに気付きました。

話している最中も、何か後ろで音がするな、外にいるんだなとは思いましたが、何の音かは分からなかったんです。

相手が沈黙していた短い時間に、不意にその音が何か分かりました。

潮騒《しおさい》です。

彼女はどこか、海辺でこの電話を掛けている。しかもかなり海に近いところだ、ということが分かりました。僕は、なぜかその時、北陸の海を想像していました。

彼女は再び話し始めました。

雑賀さんは、当時の知り合いに話をいろいろ聞かれたんでしょうね、きっとK市にも何度も足を運んで、取材されたんでしょうね。これだけ調べるのはさぞかし大変だったでしょうねえ。立派ですね、こんなに昔のことをきちんと書いてくれるなんて。

急に、彼女は声の調子を変えました。猫なで声を出して、何かを聞きだそうとする気配が感じられたんです。とたんに、僕は警戒心が湧いてきました。この人は、いったい何が知りたいのだろう？

ええ、とても誠実に取材をされたようです、とだけ、用心しながら僕は答えました。で、あなたのお名前とご連絡先は？　と事務的な口調で尋ねると、また相手はちょっと黙り込み、そして突然電話が切れてしまったんです。

なぜかひやっとしました。

電話を切る直前の沈黙で分かったんです。

話していた女性のすぐそばに、誰かもう一人別の女がいたんです。それは、電話で話していた女性よりもずっと若かったように思えます。その女性がちらっと何か鋭い声で話しているのが、ほんの一瞬聞こえたんです。

その女がこの女性に電話を掛けさせたんだ。そう直感しました。

本当に作者の知り合いなのはその若い女性で、電話を掛けたほうの女は知り合いではない、と思いました。

なんだか気味が悪くなりました。

なぜ知り合いならば、直接その女が電話してこないのだろう。なぜ名乗らないのだろう。

受話器を置いてからも暫く考えていました。

そして、彼女はいったい何を知りたかったのだろう、と。

八

あなたも何か書いてらっしゃるんですか?

ひょっとして、あの事件をまた検証するとか?

ノンフィクションのノンフィクションか。ふうん、ちょっと面白そうですね。今また、昭和史の検証ってちょっと流行《はや》りかけてるんですよ。戦争を経験した最後の世代が高齢になって、危機感を覚えているのかもしれません。僕としては、国際経験のあるうんと若い人が、斬新《ざんしん》で客観的な論証をしてくれないかなと思ってるんですが。

いいえ、答えなくても結構ですよ。

そういうのは、完成するまで人に見せたり、話したりしちゃいけません。野心は胸に秘めてなくちゃ。口に出すと魔法が解けてしまう。誰にも言わずに、自分の中でゆっくり育てないと。

ほら、見てごらんなさい。午後になって、だんだん街に人が出てきた。

学生がいる、時間潰《つぶ》しのビジネスマンがいる、学術関係者がいる、外国人もいる。

ああして、みんなが思い思いに彼らなりの精神活動、知的活動をしているんだ。中には編集者や、ライターや、研究者もいるでしょう。今も誰かが、胸に野心を秘めて、数年先を見据えて、コツコツと仕事をしている。調べている。考えている。書いている。きっと、途中で挫折《ざせつ》する人もいるでしょう。誰にも読まれないまま、反故《ほご》になってしまう原稿もあるでしょう。中にはそれが実を結んで、素晴らしい業績を残す人もいるでしょう。まだ頭の中だけにしか構想のない人だって、いっぱいそこを歩いている。自分がこの先何を書きたいのか自分でも分かっていない人も。

こうしてここから、古本屋の並ぶ通りを見下ろしていると、ホッとするんですよ。この世界がぎっしりと本の詰まった図書館みたいで、その本を読もうとみんなが地道に努力しているんだと考えられるからでしょうね。どんなに情報が溢《あふ》れていたって、入手しやすくなったって、しょせんは一人で根気よく一行一行、一ページずつ読んでいくしかないんですからね。

一人の老人が死ぬことは、一つの図書館がなくなることだという言葉があります。その言葉は、まさにこの街の一つ一つの書店に当てはまると思いますねえ。

僕は学生時代からここに入り浸っていますが、最初の頃は店に入るのにも緊張したものです。店主にこちらの知性を値踏みされてるような気がしてね。本棚からどの本を取り出すかも、必死に考えたりして。

ようやく通い慣れてくると、今度は店主の知識に圧倒された。

資料を探していて、ある翻訳小説を探していたんですが、そのタイトルを言うと、店主はこともなげに、それは戦前戦後を通じて三回異なる出版社から翻訳が出ている、どれも絶版だが昭和十九年の版はそこの棚にある、一番新しいのは暫《しばら》く置いていたが最近売れてしまった、と答えたんですね。あっけに取られました。

それと同じようなことは、その先何度も、いろいろな店のどこでもありました。僕も随分勉強させてもらいましたし、就職してからもずっとお世話になっています。その度に、蓄積された知識、毎日の商売の中で培った知識に畏敬《いけい》の念を覚えたものです。

ですから、ここはずっと残ってほしいですね。間違っても、地震や火災で貴重な知識が失われることのないように。本当に、心の底から願ってますよ。

え？　ちょっと感傷的でしたかね。

ひょっとして、ご存じじゃなかったですか？　その取材ノートによく出てくるM書店ですが、今はもうないんです。

焼けたんですよ。

九

僕も知らなかったんです。

先週、ちょうどK市に出張がありましてね。その前にあなたから連絡があったので、僕も懐かしくなって、その本を鞄《かばん》に忍ばせて、電車の中でパラパラめくって、あちこちつまんで読みました。その取材ノートのことも感慨深く思い出していました。

それで、時間があったので、古本屋の固まっているところを歩きましてね。M書店は、是非覗《のぞ》いてみたいと思っていました。でも、どう歩き回ってみてもM書店が見つからないんです。おかしいなあと思って、近所の人に聞いてみたら、ずっと前に、火事に遭ったというんですね。裏に一人住まいのお年寄りの家があって、そこから火が出て、類焼したと。そのお年寄りは、焼け死んだそうですが。

書店を経営していたご夫婦は、住まいは別にあったんで怪我はなかったし、希覯本《きこうぼん》の類は自宅の金庫に入れていたそうなんですが、なにしろ店の中にあるのは燃えやすい紙ですから、短時間で店のほとんどの書物が焼けてしまったんです。保険に入っていたとはいえ、同じ本が手に入るわけではないですからね。ご夫婦も、もう一度店を開くのは断念されたそうです。

旅行したり、出張したりした時に、各地の古本屋を回るのは楽しいものです。特に、M書店は、自分の作った本に関係する店ですし、なんだか非常に悔しい残念な思いをしましてね。

火事が起きた年ですか？

そう、その本が出て一年くらい——ええ、そう言われてみれば、ちょうどあの奇妙な電話が掛かってきた頃と前後してということになりますね。いえ、どっちが先だったかは、ちょっと今は分かりませんが。

雑賀さんとはその後一度も会ったことがありませんが、年賀状だけはやりとりしていました。ほとんど添え書きもありませんでしたが、製薬会社に就職しました、というのと、結婚しました、という葉書は来ました。もうすっかり自分の人生を進んでいらっしゃるという印象でしたので、特に僕のほうからも何のアプローチもしませんでした。

だけど、一度だけひょいと葉書が来たことがあります。

出版してから六年くらい経っていたでしょうか。

文面は簡単でした。

用があって久しぶりにK市に来ている。今年も百日紅《さるすべり》の花が満開だった。そんな感じの、そっけない文面だったと思います。

ええ、その葉書はその段ボールには入っていないはずです。ご覧になりたいのなら今度お持ちしますが。でも、本当にそれだけですよ。

詩？

ああ、あの現場に残されていたという詩のことですね？

彼女の本の中には詩そのものは掲載されていませんでしたが、彼女はその文面を知っていたようです。口外しないという約束で、僕にもその文面を見せてくれました。

やはりあなたもご存じで？

詩の中にカタカナの名前が出てくるということだけ、当時の新聞では発表されていましたが、結局意味は未《いま》だに分かっていないし、犯人が書いたとされているものの、それが本当なのかどうかも分かっていない。

おかしな詩ですよね。詩なのか、手紙なのか。

警察は何かの引用なのかどうかも徹底的に調べたらしいが、手紙を書いた人間の創作だろうと断定されました。あの名前も、意味があるのか、誰かの愛称なのか、関係者をしつこく調べたそうですが、結局どこからもあの名前は出てこなかった。そんなによく聞く名前じゃありませんしね。

文面通りに受け取るとすると、ユージニアというのはあの一家で、差出人は元々彼らを知っていて、復讐《ふくしゅう》に来たとも読める。だけど、犯人と被害者一家との接点はとうとう見つからなかったんですよねえ。

筆跡は、わざとなのか理由があるのかひどくたどたどしくて、性別や年齢を特定するのは難しかったようです。

この手紙は、一輪挿しでテーブルの上に押さえてあったということですから、やはり人に読ませるために置いてあったとしか思えない。

雑賀さんと、手紙の文面を見ながら、これはいったいどういう手紙なのか、誰が何のために書いたのか、という話をしたことがあります。

あなたはどう思いますか、と雑賀さんが聞きました。

一応、職業柄、生原稿や他人の字は見慣れているつもりですが、あの時はちょっと迷いましたね。けれど、僕は自分の印象を正直に言いました。

これは、女性が書いた手紙のような気がする。文章の雰囲気や、使う言葉が、男性のものではないように思える。そんなことを言ったと思います。正直、僕の第一印象はそうだったのでね。

これ、恋文とも取れませんか。

彼女はぼそっとそんなことを言いました。

ああ、確かにそうも読めますね、と僕は答えました。

ただ、ちょっと脅迫的な恋文なのが気になる。これを貰《もら》うほうは、さぞかし怖いだろう。今だったら、ちょっとストーカーっぽい、些《いささ》か偏執狂的な傾向のある女性なんじゃないかと言うでしょうね。あの頃は、まだストーカーという言葉はありませんでしたから。

これは誰に宛てた手紙なんでしょう、と僕は聞きました。

やっぱり、あの一家みんなになんじゃないでしょうか。

彼女は割にあっさりとそう答えました。

とすると、この手紙を書いた人間は、やはりあの一家に対する恨みがあったってことなんでしょうかね。

僕がそう聞くと、彼女は首を振りました。

さあ。それはどうか分かりません。恨みがあったのかどうかは分かりませんが、この手紙はあの家族に宛てて書かれたものだと思います。

彼女が淡々と答えるので、僕はなんとなく口を挟むことができませんでした。

ひょっとして、この人は、犯人の心当たりがあるのだろうか、とその時思いました。

彼女は少し考えこんでいましたが、何か思いついたように口を開きました。

この手紙を書いた人は、闇の中にいますね。

闇の中？

僕は聞き返しました。

ええ。この人は、暗いところにいる感じがするんです。

彼女は重ねて言いました。

暗いところ？　それは、環境が、ですか。それとも、精神的にですか。

そう聞くと、彼女はまた少し首をひねりました。

分かりません。なんとなく、両方かな、という気がします。

そう言って、彼女は文面を指差しました。

この後半の部分なんですけど。私の唇に浮かぶ歌、私の靴が踏み潰《つぶ》す虫たち、血を送り出す私の小さな心臓、と続いてますよね。これって、音を聞いてるんじゃないかと思うんです。

音を？

僕もつられて詩を読み返しました。

彼女は続けます。

これ、書き手が見ているものじゃなくて、聞いてるものを並べてるんだと思いませんか。書き手は歌を聞き、足が虫を踏み潰す音を聞き、自分の心臓の音を聞いている。見てるんじゃない。聞いている。だから、この詩に闇を感じるんだと思うんです。

なるほどね、と僕は頷《うなず》きました。

でも、前半の遠い夜明けという言葉には、視覚的なものを感じるけれど。

僕がそう言うと、彼女はやはり首を振りました。

その後に震えるという言葉があります。この書き手は、時間の変化を、夜明けが近いことを、気温の変化で捉《とら》えているんです。だから、やはり闇の中で、肌で時間の変化を感じているんだと思います。

そこまで言われれば、僕だって彼女が誰を疑っているのか分かります。

生き残った女性、光を失った女性。

僕は慎重に尋ねました。

あなたは、あの女性がこの手紙を書いたと思っているんですか？

彼女は一瞬黙り込みました。

それは分かりません。

彼女は無表情に呟《つぶや》きました。そして、それは、自分の本心を言いたくなくてあえて否定したのではなく、本当に分かっていないように見えました。

彼女には、そういうところがありました。話は整然としていて率直なんですが、何を考えているのか分からない。何か灰色の大きなもやのようなものがいつも彼女の向こうにかかっていて、対面している人間が深入りしようとするのを拒んでいる。そんな雰囲気がありました。だから、一緒に話をしていると不安になるんですね。

けれど、あの詩に対する解釈には感心しました。この人は、複雑なものの調査に向いているな、と思いました。つまり、あの本は、彼女の資質が最高に発揮された一冊だったわけです。

十一

事実、っていうのは何なんでしょうね。

ある日ある場所で、何かが起きたということを証明するにはどうすればいいんでしょう。

山の中の一軒家で、殺人事件が起きた。

四人の人間がいて、複雑な人間関係があって、互いに殺し合った。

当事者が全員息絶えてしまって、数ヶ月が経過する。元々、その家は世間と没交渉だった。その家に四人の人間がいたことも、その家がそこにあったことも誰も知らない。やがて嵐が来て、家ごと崖《がけ》崩れで押し潰されてしまい、やがてそこも荒れ野原になってしまう。そして、家も死体も誰にも発見されなかった。

これでも、何かが起きたということになるんでしょうか？　もちろん、本人たちにとっては悲劇だ。だけど、僕たちにとっては？　世界にとっては？　乱暴だが、誰にも知られなければ、何も起きなかったのと同じことだ。ある意味で、記録されることで、初めて何かが起きたと認められる。

彼女は資料として書いた、と言っていました。

事件当時、彼女はまだ小学生だった。恐らく、彼女は書くことであの事件の存在を認めたんでしょうね。自分が関わっていたことを、ようやく認めた。あの本は、彼女自身のために書かれたことは間違いありません。書くことで、彼女はあの事件を「発見」したんですよ。

そして、その過程で、彼女は犯人も発見したんでしょう。彼女が犯人だと思う人物を。

彼女が時効について調べていたのを覚えています。

特に、彼女が興味を持っていたのは、時効の中断でした。例えば、被疑者が海外に出ていた場合、その居住期間の分だけ時効が引き延ばされるケースがある、というような話を調べていました。

それが何を指すか、あなたにもお分かりでしょう。

彼女はその人物を疑っていました。

手紙のこともありますが、どうやら彼女は、随分前からその人物を疑っていた節があります。僕の勘ですがね。

そして、僕は今も彼女がその人物を追っているような気がするのです。ただ、不思議なことに、彼女が犯人を捕まえようとしているとか、告発したいと思っているというのとは少し違うような気がする。その人物を追うことが、彼女のライフワークであるとでも言いますか。きっと、あの本と同じく、彼女はあくまでも自分のためにそれをしているんじゃないでしょうか。

もし彼女が真相を捉えたとしても、今度は本を書いてくれないでしょう。彼女は自分が納得したら、それで満足してしまうからです。それが今から残念ですね。我ながらおかしな習性だと思いますが。そしてまた、一つの事実が埋もれていく。記録されなければ、何もなかったことになってしまう。

ですから、もしあなたが彼女のこと、あの事件のことを書くのならば、是非僕にご一報ください。コピーを取ったフロッピーを忘れずに。そして、念のために、何度も僕に電話をすること。

ね。これは約束ですよ。

第十一章　夢の通い路（二）

ちょうど下の息子の孫たちが来てたもんで、さっきはうるさくて失礼しました。

うちの家系は男ばっかりでねえ。上の息子のところも、男の子二人なんです。

もちろん可愛いんですが、なにしろやんちゃな盛りでね。取り調べだったら、今でも何時間だって耐えられると思うんですが、孫と遊んでると三十分で降参ですよ。来る度にどんどん重くなるし。

自分が孫を抱いているところなんて一度も想像したことがなかったのにねえ。

ふと気が付くと目の前に子供がいて、「おじいちゃん」と呼ばれてることに愕然《がくぜん》としますよ。いつのまに、って。

いえ、私もこちらのほうが気が楽です。歩きながらのほうが話し易い。

テーブル挟んでると、かつての仕事を思い出して、かえって落ち着かなくなっちまう。

いえ、特に働いてはいません。子供に、週に何度か剣道を教えてるくらい。どこにでもいる隠居老人ですよ。

うん、夕方のいい風が吹いてる。どうです、私の行く店でよかったらご案内しますよ。

もちろん割り勘でね。うまい、安い、静か。それが私の好きな店なんですが、なかなかありませんね。現役時代に行ってた店は、ほとんどなくなっちゃいました。新しい店に行くのは億劫《おっくう》だし、今行っている店がなくならないように祈ってますよ。

こちらには何度かいらっしゃったんですか。

そうですか、結構いらしてるんですね。じゃあ、市内の地理は一通り把握なさってるわけだ。歩いてごらんになった？　ああ、なるほど。

ごみごみした通りは苦手なので、私の好きなコースにさせてもらいますよ。

折り紙ですか？

今は全然やってませんね。不思議なことに、勤めを辞めて、時間ができたとたん、全く興味がなくなっちゃったんです。忙しくて殺伐《さつばつ》とした勤めの合間だったからこそ、あんなに熱中できたんですね、きっと。

二

私、このごろ思うんですがね。

それぞれ人によって、何かの時に、気が付くと振り返って戻ってみる人生の一時期ってあると思うんです。その人における輝かしい時期、というか、忘れられないひととき、というか。それは、必ずしもいい時ばかりではない。鬱屈《うっくつ》していた時や、殻にこもっていた時代かもしれない。よい悪いではなく、とにかくその人の核になる時期というのがある。

子供の頃という人もいるでしょう。学生時代という人もいるでしょう。功成り名を遂げて、成功してからだという人もいる。時期はいろいろだけど、時々何かのスイッチが入ると、否応《いやおう》なしにその頃に引き戻されてしまう。気が付くと、その頃のことを考えている。そんな時期はありませんか。

私の場合、それはあの事件なんですよ。あの事件を追っていた時が、私の人生のハイライトなんです。何かをしている時、ふっと自分がどこにいるか分からなくなるような瞬間がありますよね。そんな時、脳裏で繰り返し見ているのは、あの事件を追っていた自分なんです。

もっと正確に言うと、病院で彼女と初めて対面した、あの瞬間ですね。

あれが私のゼロ時間なんだ。

分かりにくいですか。

私の人生を書いた本があるとします。その本の中で、最も沢山のページが割かれていて、なおかつ、あとから一番多く開いたところが、あの事件のページです。あまりに何度も開いたから、本に癖がついていて、手を離すとそこのページが自然と開いてしまう。そんな感じです。

三

確信は今も変わりませんよ。

個人的な偏見と言われればそれまでですし、否定はしません。

けれど、正直に言いましょう。

当時の私は、あの事件の犯人を捜していたのではありません。私は、彼女が犯人であることを証明するために、毎日駆けずり回っていたんです。そう断言できます。

はい、刑事としては、先入観に囚《とら》われた、あるまじき行為と言えましょう。しかも、何の根拠もない。あるのは私の勘だけ。被疑者から言えば、ふざけるな、と言うでしょう。

私も普段はそう思います。

しかし、あの件に限っては。

彼女に限っては、そうなのだ、としか言いようがない。

その確信は、全然弱まりません。むしろ、こんな歳になっても、ますます強くなる一方です。いつもは忘れているんですが、今でも何かの拍子に、悔しくて悔しくて、眠れなくなる夜がある。

私たちは、彼女に敗れたんです。

私は彼女に負けた。

当時、私は周囲から、それこそ「鬼のようだ」と言われるほどしつこく捜査をしました。大量殺人を犯した犯人を心から憎んでいた、と一種の美談のように語られたこともあります。けれど、私の本心は違います。私は、最初から犯人が誰なのか知っていたんですから。犯人をつきとめることなど念頭になかった。ただ、彼女に負けたくなかった。彼女に勝たせたくなかった。その一心で働いていたのです。

何がそこまで私にそう確信させたのか、ですか。

私も何度か考えてみたんですがね。

率直に言って、今でも分かりません。とにかく、一目見た瞬間に分かった、としか言いようがないんです。事件の現場で感じた、あのただならぬ透明な悪意と同じものを彼女の中に見た、としか。

はは、一目惚《ぼ》れみたいなものか、ですって？

なるほど、言われてみれば同じかもしれません。彼女の中心にある美点に反応するか、その美点の裏側にあるものに反応するかの違いですよね。長所と短所は紙一重ですから。現に、一緒に会いに行った刑事なんか、彼女があまりの美少女なのにポーッとしてしまって、別の意味で確信を得たようです。気の毒な彼女を守らなければならない、彼女のためになんとしても犯人を捕まえなければならない、とね。

同じものを見たのに、えらい違いだ。

確かに、私は歪《ゆが》んだ一目惚れをしたのかもしれない。あれ以来、彼女に囚われ、ずっと彼女について考え続けているんだから。

四

表面上は、例の黄色い雨合羽《あまがっぱ》の男を捜すことが第一目的になっていましたが、私は早い段階から、彼女を念頭において、彼女の家庭内での立場や、彼女の交友関係について調べていました。

あれだけの旧家で、地元の名士だから、抵抗は覚悟していました。地元医師会も、きっと詮索《せんさく》されるのを嫌がるだろうと思いました。

しかし、家族のほとんどが亡くなっていたので、生き残った彼女はおおいに世間の同情を集め、逆に犯人逮捕に協力したいという人のほうが圧倒的に多かったように思います。長いつきあいの人から、近所で言葉を交わしたことのある、という程度の人まで、延べ六百人以上の人に会い、話を聞きました。

ところが、何も出てこない。

医療事故があって恨んでいるとか、子供たちに悪い遊び仲間がいるとか、ごくつぶしの親戚《しんせき》がいるとか、立派な家にありがちのスキャンダルが、本当に全く出てこないんです。それはもう、気味が悪いくらいでした。叩《たた》いても叩いても何の埃《ほこり》も出ない。

ならば家庭内に何かあるはずだ、と私は思っていました。

外には漏れないところで、家族だけの何かがあるはずだ。彼女が犯人であるためには、家庭内の不和とか、生活環境に対する不満とか、何かがくすぶっていたはずだ、と。

私は慎重にリストを作り、故人の通っていた学校や、職場や、プライベートな友人たちを丹念に回りました。

なのに、それも、ない。

人格者の親。仲の良いきょうだい。揃って成績もよく、明るくて、華やかで、みんなの憧《あこが》れの存在。

そんな馬鹿な、と私は焦りました。

それでは、動機がなくなってしまう。彼女が犯人である理由がなくなってしまう。動機なき殺人？　発作的な衝動？

それは、私が病室で見た彼女とは全く相容《あいい》れないものでした。

そんなはずはない。

彼女に限って、そんなはずは。

私は来る日も来る日も必死に考えました。

ひょっとして、彼女は家族全員を道連れに死のうとして失敗したのではないか、と考えたりしました。みんなが死ぬのを確認してから、後を追うつもりだった。

そのほうがまだ彼女にふさわしいような気がしたんです。

それでは、彼女が死のうとする理由は何でしょう。

自分の将来を悲観して？

しかし、その動機はそこで行き詰まりました。

彼女は子供の頃から目が見えなかったのでその生活には慣れていたし、青澤家は裕福なので、彼女は働かなくとも、むしろ贅沢《ぜいたく》をしても暮らしていけたはずです。

ならば、最もシンプルな理由として、青澤家の財産を独り占めするため、というのはどうだろうか。

それも納得できませんでした。彼女が生活していくためには、庇護《ひご》してくれる家族がいたほうが、どう考えても便利だからです。

捜査は次第に暗礁に乗り上げていきました。

みんなが焦り始めました。

通り魔、という意見が上がったのはあの頃でした。どの家でもよかったのだ、と。単に、人が大勢いる家ならばどこでも。

しかし、それはありえませんでした。なぜならば、あの伝票が残されていたからです。送り主と届け先の住所と名前が入っている伝票。あの存在が、その可能性を真っ先に否定していました。あの伝票があったからこそ、被害者は納得して酒とジュースを口にしたのですから。

捜査の範囲は更に広がりました。被害者の過去の交友関係や他県の医師会まで、一縷《いちる》の望みを抱いて私たちは理由を捜し続けたのです。

あれは、本当に先の見えない、長くつらい捜査でした。何を捜してよいのかも分からない、希望のない、苦痛に満ちた捜査だった。あの夏は永遠に終わらないのではないかと思ったほどです。

あの事件を思い出す時、ゼロ時間が病院で彼女と会った瞬間だとすると、残りのほとんどは、暑い街を歩き回っていた記憶ばかりです。徒労と知っていて、うんざりしながら、けれど他には何の方法も思いつけずに、半ば絶望して歩き回っていたあの夏。

今日も朝から歩き回ったのに、なんの収穫もない。部下と言葉を交わす気力もなく、疲れ切ってとぼとぼと小さな雑貨店の幌《ほろ》の日陰に入り、部下の分と二つ、小豆《あずき》アイスを買う。

そんな自分が、繰り返し頭に浮かぶ。

私の一部は、今でもあの夏の街を歩き回っているのではないか。時々そんな気がすることがあります。

五

ですから、あの男が、突然死体となって現れた時は、ほとんど怒りすら覚えたものです。捜査圏外から、遺書付きでやってきた犯人。

我々の手をかすりもせずに現れた宇宙人。そんな気すらしました。

しかし、野球帽を始め物的証拠が出てきたので、お偉方が俄然《がぜん》元気になったのも当然でした。

調べた結果、毒の入った酒とジュースを運んだのが彼であることは間違いないように思えました。

では、動機は？　あの伝票は？

今度こそ徹底的に、あの男と青澤家の関係を洗いました。

そして、やはりそこで行き詰まってしまったのです。

彼と青澤家の接点が、どうしても見つからない。

私たちは、血眼になって捜しましたよ。だから、彼の部屋の近所の子供から、彼がメモを持っていたと聞いた時には本当に興奮しました。「これだ」と思いました。

あの時ほど、徹底的にドブ浚《さら》いをしたことはありませんでしたね。街が綺麗《きれい》になった、と変なところから感謝されたりしました。当時の私は、あのメモに取りつかれていたと言ってもいいくらいです。どこに行っても、道に落ちている紙が気になってたまらない。どこにいても、目は落ちている紙切れを捜しているんです。彼の家とは全然離れている場所だと分かっているのに、小さな紙切れが落ちていると、引っくり返して確かめなければ気が済まないほどでしたよ。

けれど、ついにメモは見つかりませんでした。

私は、子供は嘘を言っていないと思います。そして、あの子が見たメモが、彼が伝票に書く時に書き写したものであると信じています。

でも、現物はとうとう見つからなかった。

最初は上もそのメモの発見に期待していましたが、見つからないとなると、あきらめムードが漂い、子供の見間違えだったという意見が主流になりました。そして、上層部は、徐々に単独犯だったという方向に傾き始めたんです。

彼が実行犯であったことは間違いないし、広げすぎた捜査を打ち切って、事件を終結させたかったんだろうと思います。

私は抵抗しました。

あの伝票の存在は、共犯者の影を裏付けています。むしろ、実行犯の犯行当時の精神状態を考えれば、主犯はそちらではないかというのが私の主張でした。

同じように感じていた捜査員は沢山いましたが、上は違いました。

彼らは事件を終わらせたがっていました。そして、実際、単独犯という結論で、あの事件を終わらせたんです。

六

もう一人の生存者である、青澤家の手伝いの女性は本当に気の毒でしたね。

長いこと毒の後遺症に苦しんだ上に、一時は犯人じゃないかと無責任な噂を立てられた。意識が戻ってからも、しきりに申し訳ながって、一緒に死ねばよかった、と何度も漏らしていました。ご家族も、世間から白い目を向けられて大変だったでしょうに、一家で団結してよく支えておられました。

私があの事件の犯人に対して、人間らしい怒りを感じたのは、あの人とあの人の家族に会った時だけでした。あの人たちと接している時は、自分がまともな人間として仕事をしているど感じられたものです。

退院後も、あの人はひどい罪悪感に苦しめられていました。

捜査本部が解散することになって、会いに行きましたが、私は生き残るべきではなかった、と娘さんと号泣しておられました。あの時にも、私は激しい怒りを覚えました。

同じ日に、私はもう一人の生存者にも会いに行きました。

その怒りを忘れないうちに、会っておきたいと思ったんです。

もはや家族のいない家に戻った、あの事件の生存者に。

今でも時々思うんですよ。

本当は見えていたのではないか、と。同じような感想を持つ人に何人も会いましたが、私もそう思わずにはいられなかった。

あの日もそうでした。

私が入っていった時、彼女はまるで私がドアを開けるのを待っていたかのように、玄関の奥に立っていました。

そして、私が名乗る前に私の名を呼んだんです。

彼女は紺のワンピースを着ていた。それが喪服のように見えて、一種壮絶な美しさを醸し出していました。

彼女は、私が彼女を疑っていることを知っていました。

たぶん、初めて会った時から。

恐ろしく勘のいい娘でした。私が会った瞬間に犯人だと思ったように、彼女も私と話した瞬間、自分が疑われていると気付いたんです。

私たちは何度も話しました。彼女には繰り返し証言をしてもらいましたし、家族についていろいろ話を聞きました。むろん、表面上は、私が疑っているなんてことはどちらも全く口に出しません。けれど、私たちはお互いに分かっていました。自分たちが、追う者と追われる者であることを。そのことを知っているのは、私たちだけでした。

私は事件の終結を報告しました。

残念です、とだけ言いました。

その言葉の意味を、彼女もよく分かっていたはずです。

私は彼女の手を取って、折り鶴を渡しました。もう一人の生存者にも渡した、ちょうど池に着地した鶴が水面に映っている状態のように見える、向かい合わせになった「夢の通い路」という折り鶴です。

そう説明すると、彼女は手で触れて折り鶴の形を確かめていました。

そして、小さく笑ったのです。

刑事さん、あたしたち、この鶴に似てますね。

彼女は、おもむろにそう言いました。

どうして。

私はそう尋ねました。

さあ、なんとなくそう思ったんです。

彼女は首をかしげてそう答えました。

私たちは暫《しばら》くじっと黙っていました。私は、彼女が何かひどく重要なことを言ったような気がしましたが、それが何かは分かりませんでした。

ねえ、夢は繋《つな》がっているんでしょう？

少しして、彼女はそう聞きました。

思い合っている人の夢はね。

私はそう答えました。

いいなあ、と彼女は言いました。

それっきりでした。

あれ以来、彼女には会っていません。

七

あの本が出た時、私は日本にいませんでした。

当時、マレーシアの警察に、研修と情報交換に行っていたんです。教官としてでしたが、大きな組織では周期的に立ち上げられる、なんだかよく分からない教育制度の一環でした。

そして、戻ってきてからも、その存在を暫く知りませんでした。

教えてくれたのは、元同僚です。彼もあの事件を一緒に捜査した仲間でした。それがあの事件を書いた小説で、当時、近所に住んでいた子供が書いたらしいと聞きました。

それでも、あまり食指が動きませんでした。むしろ、自分が辛酸を嘗《な》め敗北を喫したあの事件を、変なフィクションにされたくないし、自分もまた余計なものを読みたくないという不快感すら覚えていたんです。

けれど、どこかで気にはなっていたんですね。

警視庁に出張に行くことになり、電車の中で読む本を探していたので、ついあの本を買ってしまったんです。結局、その時は車中ずっと打ち合わせをしていたので読む時間がなかった。

結局、あの本を読んだのは、それから更に数ヶ月後のことでした。

打ち明けますと、私は今でもマレーシアが恨めしい。

いえ、マレーシアには何の恨みもないんですが、あの時期日本を離れていたことが無念でならないんです。

もし、あの本が出た時にすぐあの本を読んでいれば。

せめて、半年後でもいい、もう少し早くあの本を読んでいれば。

そうすれば、今こうして、悔しさに眠れない夜などなかったはずなのに。

八

あの本を読んだ時、最初に感じたのは、著者は事件当時まだ小さかったというのに、あの頃の雰囲気がよく描かれているなということでした。

かなりきちんと調べてあることは確かでした。当時の街並みや風俗まで、相当詳しく書き込んである。読んでいると、昔歩き回った街の景色が記憶の底から蘇《よみがえ》ってきたものです。日本の街の変化がいかに早いかはご存じでしょう。しょっちゅうどこかを潰《つぶ》し、新しい建物を建てている。テナントはめまぐるしく変わるし、その都度見た目も変わり、前に何があったか思い出せないなんてことも日常茶飯事。

小説としての出来はともかく、あの頃の風景が頭の中に立ち現れてくるという点では、あの本を読んでいる時のような体験をしたことはありません。

あの事件を扱っていましたが、特に結論めいたものも推理もないという小説ですから、中身についてはあまり印象に残っていません。

ただ、読んで幾つか違和感を覚えた箇所がありました。

その理由はよく分かりませんでした。漠然とした不安のようなもので、その時は深くは考えませんでした。

ところが、何日か経って、何かの拍子に——たぶん街の中を歩いていた時だと思うんですが——ハタとその理由に思い当たったのです。

慌てて家に帰り、もう一度じっくりあの本を読み返してみました。

今度は、違和感を覚えた箇所に、順番に付箋《ふせん》を貼っていきました。

最後まで読み終え、付箋を付けたところを更にチェックしました。

間違いない。

私は確信しました。

著者は、意図的に現実とは異なる記述をしている。そう気付いたのです。

あれほど当時の地理や町並みにこだわりを見せ、むしろ不必要なくらいに書き込んでいるのに、明らかに事実を改竄《かいざん》しているところがある。

何だと思います？

古本屋です。

K市は古本屋の多い町です。大学も多いし、文化的にも歴史が古く、学問も栄えた町ですから、当然だと言えましょう。

ところが、あの本の中には、古本屋が一軒も出てこないのです。というよりも、古本屋があるべき場所に、わざと他の店を書いている。繁華街の老舗《しにせ》が並んでいるところなど、当時の地図通り、正確に記述しているのに、古本屋だけは書かれていないのです。

これはどういうことだろうか。

私は首をひねりました。

他のところは恐ろしく正確なのですから、明らかに著者が意図的にそうしているのは明らかです。なぜこんなことをするのだろう。何かの遊びなのだろうか。奇妙な話です。そんなことに気付く人はあまりいないでしょう。少なくとも、K市を知らない人、当時の街並みを知らない人は分からないでしょうし、分かったからといって、だからどうした、という話です。

私はその理由を考えましたが、分かりませんでした。著者の個人的な事情なのかもしれない、と思いました。腑《ふ》に落ちませんでしたが、雑事に紛れていつしか忘れていました。

それから更に数週間が経ちました。

結婚する息子が家を出ることになり、その引っ越しの準備を手伝っていた時のことです。廊下に、本の束が紐《ひも》で結わえてありました。

これはどうするんだ、と聞くと、処分するんで古本屋を呼んである、と息子が答えました。息子は本好きでなかなか本を捨てたがりませんでしたが、新居のアパートが手狭なので、さすがに全部の本は持っていけなかったのです。

そうか、と答えた私は、何かが閃《ひらめ》いたような気がしました。

廊下に積んである本をしげしげと見つめました。

次の瞬間、私は大変なことに気付きました。

あの事件の捜査で、自分が重大な見落としをしていたことに気が付いたのです。

九

実行犯の青年は、とても綺麗《きれい》好きでした。

部屋はほとんどモノがなく、いつもきちんと掃除されていましたし、あまり服を持っていなかったものの、シャツはこざっぱりと洗濯して、ズボンも折り目正しくアイロンを当てたものを着ていたとみんなが証言しています。

だから、部屋ががらんとしていて、日用品が極端に少なくても特に気に留めなかったのです。例のメモも、捨てたと思ってゴミやドブを浚《さら》ったのです。

しかし、よく考えてみれば、彼がメモを捨てるはずはなかったのです。

近所の少年の証言では、彼はあのメモを恭《うやうや》しく捧《ささ》げ持っていたといいます。彼は、彼に殺人教唆をした人間を、盲目的に崇拝していたと考えられます。だったら、あのメモを持っていたかったのではないでしょうか。

私はもう一度当時の少年の証言を読み返してみました。

そして、あれほど当時何度も読んでいたのに、見過ごしていたところがあることに気付きました。

彼は、青年によく勉強を教えて貰《もら》ったと言っていました。彼は、物理や数学の理論を、時々自分の持っている本を広げて、子供にも分かり易く説明してくれた、と。

彼は、国立大学で化学系の学科を卒業していました。

勤め先も農薬などを造る工場でしたから、それなりに学術書なども持っていたはずです。

学術書は高価ですから、そうそう捨てるとは思えません。

けれど、あの部屋には本はありませんでした。

彼は自殺をする前に、身辺整理をしていた。

そうです。彼は、自分の持っていた本を、古本屋に出したのです。

そして、例のメモは、その本のどれかに挟まれていたに違いありません。

＋

そのことに気が付いた時の私のショックを想像してもらえますか？

いや、想像できないでしょうね。

一瞬、目の前が真っ暗になって、呼吸ができないほどでした。また胸をやられたかと錯覚したくらいです。

とっさに、私は時効を計算しました。

青澤緋紗子が結婚して海外に出ていることは知っていました。彼女はもう成人している。

時効も中断している。まだ充分に時間はある。

もちろん、古本屋にまだその本が残っているとは限らない。

売れて誰かの手に渡っているかもしれないし、処分されてしまっているかもしれない。しかし、古本屋というのは、他の場所に比べて、遥《はる》かにスパンが長く、時間が保存されているところです。同じ本が何年も同じ棚の隅に置かれていることもある。

あんなにドキドキしたのは何年ぶりだったでしょうか。

私は古い地図を探し、当時も営業していて、今も残る古本屋を探しました。

そして、彼の住まいにほど近いところに、自然科学を得意にしている古本屋があるのを発見したのです。彼が本を出すならここだと直感しました。

しかし、その古書店の名前を見た瞬間、私は奇妙なデジャ・ビュのようなものを感じました。ごく最近、どこかでその名前を見たような気がしたのです。

気のせいだろうか、と思ったものの、奇妙な胸騒ぎは消えませんでした。

私は、翌朝一番でその古本屋に出かけていきました。

その場所に着いたとたん、私は自分のデジャ・ビュの理由を悟りました。

そこは、ふた月ほど前に、火災で焼けていたのです。そのニュースを、ＴＶや新聞で見ていたので、名前を覚えていたのでしょう。

焼け跡を覆ったシートを見上げながら、私はゾーッとしました。

私以外にも、あの本を読んで同じことを思いついた人間がいる。

そして、その人間は迷わず証拠を隠滅することを選んだ。そこにその本があるのかどうかも分からないのに、万が一のことを考え手を打ったのだ、と。

その素早さ、大胆さに私は寒気を覚えました。

火事について調べてみましたが、店の裏の一軒家から出火し、延焼したとのことでした。そこは、ここ数年入退院を繰り返していた、身体の弱い年寄りの一人暮らしで、本人も死亡していますから、失火の原因は不明のままです。

私は再び寒気を覚えました。

なんという「自然な」火災だろう。これならば、世間から見た時に、古本屋を燃やすことが目的だったということなど分からないだろう。

あいつは、古本屋を燃やすためには、年寄りが暮らすもう一つの家を燃やすことなど、なんともなかったのだ。

忘れていた怒りが蘇《よみがえ》り、私は、火災の頃に彼女がどこにいたかを調べました。

すると、火災の当日には日本にいませんでしたが、その少し前に彼女が半年ほど帰国していたことが分かったのです。

私は、彼女の帰国の理由が分かるような気がしました。

恐らく、彼女もどこかであの本の噂を聞いたのでしょう。あの本を入手するためなのか、向こうで手に入れて読んでから来たのかは分かりませんが、とにかく、彼女も私と同じ結論に辿《たど》り着いたに違いありません。

私は全身から力が抜けるのを感じました。またしても、私は彼女に敗れてしまったのです。

十一

そうなると、あの本の著者の意図が気になってきました。

あの著者もまた、私と同じ結論に達して、そのことを匂わすためにあんな記述のしかたをしたのではないか。もしかして、著者は何か事件の証拠を握っているのではないか。そんなふうに思えてきたんです。

私は、著者に手紙を出しました。

ストレートには用件を書かず、当時の捜査に携わっていた者で、懐かしくあの本を読んだ。しかし、どうして古本屋だけが変えてあるのか、という素朴な疑問を主体にした手紙です。

暫《しば》くして、返事が来ましたが、内容は期待外れでした。

取材をした時、当時の風俗を調べるために、市内の古本屋を沢山回った。店主にはお世話になったので、自分の小説の中に登場させるのはなんとなく生々しくて気後れがした。だから、個人的なちょっとした感傷として、書き換えただけで、深い意味はない、と。

そう言われてしまっては、どうしようもありません。それに、もし何か証拠を握っているのなら、それを書いたほうが早いのだし、著者に犯人をかばうような理由はありませんから、嘘を言っているとも思えません。

あの著者に関しては、いろいろ不思議に思いました。本当に個人的感傷から古本屋の記述を書き換えたのか、そもそもなぜあの本を書いたのか、今ひとつよく分からない。けれど、今になってみると、きっと、著者自身もよく分かっていなかったんじゃないかという気がします。幼い頃にあの事件に直面したものの、その意味が理解できなかったんでしょう。事件の衝撃だけが残っていて、理解はできなかった。しかし、意味が分からないなりに、あの事件を引きずっていたのではないか。それをあんな形でしか表現できなかったのではないか。そんな気がするんです。

十二

こうして、私は再び彼女に敗れました。

二度目の敗北も、手ひどく屈辱的なものでした。

そのことを知っているのも、彼女と私だけ。彼女が今どこに住んでいるのかは知りませんが、この広い世界で真実を知っているのは、私と彼女だけなんです。そう思うと、なんだか不思議な心地がします。

でも、今回の敗北は、私に心境の変化をもたらしました。

それまで、あれは過去の事件でした。忘れられないけれど、忘れてしまいたい過去の失敗。そういうポジションにあったんです。

けれど、二度目の敗北で悟りました。

まだ分からない。

まだあの事件は継続しているのだ、と。

実際、彼女は、あれだけ時間が経っているのに、あの本を読んで素早く対応してきました。つまり、彼女もまだあの事件が継続していることを承知しているのです。今何か新事実が見つかれば、自分の手に縄が掛かることも有り得ると判断している。

ならば、三度目も有り得る。

時効の中断が続く限り、彼女が捕らえられるチャンスも続く。

私はそのことに希望を見出しているのです。もしかしたら、彼女がいつか捕まるところを見られるかもしれない。

天網恢恢《てんもうかいかい》、疎にして漏らさず。

最近、そんな言葉を思います。三度目は、きっと、もっと思いがけない形でやってくるに違いない。私が知らないうちに、何かの偶然で、彼女の罪が暴かれる瞬間がきっと来る。

私はそう信じています。

最後に彼女に会った時、私に言った言葉を実感します。

夢の通い路。あの折り鶴が私たちに似ている、と言った彼女。

確かに、私たちは似ています。考えること、感じること。向かい合わせの鶴のように、互いの行動が互いを映し出す。

私たちはある意味で、世界中の誰よりも思い合っている。

私は彼女のことを、ある部分では世界中の誰よりも理解している。

だから、夢で繋《つな》がっているのでしょう。もしかして、彼女の見た夢が、私に古本の真相を教えてくれたのかもしれない。

ですから、次もある。

次もまた、彼女の夢が何かを私に教えてくれるでしょう。

いつかきっと、もう一度彼女に会える。そんな予感がするんです。

十三

それから暫くして、あの人から電話が掛かってきました。

もう一人の生存者だった女性。あの家に手伝いに行っていた女性です。

私が退職する直前だったと思います。

彼女が、あの本を作る時に協力したんだなということは、本を読んで知っていました。

彼女は、取材に協力した後で、あの事件に関して幾つか思い出したことがある、と言いました。

私たちは、彼女の生家近くで会いました。

その時はもう生家はなくなっていたそうですが、彼女は海辺の小学校に通い、毎日潮騒《しおさい》を聞いて育ったんだそうです。

私たちは、その浜辺をゆっくりと歩きました。

歳を取ってはいましたが、彼女の表情は随分と穏やかになっていて、静かな晩年を迎えていることに救われた気がしました。

最近、子供の頃のことばかり思い出します、と彼女は言いました。

教室の窓辺で海を眺めていて、ぼんやり潮騒を聞いていたこととか、友達と海にボールを投げて、波打ち際に戻ってくるのをどっちが先に拾うか競争したこととか、ね。

あの人の目は懐かしそうでした。

私ね、この海に散骨してもらうよう娘に頼んでるんですよ。

そんなことも言って笑っていました。

そして、あの人は、事件当日に掛かってきた電話の話をしました。若い娘から、犯行を確認するような電話が掛かってきたというんです。

私は驚きました。

そんな重要な証言が出てくるとは夢にも思わなかったのです。

いったい誰だろう。もう一人共犯者がいたのだろうか。

私は混乱しながら、彼女が覚えている電話の言葉をメモしました。

しかし、それだけでは何の役に立ちそうもありません。

あの時は分からなかったけれど、どこかで聞いた声のような気がするんですよねえ。でも、それが誰なのか分からないんです。当時のアルバムや、名簿や、いろいろ見てみたんですけど、思い出せないんです。

あの人は済まなそうな顔をして言いました。

思い出したら是非連絡を下さい、と私は自宅の電話番号を教えました。もし次に連絡があるとしても、その時私は退職しているでしょうから。

この近くに小さな教会があって、奥様が年に何度かお手伝いにいらしてました。

彼女は、松林の向こうを指差しました。

身寄りのない子供が何人かそこに預けられていて、奥様と一緒にクリスマスやお正月に、お菓子やおもちゃを持ってきたものです。近くに養護施設があって、そこから教会に通ってきて、お掃除やカード作りをしている人もいました。奥様はそういう人たちにもお土産を持ってきました。

彼女は目をきらきらさせて、楽しそうに話していました。

当時のことをそんなふうに語れるようになったということに、私は安堵《あんど》と傷ましさとを同時に感じました。

緋紗子さんとここに来たことがあります、と彼女は言いました。

緋紗子さんは潮騒を聞くのが好きでした。時々、キミさんの海に連れていって、とねだられたことがあります。私の海じゃありませんよ、と言うんですが、緋紗子さんは、あれはキミさんの海なの、と笑いました。

海辺の遊歩道の途中に、松林に囲まれた小さな公園があるんです。緋紗子さんは、そこのベンチを気に入っていました。ずっとそこに座って、潮騒を聞いていました。

私たちは、その公園に行きました。

そこのベンチは石造りで、面白い形をしていて、外国のラブ・チェアのように、向かい合って話ができるように、S字形をしているのです。ラブ・チェアと違うところは、なぜか相手の姿が見えないように、背もたれがとても高くなっていました。

上のところはステンドグラスのようになっていて、分厚い不透明なガラスが嵌《は》めてありました。赤い花が模様で入っていたのを覚えています。誰かが座っていると、頭がガラスの向こうにぼんやりと見えるわけです。

面白いベンチでしょう。

あの人は、まるでそれが自分のもののように自慢しました。

緋紗子さんと私はこのベンチに座って、背もたれ越しに話をしたものです。緋紗子さんは、目が見えないこともあって、遠くに行く時は誰かが付き添っていることが多く、一人になれないことに苛立《いらだ》つことがありました。ですから、ここだと壁があって、一人になれるような気がしたんでしょうね。私はなるべく緋紗子さんを放っておきました。本を読んだり、編み物をしたりして、緋紗子さんが一人でぼんやりできるようにね。

そうですか、と私は言いました。

私は、彼女が座っていた場所に座ってみようとは思いませんでした。

彼女と自分が同化してしまいそうで、なんだか怖かったのです。

あの人も、ベンチに座ろうとはしませんでした。

私たちは、二人で暫《しばら》く立ったまま潮騒を聞いていました。

彼女が聞いていた潮騒。そして、今もまた、この海の向こうで彼女が聞いているかもしれない潮騒。

海は世界に繋がっている。まさに、彼女のいるところに繋がっているのです。

緋紗子さんは、今頃どうしてるんでしょうね。外国にお嫁に行くなんて、と思ったものですが、こうしてみると、そのほうがよかったのかもしれませんね。

あの人も、海の向こうにいる彼女のことを考えていたようです。

そうですね、と私は相槌《あいづち》を打ちました。

そのほうがよかったのかどうかは、まだ分からないけどね。

私は心の中でそう呟《つぶや》いていました。

彼女にとっても、私にとっても。それが分かるのは、まだずっと先だ、と。

いただいた折り鶴、まだとってありますよ。

別れ際、あの人はそう言いました。

青澤緋紗子は私のあげた折り鶴をまだ持っているだろうか、と思いました。

結局、あの人が私に電話を掛けてくることはありませんでした。

掛けてきたのは、あの人のお嬢さんです。それは、あの人が亡くなって、その葬儀の日時を伝えてくる電話でした。

第十二章　ファイルからの抜粋

一

熱中症で死亡か

二十六日夕方、市内K公園内のベンチで女性がぐったりしているのを公園職員が見つけ、市内の病院に運び込まれたが既に心停止しており、死亡が確認された。女性は東京都日野《ひの》市の主婦吉水《よしみず》満喜子さん(42)と判明。福井市に単身赴任中の夫のところに寄って帰る途中だった。二十六日は残暑が厳しく、市内の最高気温は三十七・七度を記録。吉水さんは市内観光中に熱中症により死亡したものと見られる。

市民が嘆願書

K市内中大垣《なかおおがき》一丁目にある、青澤邸の取り壊しが決まったことを受け、市民が保存を求める署名運動を行っている。

青澤邸は、昭和三十二年に近代建築の雄として知られる村野《むらの》健三《けんぞう》が晩年に設計した珍しい個人住宅で、当時の個人住宅としては異例の鉄筋コンクリートを使用し、医院として使われる部分と住宅部分とを和洋に分けるのではなく、全体を和洋融合した建物として設計し、その特徴ある外観から市民に広く親しまれていた。

しかし、昭和四十八年に起きた中大垣事件を境として住む人がほとんどいなくなり、その後の地価高騰で維持することが難しくなったことから青澤家では売却の準備を進めていたが、取り壊されることを聞いた近隣住民は、「貴重な建築財産を消滅させるに忍びない」と県に対して文化財として認定・保護することを求める署名運動を開始した。

三代に亘《わた》って青澤医院のお世話になってきたという「丸窓さんの会」代表の川滝《かわたき》京四郎《きょうしろう》さん（73）は、「地域のシンボルとして馴染《なじ》み深い、しかも建築的に見ても貴重な文化遺産。まだ建物本体はじゅうぶん使えるという建築士のお墨付きも得ているし、是非このまま残してほしい」と語っている。

二

前略　先日ご照会ありました件について回答申し上げます。

二十六日の午後は、こちらは朝からの厳しい残暑で、夏休みも終わりに近かったことから園内の観光客は平生よりも少なかったと記憶しております。

私は他に用がなければなるべく三時間毎に園内を見回ることにしておりますが、午後一時の段階ではまだ吉水さんと思われる方は見かけておりません。それは、他の職員にも確認しています。

その時既に日は高く、園内の照り返しのきつい舗装されたところや乾いた通路などは恐らく五十度近い温度になっていただろうと思われます。打ち水も多少は行いましたが、あまり効果はありませんでした。

吉水さんらしき人を最初に見かけたのは三時半くらいのようです。

ベンチに座っている女性と、子供を連れた女性が言葉を交わしているところが清掃員の女性に目撃されています。清掃員の印象では、知り合いどうしではなく、たまたまその場を通りかかった親子連れと、何か言葉を交わしていたという感じだったそうです。

なにしろ、園内は広く、いつも多くの人が出入りしていますから、職員の記憶も確かではありません。何卒《なにとぞ》ご容赦願います。

次に、四時頃、二人の庭師が、ラムネの罎《びん》を手にベンチで休んでいる女性を見かけています。その時にはお一人で、前述した親子連れはいませんでした。休んでいるその様子に異状は感じられなかったとのことでした。

そして、私がベンチでぐったりしている吉水さんを発見したのは四時半頃のことです。そろそろ閉園が近いので、職員らが見回りをしている矢先のことでした。

最初は居眠りをしているのかと思いました。ベンチに寄りかかったまま、うとうとしているように見えたのです。

それで、近付いて「もしもし」と声を掛けましたが、返事がありません。その沈黙に、何か異様なものを感じて、今度は肩に手を掛けてもう一度「お客様、お客様」と声を掛けたとたん、ぐらっとベンチの上に崩れてしまわれたのです。

びっくりしましたが、慌てて他の職員を呼び、救急車を呼びました。この時にはもう意識はなかったようです。結局意識は戻らなかったと後で聞きました。

小さいお子さんがいると聞き、もう少し早く気付いていたらと、悔やまれてなりません。二度とこのようなことが起こらないよう、より一層、職員一同専心していかねばならないと考えております。

このような僅《わず》かな情報しかさしあげられませんこと誠に心苦しいのですが、吉水さんの最期の状況について、以上ご報告申し上げます。

草々

三

教育委員会が青澤邸を視察

市内中大垣一丁目の青澤邸の保存についての市民の署名が一万近く集まったことから、県の教育委員会は有識者らを集めて青澤邸を視察。保存運動を進めている市民グループらと話し合いをした。市民グループや郷土史家、建築家らは青澤邸の希少価値を強調。熱のこもった話し合いは二時間にも及び、教育委員会側は改めて検討する旨を報告するにとどまった。

青澤邸の取り壊しを決定

保存運動の続いていた中大垣二丁目の青澤邸について、県教育委員会は文化財として認定・保存しない方向で進める方針を発表した。

県教育委員会は、他にも早急に保存を優先すべき文化財があること、市内の一等地にある青澤邸の維持費用が県の予算を超えていること、当の青澤家側が処分を望んでいることを考慮したためと説明。

市民グループらは「こういう、市井の庶民の生活や記憶に根ざしたものを残していかなくて何の文化財か。ただでさえスクラップ・アンド・ビルドを前提にした日本の建築業界の下では、日々景観が変わり、次々と貴重な歴史的建造物が消えていっている。手間をかけていいものを残すより、手っ取り早く次の仕事を受注して新しいものを建てたいという建築業界と、行政が癒着した結果の決定ではないか」と強く反発。

早ければ来月中旬にも取り壊しが始まる予定だが、市民グループは「実力行使もありうる」と態度を硬化させている。

四

前略　先日ご照会ありました件について回答申し上げます。

私が吉水さんに声を掛けた時に、ラムネの壜はありませんでした。

吉水さんが倒れ掛かった時、ベンチにすっかり横たわるような形になりましたので、もし壜があったら気が付いていたと思います。足元に置いていたということもなかったと思います。

清掃員にも確認しましたが、あの日は非常にゴミが少なく、付近のゴミ箱に壜はなかったと証言しています。園内は見晴らしがよく、丁寧に清掃がなされていますから、壜が置いてあればかなり目立ったはずです。吉水さんが、飲み終わった後で、ラムネを買った茶屋に返したのではないかと思われます。茶屋に確認しましたが、空き壜を置く木箱は店の外側に置いてあるので、誰かが返しにきても中にいると分からない、とのことでした。

吉水さんと言葉を交わしていたという親子連れについては、身元は分かりません。たまたま通りかかったのではないかという印象だったということしか言えません。

目撃した職員によれば、ふくよかな中年女性と、二歳くらいの女の子だったようだという返事でした。顔は見ていないそうです。軽装だったことから、観光客ではなさそうだと思ったとのこと。

これでお尋ねになった件の回答になりますでしょうか。

気温の変化激しい折、ご自愛くださいませ。

草々

五

そして『祝祭』すらも忘れられた
――中大垣事件から三十一年

世の中には、奇妙な因縁としか言いようのないものがある。

かつては、私もそういうものを世間一般の多くの人と同じく軽蔑《けいべつ》していたし、真剣に考えもしなかった。だが、この歳になると、どうしても他の言葉には置き換えることのできない事実に遭遇するようになり、つい最近知った事実に至っては、とうとうこの古い言葉を口にせざるを得ない境地になってしまったのである。

先日、小紙の片隅に、小さな記事が載った。

東京に住む主婦が、夫の単身赴任先から帰る途中でK公園に寄り、熱中症で死亡したというものであった。私はこの記事を読んでいたが、特に気には留めなかった。

しかし、数日後、たまたま古い知り合いに会った時、この女性がかつて『忘れられた祝祭』という本を書いた人物であったと知らされ、がぜん興味を掻《か》き立てられることになる。

その古い知り合いとは、かつて「中大垣事件」と呼ばれた大事件の陣中指揮を執った、元警察官である。若い記者だった私は、まさに夜討ち朝駆けで半年以上も彼に張り付いていたものだ。

当時「加賀《かが》の帝銀事件」とまで言われた、未曾有《みぞう》の大量殺人事件は、容疑者の自殺で終結したが、当時から、一部で「冤罪《えんざい》ではないか」という声が絶えなかった。今も真相は闇の中であり、四半世紀が経った現在、事件そのものが市民の記憶から消え去ろうとしている。

ところが、ここ数週間、事件の舞台となった青澤邸の保存運動が話題となり、中大垣事件にも光が当たってきたようなのだ。私がその古い知り合いと久しぶりに話してみようと思ったのも、この保存運動に記憶を喚起されたからだった。

『忘れられた祝祭』。

この題名を覚えている人は、今どのくらいいるのだろうか。

事件から十年以上経ち、かつてこの事件現場に居合わせた少女が事件を小説で描いたこの書物はベストセラーになり、出版当時、再び中大垣事件に脚光が当たったことを鮮やかに思い出す。「祝祭」という言葉を遣ったことでかなりのバッシングがあったことも確かだが、作者は覆面のまま沈黙し、それ以降一冊も本を発表しなかった。

その作者が、今まさに事件の舞台が消滅しようとしているこの街で亡くなったことに、私は歳月が巻き戻されたような因縁を覚えるのだ。

彼女は二人の兄弟と共に、中大垣事件の現場に居合わせた。

今回、彼女のお兄さんに連絡を取り、名前を出さないという条件で承諾を得て電話でインタビューをしたが、妹さんがあの事件の舞台であるK市で亡くなったことについて尋ねると、「結局妹は、あの事件から逃れることができなかったんでしょう」と答えた。「妹は、あの本を書くという話も私たちにしませんでしたし、あの本が出てから二度とあの事件の話をしませんでしたが、やはりその後もずっと引きずり続けていたんじゃないでしょうか」彼は淡々とした声で言った。

彼らの一家は、事件の後父親の転勤でよそに引っ越したが、間もなく両親が離婚。すぐ下の弟さんは、二十代で自殺したそうである。

「特に意識したことはありませんでしたが、やっぱり子供の頃にあの現場に揃って居合わせたことと関係あるのかな、と今頃になって考えますね。妹の本は『忘れられた祝祭』でしたけど、私たちにとっては『忘れられない祝祭』になってしまった」

そう語る彼の言葉に、私は何も言うことができなかった。

『祝祭』すらも、忘れられる。

その時、そんな文章がふっと頭に浮かんだ。

かつては物議を醸し、みんなが話題にしていたことも、歳月が葬り去る。この世で一番残酷なこと、それは忘れられてしまうことなのだ。

元々事件そのもので関係者のほとんどが死に絶えてしまった上に、事件を知る人が次々とこの世を去る。

「真実は時の娘」という言葉があるが、果たしてこの事件に時は真実を教えてくれるのだろうか。

六

市民グループとの睨《にら》み合い続く

取り壊しの決まった青澤邸の前では、連日保存を求める市民グループが座り込みを続け、解体作業に入ろうとする建設業者との睨み合いが続いている。

十八日朝には家屋に足を踏み入れようとした作業員と市民とが揉《も》み合いになり、警官が出動する騒ぎとなった。

解体を請け負った業者では、このままでは双方に危険があるとして作業を見合わせ、県に市民グループの説得を求めているが、県側は「解体を申請したのは青澤家であり、もはや県は関知しない」と説得行為に難色を示しており、当分膠着《こうちゃく》状態は続くものと思われる。

七

拝啓、と書き出してみたものの、なんだかしっくりこない。

考えてみると、君に手紙を書くのはこれが初めてだ。

いや、僕は文章を書いたりするのが嫌いなので、手紙そのものが苦手だから、こんな書き出しで手紙を書くこと自体めったにない。

君も不思議に思っているだろうと思う。だけど、会って話せばいいのに、自分でもなぜこんな手紙を書いているのかよく分からない。今感じていることを口では絶対に説明できないだろうという確信があるので、なぜかこんなものを書いている。

いつかも話したことがあるけれど、僕は昔から自分というものに馴染《なじ》めなかった。

僕という人間の、容《い》れ物と中身が全く一致していない感じだ。

もちろん、自分がどんなふうに見えるかよく知っている。子供の頃からちょこまかとして落ち着きがなく、誰にも重きを置かれず、気のきいたことも言えず、存在感がない。

いつも誰かの腰巾着《こしぎんちゃく》。せわしなく賑《にぎ》やかにしているけれど、実は友達などどこにもいない。いてもいなくても、結局誰も気にしない。僕はそんな奴だったし、これからもそんな奴だろう。

なんだかやけに自虐的な気分になってしまったのは、妹の本を読んだせいかもしれない。

君にもあの本のことは話したよね？

僕らが子供の頃、あの事件に関わっていたことも。

僕はそそっかしくて目立ちたがりだから、最初は、妹があの本を書いたということで、自分が関係者で、有名になったような気がしていたことを認めよう。

だけど、その後で、ある晩急に、とても恐ろしくて、得体の知れない大きな不安に襲われるようになった。

毎晩夢を見る。

あの事件の夢だ。

夢の中で、僕は笑っている。みんなが苦しみ、のたうち回るのを見て笑っている。

夢の中で、犯人は僕だ。僕は、僕のことをいつも蔑《さげす》むように見ていたあの家の息子や、旧家の台所を任されているからと偉そうにしていた家政婦や、我が家の偉大さを分からない他所者《よそもの》だと僕らの一家を疎外していたあの家の人たちが、床の上でもがき苦しんでいるのをせせら笑っている。僕はあの家の子供たちに憧《あこが》れていて、しょっちゅうあの家に行ってはみんなにまとわりついていたけれども、決して僕が受け入れられてもいないし、好かれてもいなかったことを知っていた。軽んじられている自分を憎み、軽んじている彼らも憎んでいた。

だから、あの日、あの家に行った。

僕は今迷っている。

ここで、続きを書くべきかどうか迷っているのだ。

君は不思議に思うだろう。いったい何を迷っているのか。なぜこんな手紙を書いているのか。

僕があの街で住んでいた家は古い日本家屋で、狭い裏庭があった。ヤツデとか、山茶花《さざんか》とか、湿っぽい庭に陰気臭い庭木が生えていた。

隣の家とはブロック塀で隔てられていて、そのブロック塀は近所の猫の通り道だった。部屋で宿題なんかしていて、ふと顔を上げると、ガラス戸の向こうで、塀の上を歩いている猫と目が合ったりしたものさ。時々猫は、ヤツデの下の敷石に座って、のんびり毛づくろいをしていた。

僕があの日、最初にあの家に行った時、ちょうどジュースとビールが届いたところだった。それを見た僕が欲しそうにしていたせいだろう。お手伝いの女性が、一本ジュースをくれたんだ。蓋《ふた》も開けてくれた。

あそこで僕がそれを飲んでいれば、また話は違ってきていただろう。ひょっとしたら僕だけが死に、みんなは助かっていたかもしれない。そうしたら、僕の名は不幸な英雄としてみんなに記憶されていたかもしれない。

だけど、そうはならなかった。

僕はそそっかしくてせっかちだけど、実はとても臆病《おくびょう》で疑い深く、逃げ足だけは速い奴なんだ。僕は、お手伝いの女の人が罎《びん》の蓋を開けた時、あまりにあっさりと蓋が開いたことで「おやっ」と思った。ちょうどその日の一週間ほど前に、うちの母親に、コーラを一度に飲むのは一本だけという約束を破って、三本目を飲もうとしていたところを見つかってお目玉を喰《く》らった。それで、開けたばかりの罎の蓋を一生懸命元に戻した。一見、それはうまくいったように見えたけど、何日かあとにそれを冷蔵庫から取り出して飲んだら、蓋はあっさり開いたし、すっかり中身の気が抜けていた。

そのことを、身体のどこかで覚えていたらしい。誰かがいったん蓋を開けて、もう一度閉めたんじゃないか。そんなことをとっさに疑っていたんだね。

僕は、罎を持っていったん家に帰った。匂いを嗅《か》いでみたら、なんだか酸っぱいような、苦いような、おかしな臭いがした。

家の玄関に入ろうとしたら、白い猫がブロック塀を歩いていくのが見えた。

僕は、猫に毒見をさせることを思いついた。狭い軒下を通って、裏庭に入り込み、案の定そこで毛づくろいをしていた猫の前に、少しジュースを垂らしてみた。

効果はすぐに現れた。ほんの少し舐《な》めただけなのに、猫はよろけ、おかしな痙攣《けいれん》をした。自分の身の危険を感じたのか、猫は少し威嚇の声を出すと、人間の千鳥足のような歩き方で、必死にその場を立ち去っていった。

僕は自分が見たものの意味を考えた。

いや、果たして考えていたのかどうか。今思い出してもあの時のことは分からない。

僕は、そのジュースを飲むのをやめた。家の前の下水溝に流してしまい、あの家に戻り、誰もいない勝手口に置かれたケースに、着ていたシャツで壜を拭《ぬぐ》って入れておいた。

僕は、そのことを誰にも言わなかった。そのジュースをあの家の人たちが飲むということは分かっていたつもりだけど、それがどういう結果になるか、予想していたとも言えるし、予想していなかったとも言える。

僕は、もう一度家に帰り、妹を呼びに行った。

あの時僕が何を考えていたのか、今も繰り返し考える。なぜ猫のことを言わなかったのか。なぜ壜の蓋や刺激臭のことを言わなかったのか。

分からない。

本当に、分からないんだ。

そして、夢の中の僕は笑っている。

みんなを見て笑っている。のたうち回る人々の間で、白い猫も倒れている。おかしな形に手足を伸ばして、ぶるぶると震えている。

こんな手紙で、すまない。

こんな手紙を君に残して、本当にすまない。

僕は、眠るのがとても怖い。夢の中で、あの人たちと、白い猫に会うのが今も怖くてたまらない。

八

市民グループ、話し合いを提案

いぜん膠着《こうちやく》状態が続いている青澤邸の保存問題について、市民グループから新たな提案がなされた。実質的な青澤邸の相続人である、緋紗子シュミットさん（現在、米国在住）を交えて、青澤家の最終的な意思決定を確認したいとの考え。

青澤家の弁護士によれば、既に緋紗子さんにはこの旨を伝え、緋紗子さんもこの提案を了承したという。早ければ十六日に帰国し、市民グループとの話し合いに参加する見通し。

第十三章　潮騒の町

一

そして今私は、彼女とここに立っている。

日の傾きかけた初秋の午後だ。

人気のない海辺の小さな町で、眼下に広がる海を見ながら、こうして風に吹かれている。

まだ陽射《ひざ》しはキラキラしていて、熱っぽさを残しているように見えるけれど、夏の初めの瑞々《みずみず》しさはとっくに色褪《あ》せてしまい、かろうじてその輪郭を残しているだけだった。

長い道のりだったような気もするし、短い時間だったような気もする。

ここまで来るのに苦労したはずなのに、今となっては全てが夢の中の出来事のようだ。

これまでに会った人たちが、なんだか遠い人に感じられる。今目の前にいる彼女だけが、生まれて初めて会った人間のような感じだ。それでいて、彼女は誰よりも遠いところにいるようにも思えるのだった。

地鳴りのような潮騒《しおさい》が午後の丘に満ちてくる。

世界を埋めるその音のお陰で、沈黙が苦にならなかった。

今の私は待つだけだった。ゆっくりと防風林が揺れるのを眺めながら歩いている彼女が、いつか話し出すのを待つ。それしかもう私のすべきことは残されていなかった。

それにしても、さっきから、彼女の印象が定まらないのに困惑していた。

海の光が邪魔をしているのか。それとも、これまでに私が作り上げてきたさまざまなイメージが私の目にバイアスをかけているのか。それを見定めようと、ずっと彼女を目で追い続けているのに、彼女の姿がよく見えないのだった。

思ったよりもずっと小柄で華奢《きゃしゃ》だった。想像していたよりもずっと線が細く控え目だった。相変わらず色白で顔立ちも美しかったけれど、皮が薄く首も肩も肉が落ちているので、なんだか痛々しく淋《さび》しい気配が漂っている。

こんなはずはない。頭の中で強く否定する自分がいる。

私の知っていた彼女、皆が語った彼女はこんなではなかった。

自分でも何に動揺しているのかよく分からない。

突然、くるりと彼女が私に向き直り、こう言った。

そう、あなた、順ちゃんの学生時代のお友達だったのね。あの、おかしな男の子。近所の三人きょうだいの真ん中の子。懐かしいわ。片時もじっとしていないで、みんなを笑わせてばかりいた子だったわ。

彼女は記憶を探るような遠い目をし、私を見た。

私は彼女の目を見返す。

逆光になって見えないけれど、彼女の瞳《ひとみ》には私が映っているはずだ。

青澤緋紗子の目は、見えるようになっていた。

二

知らなかった。順二君が亡くなったなんて。幾つだったの？

私と彼女は並んでゆっくりと遊歩道を歩いていた。

二十七でした。本当に、突然だったんです。

私は答える。自分の声が、他人のもののようだった。彼女とこうして言葉を交わしていることと自体、不思議なことのような気がした。

彼女は驚きの声を上げた。

そんなに昔のことだったの。若かったのね。

私は潮騒の中で考える。ここまでの道のり。そして、その長い道の一番初めにあった、彼から来たあの手紙を。書いた本人はもう歳を取らないが、引き出しの中のあの手紙と共に、私は歳を重ねてきた。

何度読み返したことだろう。その手紙の意味を彼に聞きたいと、何度願ったことだろう。むろん、その機会が永遠に訪れないことは知っていたけれども。

お気の毒でした。

青澤緋紗子は、慎み深く、私に気を遣ってそう言った。その口調から、彼女が、私と彼がそういう仲だったと考えているのが分かったが、わざわざ否定はしない。

二人の沈黙が潮騒に掻《か》き消される。

私たちは、決して特別な仲ではなかった。むしろ、大学時代のゼミの中でも、疎遠なほうだったと言えるだろう。

しかし、私たちは、自分たちが似ていることに気付いていた。この世界が、自分たちにとって居心地の悪い場所であると知っている者。取り立てて抵抗したりはせずにこの世界に折り合いをつけていけるものの、どこかに違和感を持っている者。自分の優しさや善良さを信じていない者。この世の表層とは異なる世界があることに気付いている者。

私たちは、そういう者どうしであることを知っていたのだ。だからこそ、私たちは近付かなかった。似た者どうしだと認め合うのが怖かったからだ。

明るく話上手な彼はゼミでも人気者だったけれど、私は彼の正体を知っていたので遠巻きにしていたし、彼もそのことに気付いていた。

記憶の中の彼は、いつも一人で、困ったような笑顔でこちらを振り返っている。

なあ、分かるだろ？　君も、こんな気分なんだろ？

彼は、そうこちらに語りかけている。私に同意を求めている。

あの手紙を読んだ時も、私は当惑した。彼が私に、何かとても恐ろしいことの同意を求めているような気がしたからだ。実際、それはとても恐ろしいことだったのだが。

重い潮風が髪をなぶる。

不思議だ。ここ何年も、私が考えていたのは青澤緋紗子のことだけだった。もはや、出発点であるはずの彼のことは顔も忘れ、記憶の片隅に追いやり、ただひたすら昔のあの事件のこと、その後起きたことについて考えていた。なのに、目の前に青澤緋紗子がいる今になって、なぜか彼のことばかりが思い出されてくるのだ。

目はいつ見えるようになったんですか。

私は尋ねた。

二年ほど前、と彼女は答えた。

ずっと臨床実験に参加していたの。神経細胞を培養して再生させて、移植する手術を受けたの。成功率は低いと言われていたし、実際失敗した人も大勢いたのだけど、私は奇跡的に回復したの。

彼女は静かな声で答えた。しかし、その口調は暗く、とても「奇跡的」には聞こえないほどだった。

どんな感じでしたか、数十年ぶりに視力を取り戻すというのは。

私は彼女の暗い声に気付かないふりをした。これは何かの罠《わな》かもしれない、と身体のどこかで警戒していたのだ。

そうね、あまりの美しさに幻滅したわね。

私は耳を疑った。

幻滅？　幻滅とおっしゃいましたか。

そう聞き返すと、彼女はかすかに笑った。

そう。幻滅したの。それまでの私の世界のほうがずっと面白かったから、暫《しばら》く馴染《なじ》むことができなかったわ。

彼女の声には、静かな絶望があった。

それまでの世界。見えなかった世界のことですよね。

私は用心しながら尋ねた。

ええ。

彼女は海のほうを向いた。なんだか、私の質問にはもう興味を失ったみたいだった。

光の粒に輪郭が乱れる。

結局、青澤邸は取り壊されることに決まった。彼女がそれを望んだのだ。

あの事件を忘れたい。あの事件を思い出させるものが残っていてほしくない。皆さんが愛着を抱くお気持ちは有難いが、今や青澤家は財政的にも苦しく、家を維持管理していく費用を捻出《ねんしゅつ》することは事実上難しい。

彼女がそう述べると、さすがに熱心な市民も、それ以上保存を働きかけることは心情的に難しくなった。早晩、解体工事は再開されるだろう。

私は別のことを考えながらその記者会見を聞いていた。

彼女があの事件を忘れたいのは別の理由があるのだろうか。何人かの証人が疑っていたように、彼女が事件の首謀者だったからなのか。

かつて聞いた場面が頭の中に次々と浮かぶ。

公園でブランコを漕《こ》ぐ緋紗子、嘲《わら》う緋紗子、百日紅《さるすべり》を見上げる緋紗子、皆にかしずかれている緋紗子、女王のように振舞う緋紗子、折り鶴を受け取る緋紗子。

そんな私のイメージは間違いだったのだろうか。みんながうっとりと語る彼女が、本当に目の前の彼女と同一人物なのだろうか。

この、目の前のかぼそい中年女性と。

私はチラッと彼女を見た。

幻滅。それをいうなら、幻滅したのは私のほうだ。

私は苛立《いらだ》ちを覚えた。

失望しているのは私だ。伝説のヒロインを引っ張り出してみたら、ただのどこにでもいる中年女だったなんて。私が惹《ひ》かれた、あのミステリアスな悪女はどこにいるのか。

騙《だま》されたような気がした。

私は彼女に惹かれていた。みんなの語る彼女にどうしようもなく惹き付けられていたのだ。今日まで調べるのを止められなかったのも、どうしても彼女に会いたいと思ってやってきたのも、そのせいだ。

海が迫《せ》り出してきた。

それとも、あれはみんなが作り出した幻だったというのか。

ひときわ大きな波濤《はとう》の響きに、私の思考は呑《の》み込まれる。

みんなが彼女を望んでいたとしたら。精神を病んだ思いつきの犯人ではなく、世にも悪魔的で奸智《かんち》に長《た》けた、美しい犯人を望んでいたのだとしたら。

そう思いついて愕然《がくぜん》とする。

証拠は何もない。彼女の笑顔や思わせぶりな言葉や妖《あや》しい姿だけ。古本屋は焼け、雑賀満喜子も死んだ。

何もない。彼女が首謀者だと名指すものは。ただ、みんなの憶測と希望を除いて。

私の横を歩いているのは、みんなの妄想を受け止めているただの影だった。

何か理不尽なことが起きた時、人々は皆、理由を求めるのだ。大きな陰謀、邪悪な企《たくら》み。弱い私たちは、そういったものを作り出さずにはおかない。自分たちよりも遥《はる》かに優れた存在に説明を求め、責任を転嫁させずにはいられない。

苦い失望を噛《か》み締めながら、私は歩き続けた。

三

みんながそんな目で見るの。

突然、彼女がそう言って笑った。

卑屈な笑みが、ほんの一瞬、彼女を老女のようにも、顔に亀裂《きれつ》が入ったようにも見せてどきっとした。

見えるようになった目で、そんな目ばかり見せられるなんて皮肉ね。

彼女は歪《ゆが》んだ笑みを浮かべたまま続けた。

返事ができなかった。彼女は私の幻滅と失望を感じ取っていたのだ。

彼女は歌うように言った。

なんだよ、これがあの青澤緋紗子なのか。かつてのあのお嬢様なのか。がっかりしたよ、子供の頃はあんなに聡明《そうめい》で綺麗《きれい》だったのに、今やこんな貧相なおばさんなのか。近所の人みんなの目がそう言っているの。

私は顔が赤らむのを感じた。まさに、私も心の中でそう呟《つぶや》いていたからだ。

彼女は押し黙り、海に目をやった。

蒸し暑い空気と一緒に、彼女の感じている屈辱が渦巻いているような気がした。

少しずつ日が落ちて、くすんだ薄墨色の雲が空に湧いてくる。どんなに晴れ渡った日でも、夕暮れの雲はいつのまにか必ず忍び寄ってくる。あの雲は、いつもどこからやってくるのだろう。

昔のあたしは特別だった。世界はあたしのものだった。

彼女は怒ったような声で呟いた。

そういう特別な感じや充足感が、今ではちっとも感じられない。目が覚めてみたら、世界はみんな他人のものだった、最初からあたしは何一つ与えられていなかった、そう気付いたようなものね。

声に満ちていた怒りは、徐々にあきらめに変わった。

色だってそう。

彼女は、道端の枯れたツユクサを何気なくむしり取った。

遠い昔、子供の頃に見た色だけでじゅうぶんだった。記憶の中の色だけでやっていけた。あたしの中の青や赤は、とても鮮やかで美しかった。瑞々《みずみず》しくて、清らかで、エネルギーに溢《あふ》れていた。現実の花よりも、ずっとずっと。

そう呟く彼女は、小さな子供のようだった。自分の家のものを自慢し、相手に優位を主張しようとする子供の虚勢。

夫もそうなの。違う女でも見るみたいにあたしを見る。

彼女は低く呟いた。再び、声に暗い怒りが帯びる。

あの人もあたしに幻滅しているんだわ。誰かに言っているのを聞いたことがある。

彼女は手に持ったツユクサで周囲の草を乱暴に払い始めた。

目の見えない頃のあたしは女神のようだった。全てに自信があって、何でも知っているように見えた。なのに、目が見えるようになったとたん、おどおど、きょろきょろして、いっぺんに歳を取ってしまった。まるで、魔法が解けてしまったようだってね。

魔法！　魔法ですって？　人を馬鹿にして。なんて勝手な言い草なの。アメリカに行ったのも、何年も面倒な検査に耐えて臨床実験に参加していたのも、みんなあの人を満足させるためだったのに。

いまいましげにツユクサを投げ捨てる。

私はじっとそのさまを見ているしかなかった。どこで話を切り上げようか、と心の片隅で考え始めていることに気付いた。帰りの電車の時間がちらつき出す。

が、そのことを見透かしたかのように、彼女はパッとこちらを振り向いた。

勘がいいことは確かなようだ。

ねえ、あなたもあたしが犯人だと思ってるんでしょ？

卑屈でギラギラした目が私を見ていた。

あの刑事や、あの本を書いた満喜ちゃんと同じように、あなたもあたしがあの事件の犯人だと思って、こうして近付いてきたんでしょう？　分かってるわよ、その目を見れば。時効は中断してるんですものね、ここで告白でも待ってるの？　何かスクープでも狙ってるの？　それとも、順ちゃんの復讐《ふくしゅう》？

怒った顔を装っていたが、そこには媚《こ》びがあった。

緋紗子の声の卑しい響きに、激しい嫌悪感が込み上げてきた。

こんな女だったのか。

かつての神々しい少女は、今や他人の歓心を買うために、自らスキャンダルを売る落ち目のタレントに成り果てたのだ。こんな声を聞くために長い歳月を費やしてきたのだだと思うと、怒りと徒労が同時に押し寄せてくる。

が、私の軽蔑《けいべつ》に気付くと、彼女は背筋を伸ばし、表情を変えた。

私はぎょっとした。

その瞬間、歳月が裂け、誇り高く堂々とした少女のまなざしが蘇《よみがえ》ったからだ。

慌てて私も背筋を伸ばし、改めて彼女の顔を見た。

静かな、聡明な目が私を見ていた。

彼女は厳かに言った。

いいわ。土産話に、あたしの知っている真相を話してあげる。

四

浜辺を見下ろす高台の遊歩道は、ゆるやかなカーブを描いて下り坂になっていた。

遠くに黒い松林が見える。

あそこに小さな公園があるのよ。子供の頃は何度もあそこに連れてきてもらったわ。

緋紗子はそう言って、松林を指差した。

その話は聞いたことがあったが、実物を見るのは初めてだったので、懐かしいような、感慨深いような不思議な気分になった。

私たちはゆっくりとそこを目指した。緋紗子からは、さっき見せた子供っぽい苛立ちや卑屈さがすっかり消えてなくなっていた。その静かな物腰に、私はかつての彼女の姿を見るような心地がした。

またしても混乱を感じ、忘れていた警戒心が蘇る。

あの卑屈さは演技だったのか？

これまでのイメージとは異なるのを感じながら、私は考える。

あれもまた何かの罠《わな》だったとすれば？

まさか、人のいないところに誘い込まれて、私も消されてしまうのでは？

背中に冷たいものを感じた。

ここに来てから、誰にも会っていない。私たちを見かけた人がこれまでにいただろうか。遠目に見た人はいても、それが私と彼女だと分かるとは思えない。私が今日ここで失踪《しっそう》しても、私の行き先や目的を知っている人間はいない。そしてまた、緋紗子は証拠を一つ処分してアメリカに帰っていくのだ。

向こうに教会があったの。今はもうないわ。

私の警戒心に気付いているのかいないのか、緋紗子は懐かしそうに、かつて聳《そび》えていたであろうその教会を、遠い空に見ていた。

教会は、養護施設も兼ねていたの。母がよくあそこに行って、みんなにクリスマスプレゼントやお菓子を渡していたわ。あたしはいつもお供に来ていたの。潮騒を聞くのが好きだったから、キミさんと一緒にあの公園に来て、何時間も座っていたものよ。

小さな公園が見えてきた。

白い石のベンチがひっそりと置かれている。S字形の、大きなラブ・チェア。

知能の発達が遅れている子がほとんどだった。身体は大きくて、見た目も大人なのに、みんな純朴な子供のまま。あたしが行くと、みんなとても喜んで寄ってきて、いろいろな話をしたがったわ。明るくて、無邪気で、あの子たちとお喋《しゃべ》りをしているとふわふわした色とりどりの風船になったみたいで楽しかった。

緋紗子は話が上手だった。なめらかでしっとりとした声は、いつまでも聞いていたいような心地にさせられる。

ほら、このベンチよ。おかしな形をしているでしょう。背もたれが高いから、向こう側に座っている人は見えない。でも、色ガラスが嵌《は》まっているから、誰かがいることは分かるんだけどね。

私たちは、そのベンチに並んで座った。

白い乾いた石が、太陽の陽射《ひざ》しを吸って温かくなっていたが、もう我慢できないほど熱いというわけではなかった。腰を下ろしてみて、私は自分がかなり緊張し、疲れていたことを悟った。

あたしはここにずっと座っていたわ。キミさんは、向こう側で編み物をしていた。時々ガラス越しに話をしたけど、大体はじっと黙って潮騒を聞いていた。むきだしの潮風を頬に感じて、潮騒を聞いているとなんだかとても気持ちが落ち着いたの。

私たちは、並んで遠い水平線を見ていた。

かつての彼女は、あの水平線を見ることはなかったはずだ。

私は目を閉じてみた。

を開けてしまう。

四方八方から潮騒《しおさい》が攻めてきて、世界は拠《よ》り所がなく、たちまち不安になり、すぐに目

ちらりと隣を見ると、緋紗子の冷めた横顔がある。

その目は、何年も眺めていた風景のように、海の彼方《かなた》をじっと見据えていた。

あれはいつのことだったか、もう思い出せないわ。

冷めた横顔が話し始めた。

時々、キミさんが、母の手伝いに行って、あたしが一人でここに残されることがあったの。一人になるのは嫌じゃなかった。

緋紗子はそっと手を伸ばして、色の入った曇りガラスを撫《な》でた。

こんな絵だったのね。だから、あの人はそう言ったんだわ。

そこには、黒い線で囲まれた赤い花の模様があった。緋紗子の指は、その黒い線をゆっくりとなぞっていく。

あの人は、そっちから来たわ。

彼女は、私たちが歩いてきた遊歩道を指差した。

とても静かな、知的な声だった。あたしの杖《つえ》を見て、目が見えないことが分かったのね。あたしがびっくりしないように、最初に声を掛けたの。

こんにちは、散歩してる者です、僕はそっちに座ります。そう言って、キミさんが座っていたところに腰掛けたのが分かった。

感じのいい人だった。当時のあたしはとにかく勘がよかったから、彼が悪人ではないと直感したわ。むしろ、かつて心痛む目に遭って、何かの喪失感に苦しんでいる人だと。

緋紗子の声に、遠い感情が蘇った。

以来、ここで言葉を交わすようになったの。彼は、このガラス越しに話をすることを好んだわ。誰からも見られたくない、姿を消してしまいたい、とよく呟《つぶや》いていたっけ。

そう、あの人は、あたしのことを「花の声」と呼ぶようになったの。

五

それは奇妙なランデブーだった。

男は、あまり少女の顔を見ようとはしなかった。彼女と向き合うより、その声を聞くのが好きらしかった。彼は公園にやってきて挨拶《あいさつ》をすると、そっと反対側の席に座り、ガラス越しに会話をするのだった。

そんなことが数ヶ月にいっぺんずつ、思い出したように繰り返された。

世界の片隅で、誰からも顧みられない場所で、潮騒と潮風に包まれて、訥々《とつとつ》とした他愛のない会話が交わされた。

男も、少女も、そのつかの間の、いつ訪れるか分からない消極的な逢瀬《おうせ》の時間を気に入っていた。男は、少女が誰かといる時には近寄らなかったから、二人が話しているのを見た人はほとんどいなかっただろう。

互いに、自分の話はほとんどしなかった。知りたいとも思わなかった。

最近聞いた音楽の話。星の運行や朝顔のつるの向きといった科学の話。ギリシャ神話と古事記との類似性。現実に向き合う必要のない、理性と知性の世界。そんな形而上《けいじじょう》の世界が織り成す硬さや美しさが二人の話の主なテーマだった。

時間はゆっくりと過ぎ、二人の低い声と潮騒が静かに溶け合う。

何かの拍子にそんな会話が途切れ、潮騒も消えて、魔のような静寂が訪れる時があった。

二人はその瞬間について、話をした。

世界が消える。二人きりになる、至福のその瞬間について。

少女はふと、心の中でずっと考えていた望みをポロリと口に出した。

それは、口に出したとたん、火傷《やけど》しそうな奔流となって、彼女と青年の間に溢《あふ》れ出した。

青年は、その思いがけない熱っぽい響きにじっと耳を傾けていた。

突然、沈黙を破って巨大な潮騒が押し寄せてくる。

それは、二人を威嚇し包み込む、ゾッとするような響きだった。二人は身体を震わせ、同時に戦慄《せんりつ》した。

そして、恐らくはこの瞬間が——少女のこの何気ない呟きが発せられたこの瞬間が、全ての始まりであったのだ。

六

偶然なの。不幸な偶然。

彼女は淡々とした声で呟いた。私が納得できない表情をしているのに気付いたのか、取って付けたように言い添える。

偶然という言葉が気に入らないのなら、不幸な運命だったと言うわ。

彼女はチラッと私を見た。ほんの短い一瞥《いちべつ》だったが、針で刺されたような気がした。

あたしは何も知らないし、何かをしたわけじゃない。

その声には、ふてぶてしささえ滲《にじ》んでいた。

あの人、何か紙がないかと言ったの。

彼女は、膝《ひざ》の上で気取った仕草で指を組んだ。

何か思いついて、書き付けたいと言ったことがあったわ。それが何だったのかは覚えてない。たまたまあたしが持っていた紙が、教会に持ってきたお菓子を包んでいた紙で、その紙がキミさんの使った電話のメモ用紙で、そこに父の友人の住所が書かれていたことなんて予想もできなかった。第一、あたしにはそのメモに何が書いてあったか見ることができなかったんだから。ね、そうでしょう？

その声には、私の心をざわめかせる何かがあった。

不安を掻《か》き立てるような、神経を逆撫でするような何かが。

うちの医院でお薬を出す紙袋も、メモ用紙で使っていたわ。うちの医院の住所と電話番号が書かれた袋。もしかしたら、その紙を渡したのかもしれない。

彼女は挑発するように手を広げた。

あたしには毒を手に入れることなんかできなかったし、ましてや仕込むこともできなかった。ええ、あの人が精神を病んでいることは知っていたわ。ここに来ても、独り言ばかり言うようになって、だんだん意思の疎通が図れなくなってきていたんですもの。正直言って、少し怖くなっていた。当然でしょ？　何か起きてもあたしには身を守ることができないんだもの。

そっと彼女の横顔を見た。そこにある表情にぎくっとする。

だから、あの人に最後に会ったのは、事件の起きる半年も前だったわ。まさか、あたしの言葉をあんなふうに——まさかあんなふうに解釈していたなんて、夢にも思わなかった。

その顔は満足げで、誇らしげでもあった。きらきらと光る目に熱を帯びた水平線が映っている。

あたしには何も見えなかった。何が起きているか見ることができなかったのよ。あたしには無理。あんな小さな、無力な女の子だったあたしにできたはずがないの。

だが、彼女が否定すればするほど、はっきりと別の声が聞こえてくる。

あたしにはできた、あたしは全てを知っていた、あたしが何もかも仕組んだのよ、と。

私の頭の中では、彼女の勝ち誇った声が響いている。

教会のあの子たち、あたしのことを慕っていた。あの人のことも。あの人、子供たちにとても好かれていた。キミさんや修道女のことは避けていたけど、あの子たちとはよく遊んでくれていたわ。不思議ね、あの人の無垢《むく》さが、同じく無垢で可哀相な彼らを引き寄せたんだわ。

彼女は今や笑みを浮かべていた。遠い水平線に過去の栄光を見つめながら。

だから、あの子たちがあの人の言うことを聞いたって不思議じゃない。あの人が電話を掛けろと言えば掛けたでしょうし、あたしが身寄りのないお年寄りの家に行って一緒に花火で遊んでおいでと言えばその通りにしたでしょう。もちろん、あたしは何もしなかったし、あの人があの子たちに何を頼んだかなんて知る由もないわ。

いきなり彼女は振り向いた。

ねえ、そうでしょう？

今や満面の笑みを湛《たた》えた彼女が私を見ている。思わず私も食い入るようにその目を見つめてしまう。なんという笑顔だろう。まるで怒っているような――いや、泣いているかのような凄《すさ》まじい笑顔。この人はやはり殺人鬼なのだろうか。これは殺人鬼の勝利宣言なのだろうか。それとも、一風変わった告白なのだろうか。彼女は私に告発されたいのか、それとも丸め込みたいのか、それとも――

時に、人間の笑顔は裂けた木のように見えるということを知った。

もちろん、証拠は何もない。今の話に、犯人しか知らない部分が含まれていたとしても、それを証明する手立ては何もないのだ。

あの青年もそうだったんでしょう。結局は、みんなあなたを慕っていたんでしょう。

私はかすれた声で言った。

あなたが死ねと言えば、あの人はその通りにしたんでしょう？

七

ある朝、少女はいつものように早く目覚める。

いつものように、ざわめきと音楽とラジオやＴＶの音に溢れた家の中で。

彼女の目覚めは鮮明だ。パチリとスイッチが入り、音がいっぺんに身体の中に流れ込んでくる。そして、部屋の天井の高さを感じる。

部屋の中はとても蒸し暑かった。全身は既にびっしょりと汗にまみれ、何時間も動き回っていたかのような疲労を感じる。気圧が低い。肌にまとわりつく不穏な気配に、彼女は嵐の予感を覚える。

ああ、まだこの世界は続いているのね。

目覚める度に感じる失望と倦怠《けんたい》。すっかり慣れ親しんだ感覚。

しかし少女は、いつものざわめきに加えて、華やいだ緊張があることに気付く。たちまち覚醒《かくせい》する頭。彼女はその日が特別な朝であることを思い出す。

嵐が来る。

そう、一族にとっても、この日は特別な日になることが決まっていた。しかし、今はこの家の中で少女だけが、家族や近所の人たちが思っているのとは異なる意味で、今日が特別な日になると知っていたのだ。

八

ユージニア、というのは何なんです。

からからになった声で、私はそう尋ねていた。

みんなが知りたがっていたあの名前。あれは誰の名前だったんです？　あの詩を書いたのは誰なんです？

彼女はふっと黙り込んだ。それまでの高揚していた空気が冷め、一気に気温が下がったような気がした。

刑事さんにも何度も聞かれたけど、知らないわ。綺麗《きれい》な名前ね。

声も打って変わって無表情になる。彼女は再び、針のような侮蔑《ぶべつ》のまなざしを私に投げた。思わず身を縮める。

なんでそんなことを聞くの？　あたしに分かるはずないでしょ。あたしには、紙に書かれていた詩を読むことなんてできなかった。どんなに素晴らしい詩がそこに書かれていたとしても、誰かが読んでくれない限り、あたしにとっては無に等しい。それがどんなに残酷なことか知ってる？　図書館の中にいても、あたし一人きりなら無意味なのと同じよ。

彼女のつんとした横顔に、何かが噴き出してくるのが分かった。

いい加減にシラを切るのはやめて。

私はとげとげしくそう叫んでいた。

あなたには罪の意識ってものはないんですか。

私はもう止められなかった。自分の声が馬鹿みたいに震えているのを聞く。私の中から噴き出すものは、今や堰《せき》を切って溢《あふ》れ出していた。困ったような笑顔を向けている、彼の顔が脳裏に浮かぶ。

どうしてあんなことを？　なぜあなたは家族を殺すような真似を？　近所の子供まで。あんなに大勢の人たちを、いったいなぜ？　みんなあなたを愛していた人たちじゃありませんか。

ついにそう口に出してなじっても、彼女の表情は変わらず、私の言葉は彼女にかすりもしなかった。彼女は平然とそこに存在している。

教えてください。私はただ知りたいだけなんです。告発なんてしない。誰にも話しはしない。証拠があるわけじゃないし、あなたのしたことを証明するものなんて存在しないことを、あなただって知っているでしょう？

彼女の代わりに、長い潮騒《しおさい》が応《こた》える。

九

何かを知っている、というのは罪なのだろうか。何かが起きるかもしれない、と知っていることは？

少女はなかなか身体を起こさなかった。

きっと罪だろう、とどこかで声がした。

その声を、少女は冷静に分析した。

それではあたしは悪なのだろうか、と少女は思った。こうしてここでじっと黙っているあたしは悪なのだろうか。

その質問に答える声はなかった。

勘違いかもしれない。単なる妄想かもしれない。何も起きないかもしれない。ただの華やいだ、記念すべき一日なのかもしれない。このままこの世界はずっと続いていくのかもしれない。

少女は、じっと寝床の上で考えている。

しかし、何かが起きてしまった場合は？

賑《にぎ》やかな声が行き交い、スリッパがぱたぱたと廊下を駆け回る音が響く。

不意に少女は顔を歪《ゆが》め、両手で顔を覆う。絶望と落胆が、ふとした拍子に、我慢できない衝動に彼女を沈めてしまう。

ああ、いつだってこの家はこんなだった。静けさや沈黙とは無縁の家。

彼女が長い間焦がれ、夢見ていたその世界とはあまりに異なっていた。耳に入る小言や文句、お世辞と追従、生臭い世間話、ドアの陰でやりとりされる策略、根回しと呼ばれる陰謀、母の偽善と呪いに満ちた祈りの声、俗っぽい音楽、けたたましい嬌声《きょうせい》。

少女の五感は、視覚を除いて実に鋭敏だった。あらゆるものを聞き、あらゆるものを感じていた。そのことをみんなも知っていたが、彼女が実際に感じているほどには知らなかったのだ。

＋

パチンコ屋の宣伝車の音が、風に乗ってけたたましく響いてきて、すぐに消えた。

彼女は顔をしかめた。

ああ、嫌ね。どうして、世の中にはあんな醜い音が溢れているんでしょう。けたたましくて、うるさくて、威圧的で、まるでみんなに考える余裕を与えまいとしているみたい。みんながみんな、誰かの声や自分の声を聞きたくないばかりに、他の音で世界を塗りつぶしているんだわ。

彼女はぶるっと身震いをして、両腕を抱く仕草をした。その仕草にふつふつと、強い嫌悪感が込み上げてくる。

お願い、はぐらかさないでください。もう、私には今この時間しかチャンスがないんです。死んでしまった彼のためにも、教えてください。被害者は事件の後も増え続けているんです。

私は懇願し、彼女の肩をつかんだ。骨ばって、あっけないくらいに細い肩。

しかし、彼女はやはり、まるで私の言葉を受け止めていなかった。

ほら、聞いてごらんなさい。ラジオや喇叭《らっぱ》がなくたって、世界はこんなにも音楽に満ちているのに。

彼女の声は虚《うつ》ろだった。無造作に私の手を振り払うと、スッと立ち上がり、一人でふらふらと歩き始めた。

十一

それは彼女の願いだった。

いったいいつごろから、それが彼女の一番の願いになったのか、もう思い出せないほど昔からの願いだ。

一人になること。この家で一人の時間を迎えること。静かな時を楽しむこと。そして、静かな時の中にこそ満ちている、世界の真実の音楽に耳を傾けること。

不穏な雨が降り始めた。大粒の雨がガラス戸を叩《たた》き、雨の音が他の音を塗りつぶしていく。それはやがて、裏手で遊んでいる子供の声を掻《か》き消すほどになった。

風を伴った雨はどんどん勢いを増していく。

嵐が来る。全てを奪っていく嵐が。そして、あたしに全てを与えてくれる嵐が。

それを手に入れるためには、強くならなければならないと彼女は知っていた。

それと引き換えに手放すものはあまりにも大きい。しかし、彼女は彼女自身が生きていくために、どうしてもそれを手に入れなければならないのだ。

彼女は静かに息を吸い込み、呼吸を整える。自分の心に、何度も繰り返した言葉を刻み込む。

あたしは誰よりも強く利口にならなければならない。誰よりも狡賢《ずるがしこ》く邪悪にならなければならない。この世界を手に入れるには、全てを引き受ける強さが必要なのだ。

そうすることが、彼女の望みを叶《かな》えてくれるであろうあの青年にできる唯一のことなのだし、彼女は彼に応えるつもりでいた。

ユージニア、私のユージニア。

彼女の頭の中に、静かな彼の声が響いてくる。

私はあなたと巡りあうために、一人で旅を続けてきた。

青年と少女は、海辺の椅子に腰掛けて、ガラス越しに一緒にその詩を作った。何度も口ずさみ、その日を夢見たのだ。

教会の子供たち。青年の名前を知りたがった子供たちに、彼女は「私の友人よ」と紹介したのだ。彼らは、それを彼の名前だと思った。ユウジン、ユウジン、と彼らは嬉《うれ》しそうに青年を呼んだ。

今も少女は彼の名を知らない。また、知りたいとも思わなかった。

彼女はもう一つの国を探していた。誰も知らない夢の国。世界が消えて、永遠の静けさに満ちた、二人だけの国。

二人はその国を、ユージニアと名づけた。

十二

一瞬、潮騒が途絶えた。

不安になるほどの沈黙が世界を支配する。

天使が通ったわ。

彼女は歌うように呟《つぶや》いた。

天使？　何を言ってるんです、あなたは。

私はムッとして尋ねたが、やはり質問に対する答えは返ってこない。

彼女は踊るようにふわふわと手を動かした。

世界が消えた。でもヘンね、今もまだこうして存在している。じゃあ、あたしはどこにいるのかしら。

何を言っているのかよく分からなかった。彼女は完全に一人きりの世界に入り込んでいた。

彼は夢の国に着いたかしら。じゃああたしは？　あたしは今夢の国にいるのかしら？　だとしたら、あたしの旅も終わっているはず。あたしの旅は本当に終わったのかしら？

呟きながら歩いていく痩《や》せた中年女。

私はそれでも彼女の後をついていく。教えてください、お願いします、と呪文《じゅもん》のように口の中で繰り返しながら。

あの人たちはうるさかったのよ、いつもいつも。子供の頃からいつもいつも。黙っていることができないの。いつも喋《しゃべ》ってるか、音を立ててるかしないと不安でたまらないの。自分の存在価値に自信がないからよ。

彼女は海に向かって両手を広げた。

ねえ、そうは思わない？　世界はこんなにも美しい音楽に満ちているというのに。

波はいつしか赤くなっていた。夏に倦《う》み、疲れ果てた空気が、夕暮れの海の上を漂っている。

一人の中年女が、病気の猫のように赤い光に包まれて歩いている。

あら、綺麗《きれい》な花。

彼女は歓声を上げ、唐突に足を止めた。

うちにあった花と同じだわ。懐かしい。ねえ、あれはなんという花だったかしら。

彼女は遠くを指さしている。私を振り返っているようだが、悔し涙と夕暮れの陽射しが逆光になっているせいで、その顔も、彼女が指さしている花も見えない。

見えないわ。あたしには見えない。私は首を振りながら、そう呟く。

見えない。何も見えない。彼の顔も。彼女の顔も。

彼女の輪郭が赤い海に溶ける。

あたしには見えるわ。

遠いところから自信に満ちた声が聞こえる。

ほら、あの花よ。なぜかしら——なんだかとても懐かしくてたまらないの。

第十四章

紅い花、白い花

甲高い蟬しぐれが聞こえる。

うだるような暑さは相変わらずだが、陽射《ひざ》しは徐々に力を失っていた。

残響のような蟬の声には、脳の一部を痺《しび》れさせる麻酔のような効果があると思う。あれを聞いていると、いつも頭がぼうっとなって、遠い季節に身体が引き戻されるような気がするのだ。

街も人も、音を立てて変わっていく。同じ世界は二度と存在しない。毎秒、瞬間ごとに異なる世界を人は生きている。

彼女は一人、幼い頃に住んだ街を歩いている。

目的もなく、予定もない。

本当にただ、回遊する魚のようにゆっくりと雑踏の中を歩く。

地理はなんとなく身体が覚えている。かつてここを歩いた自分と、今の自分とが微妙に重なりあっていて、足音が二重になって身体の中に響いてくる。

ほんの数時間。

たまたま、単身赴任中の夫のところに寄ったついでに降りてみたのだ。

ここに来る時は、いつも夏の残滓《ざんし》の中だ。

地面から立ち上る陽炎《かげろう》と、蒸し器に入ったような饐《す》えた空気の中にいる。

自分がなぜこんなところに降りたのか、正直よく分からなかった。この街の記憶について本を書いたこともあったが、それも既に彼女の中では過去のことだったからだ。

あたしは何をしたいのだろう。

彼女は不思議そうに街を見回す。まるで、街のどこかにその答えが書かれているとでもいうように。

繁華街の看板は、ごてごてと存在を主張しているが、そのくせどこか古びて、街の皮膚のように一体化しているように感じる。毎日同じ日の光を浴び、同じ雨を浴びているうちに、似た色に同化してきているみたいだ。

まるで家族のようだ。

彼女はそんなことを考える。一人一人は全く別個の人格なのに、同じ家で呼吸するうちに、歳月を経て似たような色に染まっていく。

あたしたちのような夫婦ですらも、今となっては似た色をまとっている。

彼女は、ついさっき別れてきたばかりの夫について考える。他人に対する無関心さの度合いについて、これだけ似ている夫婦はいないだろう。それは、お互いに対しても同様である。相手に対する無関心さが同じ強さでつりあっているため、これまで不思議と波風立てずに続いてきたのだ。

子供が巣立つまでが限界か、と薄々感じていたが、最近、いや、このまま最後まで続いていくかもしれない、と彼女は考え始めていた。互いに余計な労力を使わずに済むという点では、二人は実に息の合った夫婦であったからだ。これ以上にローカロリーでやっていける相手が見つかるとは到底思えない。つまり、これはこれで運命の出会いだったというわけだろうか。

彼女は心の中で苦笑する。

ふと、気のいい青年の姿が目に浮かぶ。暑い部屋で何度もテープレコーダーを回し、缶ジュースを飲みながら黙々とノートに証言を綴《つづ》っていた青年。かつて、何日も一緒に過ごした、気立てのよい年下の青年が。

なぜ彼のことを思い出したのだろう。やはり、感傷なのだろうか。あの時、彼に頼んだのは、心の底で彼のことを好きだったからだろうか。

戸惑いながら、彼女はゆっくりと歩き続ける。

平日の午後の喧騒《けんそう》が気だるく心地よい。

彼女は目立たない。どこにでもいる、昼下がりの街中の主婦だ。振り返る人もなく、注目されることもない。彼女はそのことに安らぎを覚える。

二

他人との関係というのは奇妙なものだ。

彼女はそんなことを考える。

何が人と人とを結びつけるのか、何が引き離すのか、誰にも分からない。

彼女の足は、知らず知らずのうちに、市の中心部にある日本庭園に向かっている。観光客の団体が吸い込まれていくのを横目に、一人ぶらぶらと入ってゆき、順路を外れてその建物に向かう。

塀に囲まれた、ひっそりとした空間。

大きな木造建築の中に入ると急に温度が下がり、かび臭い匂いが鼻を突く。

庭を回っているのか、ここに来る観光客はそんなに多くない。僅《わず》かな客たちのひそひそ声が、さざなみのように建物の中に吸い込まれていく。

暗い日本家屋。開いた縁側が切り取った風景に視線を集める。

この静謐《せいひつ》さと潔い空間に、彼女はいつもかすかな恐怖を感じる。

日本の庭は、見る者と見られる者がはっきりと分けられていて、そこに強い緊張感が漂う。そこには、生死を賭《か》けた勝負にも似た殺気がある。

見る者と見られる者。あたしはやはり見る者だったのだろうか。

彼女はじっと縁側に佇《たたず》み、四角い空間を見つめる。

あの人は、常に見られる側だった。そのことをあの人も知っていた。

彼女はじりじりと色を変えていく庭の緑を注視する。

見る者が存在しなければ、見られる者もまた存在しない。

庭を見ていると、そんな考えが頭に浮かぶ。この、全ての視線が計算され尽くした庭、見る者を徹底的に意識した庭を見ていると、鑑賞者なき庭は存在しないという気がしてくる。

見る者と見られる者は共犯者であるが、その線が交わることはない。

あたしは鑑賞者になりたかったのだ。

彼女は庭から目を逸《そ》らす。

罪があるとかないとかそういう問題ではなく、正しい鑑賞者に。

暗い廊下を歩き、二階に上がっていく。階段が鳴る音が、低く後ろからついてくる。

あの時期、あの人の存在は一種の奇跡だった。あたしはそのことを知っていた。けれど、他にそのことを知っていた人はほとんどいない。ただのお嬢様、綺麗《きれい》なお嬢様と崇《あが》めていた人たちはいたけれども、ただそれだけだった。

青々とした松が外に見える。

あたしは知っていたのだ。あたしだけが理解していたのだ。

奇跡が存在し、それを理解できる者が存在した時、そいつはどうすればいいだろう？　そのことを誰かに語らなければならないのではないか？　そのことを記録に残すべきでは？

かすかに風が入ってきて、彼女の頬をそっと撫《な》でる。

惜しむらくは、あたしに記録を残す能力が欠けていたことだ。もう少し能力があれば、もっと完璧《かんぺき》な形で残すことができたのに。あたしにはあれが精一杯だったのだ。

彼女にとってそれは苦い後悔だ。奇跡を表現するのはあまりにも難しい。どんな時代の芸術家たちも苦労してきたではないか。自分を彼らになぞらえる気はさらさらないけれども。


小さな部屋が見えてくる。

暗い青色の部屋。冷たく冴《さ》えざえとした、音のない部屋。とても貴重な青の顔料を壁に塗った、精密な細工のような部屋だ。見ているだけで肌がひんやりしてくる。

ここにかつて立っていた幼い少女が浮かぶ。

誰かに手を引かれ、この部屋を覗《のぞ》き込んでいる少女。

彼女は、冷たい廊下に立っている少女を見る。白いブラウスに紺の吊《つ》りスカート。

少女も彼女を見る。

二人は廊下に並び、冷たい色の部屋を覗く。

利発そうな大きな目を見開き、いっしんに、しかしどこかおどおどしながら中を見ている少女。

まだ失明する前の緋紗子の姿を、彼女はじっと見つめている。

三

あら、あなた。ひょっとして、あの時の方じゃありません？　そうだわ、やっぱり。あの事件のことを書きにいらした方ですよね？

恐ろしく記憶力のいい人だった。

前に会ったのは結婚する前だったから、恰好《かっこう》も髪型も全く異なっていたはずだ。しかし、ほんのちょっと目を合わせ、こちらが誰だか思い出す前にもう向こうは思い出していた。見た目はぽっちゃりとした、いかにも人の好いおばさん然としているのだが、彼女はとても優秀な警察官だった。それには、前に会った時も舌を巻いた覚えがある。

なにしろ頭の回転が速く選ぶ言葉が的確だ。記憶は細部まで正確で、曖昧《あいまい》なことや憶測は決して口にしない。もちろん人の話も丁寧に聞いていて、矛盾やごまかしには決して惑わされない。しかも情緒が安定していて目の前にいる相手への共感力があるので、この人なら、と誰にでも信用されるタイプの女性である。だから、この思いがけない再会の時も、彼女はすぐに打ち解けて頭を下げた。

駅の片隅で立ち話をした。

本の感想や、事件のその後。短い間ではあったが、会話の内容は充実していた。自分の時間も他人の時間も無駄にしない人だ、と改めて感心した。

この時にあの話が出たのだ。

前回は、まだ彼女も学生だったし、相手のほうも本を書くのに必要だとは思わなかったのかもしれない。だが、この時はぽろり、という感じでその話が出た。

事件直後に、刑事たちが初めて、生き残ったあの人と話をした時のことである。

まさか今頃になってそんな話を聞けると思わなかったので、彼女は内心驚いていたが、何の気なしに続きを聞いていた。

もちろん、あの子は自分がとても恐ろしい状況にいたことは理解していました。家族がほとんど亡くなったのも薄々気が付いていたようです。周囲は阿鼻叫喚《あびきょうかん》なのですからね。

駅の雑踏の外れで、彼女は話し始めた。

病院に運び込まれた時、最初はパニック状態でした。ひどく興奮していて、何かをずっと早口で喋《しゃべ》り続けていましたが、本人も、自分が何かを喋っているということに気が付いていなかったようです。看護婦も、私も内容を聞き取れませんでした。

ベッドに横たわる少女の姿が目に浮かぶ。

あの人——生き残った緋紗子。

優秀な警察官は話を続ける。

薬を打って、暫《しばら》く休ませてから、話を聞きました。かなり気を遣って、用心深く。何度もゆっくり話をさせました。とにかく、何か胸の内にあるらしきことを吐き出させることが大事だと思ったからです。その中に、事件の真相を探る手掛かりがあるかもしれませんし。

粘り強く話しかける婦人警官。慈愛を込めて、しかし何も聞き逃すまいと全身を緊張させて。

なかなか何を言っているのか分かりませんでした。

質問には反応するのですが、こちらの話す内容に反応しているわけではなさそうです。

医師と顔を見合わせる警官たち。

私たちは戸惑いましたが、辛抱強く話し掛けました。

やがて、ようやくあの子が何を話しているのか分かってきた時には、みんなたいそう驚きました。

色彩の話。

あの子は、自分が小さい頃の話をしていました。

かつて、まだ視力があった時の話を繰り返し繰り返し呟《つぶや》いていたのです。

なぜそんな話を繰り返すのかはさっぱり分かりませんでした。無意識のうちに、印象が鮮明だった時代に逃避していたのかもしれません。見えない世界で起きた惨事を理解するのが怖くて、まだ目で見て理解できた頃に退行してしまったのかも、と医師は言っていました。

印象的でした。

私は、彼女がテープレコーダーのように話を繰り返すのを聞いていて、なんだかゾッとしたのを覚えています。なにしろ、判で押したように同じ台詞《せりふ》を繰り返すのですから。まさに、壊れたレコードのようでした。

誰かと青い部屋の前にいる。白い百日紅《さるすべり》の花が怖い。

彼女が話したのはこれだけです。ただそうえんえんと繰り返していました。それが何を意味するのか、私もいろいろ考えましたが、とうとう分かりませんでしたし、あの子自身、後から聞いてみると、あれだけ何度も繰り返したことをちっとも覚えていなかったのです。

あの子は、家族が死んでいくのを聞きながら、いったい何を見ていたのでしょうね。幼い幸福な日々に逃げ込んでいたんでしょうか。

随分長く話していたような気がしたが、実際は二十分位だったろうか。

ぽっちゃりとした婦人警官は、そこまで話すと遠い目をした。

当時のことを、色彩の話を繰り返す少女のことを思い出していたのかもしれない。その時だけ、年齢不詳の顔が老けて見えた。

そうそう、あの子は、その話をする時に、しきりに手を動かしていました。何だったんでしょうね、手をくるくる回すような、そんな動きをするんです。何をしているつもりだったのかしら。

婦人警官は、長年考えていたその問題について、再びちょっと考え込む仕草をし、意見を求めるようにちらっと彼女を見た。

しかし、彼女はそれどころではなかった。

話の内容に、強い衝撃を受けていたのだ。

四

彼女はその建物を出て、緑濃い庭園に向かって歩き出した。

あの時、どんなふうに婦人警官と別れたのかよく覚えていない。恐らくは、会釈をして何か言って離れたのだろう。だが、彼女はその時聞いた話にすっかり気を取られていた。

あの衝撃をどうやって解消したのかもよく分からない。

青い部屋と白い花。白い百日紅の花。

あの夏も咲き誇っていた花——

蟬しぐれが身体の中に響き渡る。

あの台所に残されたメモの文句と重なり合い、彼女の中で鳴る。

私はあなたと巡りあうために、ずっと一人で旅を続けてきた——

緋紗子は、どんなつもりであのメモを残したのだろう。あれは誰に向けた手紙だったのだろう。緋紗子が全てを捧《ささ》げたかった相手は、本当は誰だったのだろう。

彼女の心に、不満と苛立《いらだ》ちが不意に湧き起こる。

あたしが鑑賞者のはずなのに。あたしが全てを知っているはずなのに。

忘れていたはずの感情が蘇《よみがえ》る。

自分が正しい鑑賞者であることを知っている人間は、それを誰かに認めてほしくなる。

まずは世間に。次に、鑑賞する対象そのものに。

緋紗子はあたしのメッセージを受け取っていたはずだ。あの本は、緋紗子だけにあたしが鑑賞者であることを伝えるメッセージなのだから。緋紗子さえ読んでくれれば、あの本は誰にも読まれなくてよかったのだ。

再び、熱心にノートを付けていた青年の姿が目に浮かぶ。

愛《いと》しさと侮蔑《ぶべつ》の交じり合った感情が湧いてくる。

彼は誤解をしていた。あの仕事を手伝わせたことがあたしからのアプローチではないかと疑っていたのだ。今にしてみれば、それはあながち間違いだとは言えない。あんな仕事を頼めるのは彼しかいなかった。彼の育ちのよさが眩《まぶ》しく、自分に好意を寄せてくれているのが嬉《うれ》しかった。あたしは、彼の気立てのよさを妬《ねた》んでいた。事件のことなど何も知らない彼の前で、過去の惨事の関係者であることを誇っていたのだ。

彼女は顔の上に落ちる緑の影に目を細める。

これからは永遠に、私たちは一緒。

緋紗子が水玉模様のブラウスを着て、あの涼しい顔で、低くあの詩を読んでいるのが聞こえてくる。

本当の緋紗子を知っているのは世界中であたしだけ。あたしは彼女を告発するつもりはない。そんなつまらないこと、無粋なことなど願い下げだ。

彼女は、大勢の観光客の喧騒《けんそう》を聞きながら考える。

観光客の踏む玉砂利の音の中で、久しぶりに考える。

そう、あたしは緋紗子がなぜあんなことをしたのか分かっている。

玉砂利の音。観光客の笑い声。遠い蝉しぐれ。

彼女は、頭の隅が痺《しび》れるように感じる。

ずっと前から知っていたような気がする。あの詩を読む前から。あの事件が起きるよりもずっと前、生まれる前から緋紗子のことを知っていたような気がする。

彼女は木漏れ日を見上げる。

緋紗子は、何かをしなければならなかった。何か大きな、重要なことを成し遂げなければならなかった。仕方がなかったのだ。あの事件が起きなければ、もっと違う、もっと大きな何かが起きていただろうから。

木漏れ日が眩しい。

まるであたしに向かって、誰かが光の弾丸を撃っているようだ。

あたしを責めているのか。咎《とが》めているのか。なぜあたしを?

彼女はよろよろと木陰に入り、ベンチに腰掛ける。

バッグからハンカチを取り出し、汗を拭《ぬぐ》う。背中に嫌な汗を感じる。

そういえば、あの婦人警官は全くといっていいほど汗を掻《か》かない人だった。いつもつるんとした顔をしていて、ちっとも化粧が崩れない。まるで人形みたいだった。不思議な人。

人造人間のよう。

遠い目をしていた横顔がちらっと浮かぶ。

あたしはずっと誰かになろうとしてきた。自分以外の誰か。自分ではないものがいったいどんな気持ちでいるのか知りたかった。

緋紗子。

けれど、結局は、自分が鑑賞者だったことを思い知らされただけなのだ。

彼女はじっとハンカチを握り、面影を追う。

緋紗子が海の向こうに住んでいることをあたしは喜んでいる。時効が中断されてしまうことも、あたしの喜びの一つだ。まだあたしとあの人との関係が続いていることを意味しているのだから。

彼女は、自分が想像以上に疲れていることに気付く。蒸し暑い午後の街をぶらぶらと歩き回っていたせいだ。

なんだか目の前が暗い。日射病だろうか。

彼女は飲み物を求め、茶屋を探す。

あの婦人警官に会わなければよかった。

彼女は吐き気と戦いながら苦々しく思う。

あの女が、あんなに記憶力がよくなければ——あたしのことを見つけさえしなければ。

暫《しばら》く忘れていた、忘れようとしていた悔恨が生々しく胸に蘇る。

そうすれば、あたしの奇跡は永遠に続いていたのに。

五

歩き出そうとした彼女は、一瞬立ちくらみがしたので、ベンチに引き返して休むことにした。

身体が重い。ちょっと休んでから飲み物を買いに行こう。

彼女は腰を下ろし、小さく溜息《ためいき》をついた。

白い百日紅《さるすべり》の花。

警察官は知らない。そして、この先も知ることはないだろう。

彼女はこめかみをゆっくり揉《も》む。

緋紗子がその花を見られたはずはない。

木漏れ日を疎ましく思いながら、彼女は考える。

見られたはずはないのだ。

緋紗子が満開の花に向かって顔を向けているところを思い出す。

それは絵のような光景だ。画家ならば、あの場面を切り取って描き残したいと切望するだろう。

緋紗子は、風景が変化しているとすぐに分かった。

特に、音と香りには敏感だった。花があればすぐに気付いたし、蕾《つぼみ》なのか、どのくらい咲いているか、散り際なのか、手に取るように感じていたことだろう。

ああ、木漏れ日が痛い。

彼女は目をこする。目の奥に鈍い痛みがあった。

だが、緋紗子は。

水玉のブラウス。風に揺れる髪。

緋紗子は、百日紅がどの花か知らなかった。

家の前の木に咲いている花を見たことはあったが、それが百日紅だとは知らなかったのだ。

あたしは当時から、そのことに気付いていた。

緋紗子は勘違いしていた。家の前の木に咲いている花は、別の花だと思っていたのだ。

なんということだろう。家族も、周囲の人間も、そのことに気付いていなかった。あたしはたまたまそのことに気付いたのだ。

あの人は、まだ目が見える頃に家の前の花を見ていた。しかし、名前を教えられたのは視力を失ってからだったのだ。

恐らく、あの人に教えた人が「百日紅」を「さるすべり」と読めなかったのだろう。

その人物は、「ひゃくにちこう」と言ったのだ。

百日紅は開花期間が長いし、赤い花もある。「ひゃくにちこう」という名前は、あの人の脳裏に刻み込まれた。家の前の木に咲く花は、「ひゃくにちこう」という花だと思い込んでいたのだ。

しかし、緋紗子は、その一方で、「さるすべり」という花があることも知っていた。緋紗子は、かつて見たことのある別のものを「さるすべり」という名前で覚えていた――

あたしはそのことを知っていた。恐らく、あたしだけが。

彼女は足元の玉砂利を見つめる。白く光り、熱を帯びた丸い石。見ているうちに、どんどんその石が大きくなり、白い水玉模様になる。

水玉のブラウス。風に向かって目を細める緋紗子。

しばしば、遠い過去の出来事がびっくりするほど鮮明に蘇《よみがえ》ることがある。今この瞬間がそうだ。なぜ今頃になって、こんなに鮮明に昔のことが思い出されるのだろう。この地を訪れたからだろうか。だけど、あたしは、どこかの場所に愛着を覚えたことなどない。ここだって、あの本を書いて、とっくに興味を失ってしまったはずだ。

でも、今日こうしてここに来ているじゃないの。

心の片隅で、そんな冷たい声がする。

興味を失っているなら、なぜこんなところに来ているの?

その質問に答える気がない彼女は、小さく首を振る。

分からない。だが、子供の頃に見た緋紗子の姿はこんなにもまだ鮮やかだ。髪の毛の手触りや、あの人の吸う空気の気配すら思い出せるような気がする。

そして、あの話をした緋紗子の声も――

六

青い部屋にいたのよ。随分小さい時。

おかしな話でしょ。

冷たい青。ひんやりとして、空気も動かない。

まだ目が見えた頃のことね。すぐそばに大人がいたわ。誰だったのか、よく分からない。

なんだか、怖かった。理由は覚えていないの。怯《おび》えて、そこに立っていた。

蝙蝠《こうもり》の気配を感じたわ。

怖かった。とても怖かったの。

誰かが近くにいたのに、一人ぼっちなの。

青い部屋。冷たい、青い色の部屋。見ているだけで、どんどん気温が下がってくるみたい。なんだかぞくっとして、肌寒さを感じたわ。

あたしは黙ってずっとそこに立っている。我慢して、その青い部屋にずっと立っている。

あたしはずっと、目の前の、青い冷たい部屋を見ている。本当は、すぐにその場所を立ち去ってしまいたいんだけど、どうしてもそうすることができないの。

そばにいる誰かに、助けを求めたいんだけど、それもできない。声を出せない。動けない。異様な緊張感があって、怖かった。

そばにいる誰かも動かない。ただあたしの後ろにじっと立っているの。まるで、あたしが逃げ出さないように見張っているみたい。

それだけよ。

そのあとどうなったのかは覚えてないわ。

覚えているのは、青い部屋に誰かといて、とても怖かったことだけなのよ。

七

冷たい風が吹きぬけたような気がした。

緋紗子のあの声、あの話を思い出す度に、身体がひやりと冷たくなるように感じたものだ。今でもそう。こんなに蒸し暑い、うんざりするような夏の午後なのに、今も冷たい風を感じた。

蝙蝠の気配。

緋紗子は、時々そんな分からない言葉を使った。

視力を早くに失って、イメージと見たことがあるものとがごっちゃになって、しばしば見えないものを見えるもののように扱っていたのだ。その逆もあった。けれど、そんな言葉遣いは、余計緋紗子を神秘的に見せ、奇跡的に見せた。緋紗子の言葉を理解できないほうがおかしくて、みっともないことだと相手に思わせた。

だから、緋紗子が「さるすべり」を知らなくても、もし別のものをそう呼んでいたとしても、誰かがそのことに気付いたとしても、誰も間違いを指摘しようと思わなかったし、もしかすると緋紗子のほうが正しいのかもしれない、と心の隅で考えてしまっても無理はなかったのだ。

不思議ね。怒りや悲しみは膨らんで感じるわ。

緋紗子はそんなことも言った。

見えないけど、大きさを感じるの。暗闇の中で、風船を膨らませている感じと言ったらいいのかしら。そこここで、怒りの風船や、悲しみの風船が膨らんでいるのを感じるの。風船の質感や量感も分かるわ。とにかく、何かが膨らむ手触りを、頭の中で感じるのよ。うきうきした気分は、きらきらしてる。見えないけど、何かが空気の上のほうできらきら瞬いていることは分かるのよ。好きだという感情や、憧《あこが》れは、気流や熱。

緋紗子は、自分が感じているもののことをよく説明してくれたけれど、時々もどかしくなるのか、突然絶句してしまうこともあった。

うちにはさるすべりがあるの。

緋紗子はしばしばそう言った。

あたしたちは、みんな、あの家の前に生えている木のことだと思っていた。

普通、誰だって、そう思うだろう。あの、丸い窓のある家。船の窓のある家の前に生えている、大きな百日紅の木だと誰もが思ったのだ。

そう、あたしたちは、いつも聞き役だった。あの人と話し合える人なんて、めったにいなかった。あの人がいろいろ話をする。そのことについてあたしたちが何か尋ねる。あの人が説明する。あたしたちは頷《うなず》く。あの人が笑う。あたしたちは、その笑い声をうっとりとして吸い込む。あたしたちの会話はいつもそんなふうだった。

うちにはさるすべりがあるの。

誰にも、それが何なのか分からなかった。

あたし以外には。

そして、あたしも、それが何なのかを、あのつるんとした顔の警察官に、久しぶりに会うまで分からなかったのだ。

八

彼女は、ベンチでぐったりと座っている。

顔色は真っ青で、額から汗を流している。

目を閉じて座っている彼女の顔は、何かに歪《ゆが》んでいる。

青い部屋。

彼女のまぶたの裏には、今出てきた古い日本家屋の奥にある、小さな部屋が浮かんでいる。

さっき、廊下に立っていた幼い白いブラウスの少女と、彼女は目を合わせたはずだ。

今また彼女は、あの廊下に立っている。

いつのまにかその少女は、水玉模様のブラウスを着た緋紗子になって、ひんやりとした薄暗い廊下に立っていた。


彼女は、廊下の真ん中で、緋紗子と見つめあう。

二人の間には距離があった。

あたしはこの部屋のことだと思っていたんです、と彼女は言う。

そうだったの、と緋紗子は答える。

ええ。有名なこの部屋。文豪がエッセイに書いたこの青い部屋。珍しい顔料を使った、どこか他人を拒絶しているこの部屋。宝石箱のような部屋。緻密《ちみつ》な細工を凝らした、隙のない部屋。地元の子供たちが遠足で来るこの場所。有名な庭の片隅にある建物。この地を訪れる観光客の目的地。

だけど、あの警察官の話を聞いた瞬間に分かりました。

彼女は緋紗子を見つめたまま言う。

ここには白い百日紅《さるすべり》などない。あなたの言っていた青い部屋は、ここじゃあなかった。

彼女は辺りを見回し、冷たい廊下でそう呟《つぶや》く。

そうね、と緋紗子は答える。

もう一つ、青い部屋があったんですね。

彼女はそう言って、再び緋紗子を見る。

そうよ、と緋紗子は答える。

彼女は思い出す。幼い日、学校の帰りに友達と見た家。

あなたの家。船の窓のある家。丸窓の家。

丸い窓が三つ並んでいて、遠くから見ると船みたいだった。

みんな、その家の苗字《みようじ》を口にしなかった。大人たちは、「丸窓さんのところ」と言っていたっけ。最初はてっきり、それが苗字なのだと思っていたのだ。

あたしは何度かあなたの家に入ったことがあった。あの立派な家。みんなの、地域の中心であった家に。あなたの弟はあたしと仲良くしてくれた。あたしを見かけると、よく家の中に連れていってくれ、お菓子を沢山分けてくれた。ラムネが舌の上で溶ける、苦くて甘い感じ、ちょっと身震いするあの感覚をあたしは今でも覚えている。

いつもクラシック音楽が流れていて、上等な空気が漂っていた家。

こっちだよ。僕の部屋においでよ。今、ジュース貰《もら》ってくるからね。

あなたの弟がぱたぱたと廊下を小走りに駆けていく音が聞こえる。

あたしはおっかなびっくり、家の中をきょろきょろ見回しながら彼の後をついていく。

余計なものが置いてなくて、廊下はぴかぴかに磨かれていて、天井が高くて、映画の中に出てくるお屋敷みたいだった。

あたしは、あの窓を探していた。一番特徴のあるあの窓が、中から見るとどうなっているのか知りたかった。

ねえ、あの窓はどこ？

あたしは彼に尋ねる。彼は「ああ」と頷き、廊下の奥を指さす。

あの窓が付いているところは、三つの小部屋に区切られていた。一つは電話室。一つは、流しの付いた洗面所。そして、もう一つは——

奥様の部屋。

彼のお母様がお祈りをする、小さな小さな部屋だった。

初めてそう教えられた時、あの部屋のドアは閉まっていた。

お祈りをするための部屋がこの世に存在するなんていうことを、あたしはあの時初めて知った。

ふうん、と呟いて、木のドアを見つめていた。

大抵あの部屋のドアは閉まっていたけれど、一度だけあたしはあの部屋を覗《のぞ》いたことがあった。何かの時に、たまたまドアが少しだけ開いていることがあったのだ。

あたしは何の気なしに、ひょいと中を覗き込んだ。

しかし、次の瞬間、ぎょっとして反射的に身体を引いていた。

そこは、青かった。

真っ青な空間。

あたしは恐る恐るもう一度中を見た。そして、部屋が青い理由を知った。

窓に青いガラスが嵌《は》まっていたからだ。ガラス越しに射《さ》し込む光は、部屋を静かな青に染めていた。

ガラスだけではない。昔の左官職人が腕を振るったという、青いタイルも壁に並んでいた。青い時間が、その部屋には他と異なる速さで流れていた。

静寂。ただ静寂がその小さな部屋を埋めていた。

なぜか、言葉を奪われてしまう部屋だった。あたしは、見てはいけない場所を見たという気持ちになった。

ふと、中の棚に目が吸い寄せられる。

そこには、一輪の花が生けてあった。小さな花瓶に、一輪の白い百合《ゆり》が。

白い百合。神に清められた純潔の花。奥様はあの花が好きだった。

そう、あたしはあの部屋を見た。しかし、そのことをずっと忘れていたのだ。

もう一つの青い部屋。あなたが、あの日、繰り返し語った青い部屋のことを。

そして、あの部屋の花が、あなたにとっての「さるすべり」だったのだ。

百合の花がそうだったというわけじゃない。あなたは百合の花がどれかは知っていたはずだ。あの青いガラスの窓には、中央にフラ・ダ・リという、百合の花を象《かたど》った文様が入っていた。箇略化された、古い西洋の文様。あなたはあれのことを「さるすべり」と呼んでいたのだ。どこでそんな誤解が生まれたのかは分からない。しかし、あなたの中では、あれが「うちのさるすべり」だったに違いないのだ。

そうでしょう？

彼女は緋紗子に向かって冷たい廊下で尋ねる。

しかし、緋紗子は答えない。

二人の間には、長い沈黙が降りる。

緋紗子は、謎めいた笑みを浮かべ、じっと彼女を見ているだけだ。

彼女は口の中で呟く。

つまり、あなたが言っていた、そばにいた大人というのは——

九

奥様は立派な方だった。

昔も今も、誰もがそう言う。

敬虔《けいけん》なクリスチャンで、娘の不運を嘆く夫を励まし、常に自分を殺して地域に奉仕し、各地の教会を回って恵まれない人々に対する献身的な活動を続ける。

緋紗子もよく奥様に連れられて、各地の教会を回っていた。行く先々の町の音を聞くのが楽しみだったという。音でどの町に行くのかすぐに分かったと話してくれたっけ。

娘を愛し、誰よりもその幸福を願っていた奥様。

決して目立つ人ではなかった。口数の多い人ではなかったし、常に控えめに、影のように家族に寄り添っていた。

もちろん、緋紗子にも。

全く自分の感情を外に出さない人だった。しかし、何かの信念が奥様を支えていた。それがどんなものだったのか、今では誰も知ることはできない。

奇跡が起きることを望んでいたのは奥様だったのではないか？ 娘は何かの犠牲になっていたと考えていたのでは？ 何か贖罪《しょくざい》が必要であると？ 何か大きな犠牲が必要だと思ったのでは？

あるいは、と彼女は考える。

不運ではないそれ以外の人々を憎んでいたという可能性は？

彼女は膝《ひざ》の上で腕を組み、額を載せる。

目の奥の痛みは耐えがたくなっている。

緋紗子の存在そのものが奇跡ではなかったのか。あたしの奇跡であっても、奥様には奇跡ではなかったのか。

分からない。

彼女はつらそうに顔を上げる。陽射《ひざ》しは傾き、観光客が引き揚げていく。

青い光が降り注ぐ部屋に、白いブラウスを着た少女と、少女をじっと見守る着物姿の女が立っている。そして、その後ろに彼女は立っていた。

さあ、祈りなさい。

少女の背中に向かって女は低く促す。

少女の背中がびくっと震える。

神様に全てを打ち明けるのです。

女は続ける。その顔は無表情だが、声は厳しい。

少女の肩は小刻みに震えている。

どうしてなんです？　あなたたちの間に何があったんです？

彼女は女の背中に、少女の肩に問いかける。しかし、二人とも彼女の問いかけに応《こた》えようとはしない。

あたしは知らなくてはならないんです。だって、あたしは鑑賞者なんだから。

彼女は懇願する。泣いて注意を引こうとする。

しかし、二人の白い背中はそのままだ。白い背中、青い光、窓の中央のフラ・ダ・リ。

緋紗子は、幼い日、あの部屋で何を告白し、何を懺悔《ざんげ》し、何を祈っていたのだろう。そもそも、緋紗子をあの部屋に連れて行った奥様は何を考えていたのか。

警察官は、緋紗子が手をくるくる回していたと言った。

それは恐らく、あの部屋で十字を切っていた幼い日を再現していたのだ。

そんなに幼い娘が、何の罪で許しを乞《こ》うていたというのか。また、そんな幼い娘に奥様は何を懺悔させようとしていたのか。

分からない。

彼女はのろのろと立ち上がり、人気のない茶屋に向かって歩き出す。

喉《のど》が渇いた。身体が重い。視界は極端に狭く、周りのものが何も見えなかった。

頭まで血が上がっていかない。下半身だけに血が通っている。

進まなければ。何か飲んで、ここから抜け出さなければ。

彼女は夕暮れの迫る庭を歩いている。

空から、光の弾丸が彼女に撃ち込まれ続け、彼女は必死にその痛みに耐える。

いつしか弾丸は青い光になる。

彼女はもう何も考えていない。一人の幼い少女になって、青い部屋の中を、許しと水を求めてさまよい続ける。

あの日から続く長い夏を。彼女の、終わらない永遠の夏の中を。

ユージニアノート

I　ブックデザイナー

え、あ、頼まれたもの？　えへっ、まだできてないの！　もうちょっとだから、もうちょっとちょっとだから、ちょっと待ってもらえない？　ほとんどできてるからね。あ、でもせっかく来てくれたんだから、ちょっと見て見て、この写真。新しい印刷の技法で刷ってみたの。綺麗《きれい》でしょ。普通と違うでしょ。どうしてこんな風にキラキラ見えるのかなあ。不思議だなあ。そうそう、文庫のカバーのデザインね、ちょっと変えたいの、待っててね。

……初めてオファーの電話をいただいた時のことですか？　そりゃあ、覚えてますともですとも。

僕ね、テレビドラマの『六番目の小夜子』を何べんも見てたの。好きだったのはね、「よくわからなさ」加減。不思議な行事があって不思議な日常が解かれてゆく、類を見ない不思議さと美しさで、こういうお話作りがあるんだーって驚いたんです。だから、電話で『ユージニア』の単行本を造って下さいって頼まれた時、「きゃー」って叫び声をあげちゃったの。最初に聞いたのは、小説に一番出てくるのは何色ですか、丸窓さんのお屋敷の部屋はどうなっているんですか、現場に残されたメモは何の紙に書かれていたんですかってこと。そうしたら、「百日紅《さるすべり》が白で、レインコートが黄色」、「現場に残されたメモは普通の紙に書かれたもの」、「この小説は、読むと不安になって、読み進めるとさらに不安が深くなる、デヴィッド・リンチ監督の『ツイン・ピークス』みたいなお話」だって、恩田さんが言ったんです。眩暈《めまい》がするような本でもいいですか？　って訊《き》いて、それから、「壊れながら読む本」にしようって、文字組みデザインを始めたんです。美しく清潔で、でも壊れてる感じ。

まず小説の本文の文字を、逆時計回りに傾けた。そうだそうだ、それから、ページをめくるごとに、本文があがったりさがったり脈打って、心臓音がどくどくしているようにしたの。そしたら恩田さんは、「面白いけれども、文字が傾いていることに一度気づくと気をとられる。気にならない程度にできないでしょうか」って。確かにそうだと思った。

でもねえ、恩田さん、器が大きいですよ。驚きましたよ。文字が傾いていてもOKなんだ！　って。普通、自分の書いた本の文字が傾いていたら嫌だよね？　なんでOKが出たんだろう？

あ、皆さん、気がついていました？　単行本の本文は、時計回りに一度傾いているんですよ。でも、「て、で、に、を、は、へ」だけは、傾いてなくて、ほぼまっすぐ。「っ」や「ゃ、ゅ、ょ」は、戦前戦後の子供用の本みたいに、上の文字にくっついてるの。「、」は、横に長くって、さらに、一番外側の行は、一番内側の行より一文字字が少ないの。あとね、「Eugenia」のロゴは、イタリック体をまっすぐに戻したんだよ。平衡感覚がちょっと麻痺《まひ》するでしょ。

こういう本は、構造自体が、最初からいきなり壊れるのが大事。まず、「現場に残されたメモ」を、本とは違うサイズの紙に刷って一枚目に挟みこんだんです。そのメモの上の「Eugenia」のロゴが、文字をこそげとったようなのは、薬品を感じさせるため。昔の本って、インキと紙による化学変化で、次のページに文字が写りこんでたりしたんです。そんな風に、紙がタイトルの強さに負けた感じ、たとえば薬品がリトマス紙にじんわり染みたような感じに見せて、酸っぱいにおいをかがせたいなって。毒殺ですもの。

それからね、本文の紙は、冷たくて薄い、昭和後期の一番ベーシックな紙、キンマリで決んまり！ 持つとずっしりと重いんだよ……。

目が見えない少女・緋紗子は、世界を黒い闇ではなく、薄い膜がかかった白のように感じているのね。だからカバーは、白の向こうに風景が透けて見えるようにしたかった。そう伝えたときに恩田さんが選んできたのが、写真家の松本コウシさんの写真集『眠らない風景』の中の一枚。金沢ではないし、松本さんが独自に撮った写真だったけれども、小説の世界にぴったりと合った雰囲気のある写真で、これはグーって思った。それでまだ会ったこともない松本さんに、カバーの裏にミラー版であなたの写真を使わせて下さいって頼んだんです。表からは正位置で絵柄が見える。でも、写真は裏に刷られているから、絵柄がはっきり見えない。そんな仕上がりで、この絵柄をどうしても使わせてもらいたかったけど、写真をミラー版で裏に刷るなんて、松本さんにＯＫしてもらえないと思っていました。

それなのにやってみて下さい、お任せしますと松本さんから許可をいただいたので、写真を「たましきアラレ」という紙に刷ったら、全然写真が透けて見えなかった。これはもう、スタンダードなトレーシングペーパーで行くしかないな、と思ったらちょうど、クリスマス時期でラッピング用に出払っていて、在庫がなかった。結局、たまたまおさえられていたストライプ入りのトレペに決定。危機一髪！

それから、本体の表紙は、やっぱり緋紗子を意識して、光の吸収と反射だけを見せようと、キラ入りの白い紙に白インクでタイトルを刷ったの。より白っぽくするために、白を二度刷ったら、印刷された紙を切り分ける時に、作業する人が断ち位置が見えないっていうので、その時の目印だけのために黒いインクも使うことになった。だから、全部白なのに、三回も刷ることに。どんどん発売時期は迫るしお金かかるし、スリル満点でしたねぇ。

厚表紙には芯《しん》になる板紙が入ってるんですけど、本を開くと糊《のり》付けしたあとが透けて見えるように、板紙を濃い色にしたり。透き通った白で始まって、各章扉の裏は淡いグレー。これ、段ボールをスキャニングしたんだけど、作品が終わり、最後の見返しに到るまで、じょじょに真っ黒くなる。闇の見え方が、緋紗子の中で変わっていくようにね。

ほかにも頭がくらっとする、トリック、あっちこっちにあるんですよぉ。

でも、文庫は単行本とまったく変えちゃった。えへ。

そういえば、恩田さんの酔った姿は、男子！ですね。恩田陸が書いた小説と、恩田さんが酔った姿って、全然つながらないの。そこにも何か、ミステリが潜んでるのかしら？

あの冬、本が出るまで、あなたはずっと僕の仕事場にいましたよね。会社に行かないで、ここで何してたの？　え、本が出てからも出社拒否になった？　文字が傾いていたから？　大変なことになっちゃいましたね。ごめんなさいね。

あの冬、私たちに何があったのか——。うふふ。写真家も、印刷所も、編集者も、出版社も、みんなおかしくなっちゃった。物語には人生を変える力がありますね、なんて。

そんな話を文庫のあとがきに書いてまとめる？　大丈夫？　まだ磁場がひずんでいるんじゃない？

ところで、単行本と文庫で、タイトルのロゴを変えたの気づきました？　文庫版のほうが、いいでしょ。「ユージニア」のカナと、「恩田陸」の漢字、同じサイズなんだよ。なのに、漢字のほうがすごく大きく見えるでしょ。不思議でしょー。

あれ、まだ文庫のデザイン、できてないねえ。なんでだろうな？　僕、やったんだけどな？　なぜでしょうね。なんででしょうね。もうちょっと待っててね。

Ⅱ　作家

『ユージニア』ですか。この物語を書いている途中は、とにかくスローテンポで先に進まない小説だな、ということしか記憶にないんです。長い時間をかけて書きましたしね。詰まらずに書いたのに、書き終わってもどうしても物語が終わった感じがしなかった。連載後、本になるまで、ずっと落ち着かない気持ちでしたよ。重力の軛《くびき》が強い小説でした。

舞台となった金沢には入れあげて、何度も行きました。

よく覚えているのは、三月に行った時のこと。同行の編集者の花粉症がひどくて、町のそこら中でくしゃみをして、鼻水が止まらなかった。それなのに、蕎麦《そば》屋に行ったら急に、花粉症が治ったんです。なんでここに来たら治ったんだ？　って、不思議でしたね。

雪がひどく積もっている時に訪れたこともありました。手取川沿いの一向一揆《いっき》の村、鳥越《とりごえ》村にも行きましたし、冬枯れの能登半島も車で一周しました。のどぐろ、がんど、香箱蟹《こうばこがに》といった、北陸の魚もよく食べましたね。

金沢を訪れるたびに寄ったのは、兼六園と成巽閣《せいそんかく》です。成巽閣は、部屋も色も何もかもが奇矯で、気持ちが悪い。「群青の部屋」は、ここで生まれました。

ええ、最初から、自分でも何か嫌なものを書いているなあと思っていました。手応《てごた》えがありましたね。物語に引きずられて、書かされたんです。

真実って、本当は何かわからないものだと思うんです。真実が一つしかない、なんてことは絶対にないですよ。なのに、人は白か黒か決着をつけたがる。わかりやすい「真実」を求める。だから、ここでは、黒だけでも白だけでもない、グレイゾーンを描きたかったんです。

そんな小説ですから、祖父江《そぶえ》さんが装丁するとなって、嬉しかったですよ。祖父江慎といえば、編集者が一度は通らなければならないと言われる、奇抜で斬新、チャレンジングなブックデザイナー。会う前はアーティストを想像していましたが、会ってみたら職人でしたね。

渋谷にあるビジネスホテルのカフェで、デザイン案を祖父江さん本人に説明してもらいました。「じゃーん！　字を傾けてみちゃいましたあ！」ってね。アイディアは面白いと思った。ちょっと傾きすぎてたし、あがったりさがったりは止めてもらったけど。

文字が異様に好きな職人なんですね。

私は密《ひそ》かに、祖父江さんを「大きい姉ちゃん」と呼んでいるんです。私たち、本ができてから『細雪』ごっこをしましてね。祖父江さんが一番上のお姉ちゃん。私は三番目の「き姉ちゃん」。担当編集が「こいさん」で、印刷所の紺野さんが二番目かなぁ。周りの男子編集者たちはドン引きだったけど、祖父江さんはそんな遊びにものってくれるの。

Ⅲ　フォントディレクター

すみません、遅れて。申し訳ありませんが、ちょっとインタビューの前に一本、メールをさせて下さい。ええ、このＭａｃＢｏｏｋ　Ａｉｒはいつも持ち歩いてます。別に回し者ではないですけれども、一台でウィンドウズも使えますし、コストパフォーマンスもいい。バッテリーが五時間保てば、言うことないんですがね。

僕のＭａｃには、二千数百種類ほどの書体が入っているんですよ。工場にない書体も多いんです。

いや、僕は機械畑ではありません。勤めは印刷所の技術本部のＳＥ部、いわば、お客さんと工場の橋渡し役なんですが、僕自身は、水道橋の都立工芸高校の出身です。物心ついた頃からデザイナーになりたかった。大学に行くつもりは端からなく、早く現場に出て実践すべきと考えていました。でも、あまりにも早くからそう思いすぎたのか、途中で醒めてしまって。結局デザイナーの道は選ばなかったんです。

転機は、一九八八年でした。高校三年の三学期、僕のいた高校のデザイン科にＭａｃが確か二十台導入されたんです。一気に魅了されました。卒業制作のためにＭａｃと過ごした濃密な時間が、脳裏に焼きついて離れなくてね。大学に行かない代わりに、Ｍａｃを買いました。ちっちゃなモノクロ画面一体型の、今からすればオモチャみたいなＭａｃで、ＨＤ四十メガにメモリは二メガ。本体価格六、七十万ほどのものを、六十回払いで買ったんです。これで、醒めてしまったはずの自分が、デザインの世界に呼び戻された。

祖父江さんは相当以前から印象深く見ていて、いつかは仕事をしたいと思っていました。この本で夢が現実になって、待ってました！　という思いでしたね。わくわくしましたが、実際のデザイン指示を見た時には、ここまで細かいのか！　と、呆然《ぼうぜん》としました。『ユージニア』の単行本を造った当時は、インデザインというソフトが新しく、編集者もデザイナーも、その使い勝手に懐疑的でした。しかしこれを使うと、今までなら「勘弁して下さい」と、印刷所に匙《さじ》を投げられた組版デザインも、自由にできる。なるほどここまでできるのか、と祖父江さんは思ったに違いありません。相当、無理難題を言ってきましたよ。

最初に本文デザインをもらって、まず三十二頁分だけ造ってみた。そうしたら、夜、寝る前にパソコンでテキストデータの配置を始めたのが、朝、起きてみてもまだ終わってなかった。いったい、一冊の文字を組むのに何時間、何日かかるのかと愕然《がくぜん》としましたよ。幸か不幸か、そのデザインは恩田さんからノーが出て、やれやれ、でしたね。

とにかく前代未聞のことばかりでした。

よくみんな、「テキストを流す」と言いますが、僕はこの言葉が嫌いです。「流す」のと「組版する」のは違うんです。つい僕も「流す」と言ってしまうんですが、実際にはそんな簡単にはいかない。たとえば、今回は「っ、ゃ、ゅ、ょ」を明治大正期の活版時代の組みのように右上に寄せるために、拗促音《ようそく》の前のひらがなとの間はマイナス一二・五パーセント詰め、拗促音の後ろのひらがなとの間は一二・五パーセント開く、というように、ルールを一つずつ決める。足して引いてそれぞれのアキが相殺されて、一行にうまく文字がはまるように「流す」前に「組む」設定を定義する。そして「流した」あとに「組み」あげる。これが心臓部です。

そのためには、小説の世界観を摑《つか》んでおくことも大事です。邪魔だって言われるくらいつきまとってやらないと、こういう仕事はできないんですよ。

恩田さんとお会いしたのは、いつでしたか。突然夜中に、呑《の》んでるからって呼ばれて、よく呑みよく食べる人だな、と。まず著者本人に会って、作品を読むなんて、贅沢《ぜいたく》なことですけれども。後から読んだ『ユージニア』の作品と、作者とのギャップがあってね。作家もデザイナーも、一口では語れない人たちだなぁと思いましたね。

Ⅳ　写真家

そもそもなぜ、夜の写真を撮っているか、ですか？　語り始めると一冊の本が出来てしまうので、辞めておきましょう。夜を撮り始めてかれこれ二十年ですから、もう理由なんて忘れちゃったかもしれません。

とにかく僕は、夜が好きなんです。夜ってものすごく撮り難いし、昼間より断然苦労が多い。それも苦にならないほど夜は魅力的で、気付けば人生の半分を費やしてしまいました。僕の撮り方は、アクティブではなくパッシブ。夜を徘徊《はいかい》し、街が発する「何か」を受けとめるところから始まる。作者が無口になればなるほど、被写体はおしゃべりになる。写真の中の風景が発するものを言語化し、物語に変えるのは、僕ではなく作品を見た人なのです。

最初にあなたから電話がかかってきた日ですか。あの日は、とても機嫌が良かったんです。いつもの頑固な僕なら、裏版と聞いただけで、話もそこそこにお断りしたかもしれません。しかし裏版でも、隠し写真でも、「見たいな」と思わせる何かがあった。出来上がった本を見た時には、「恩田陸、ごっつう愛されてるやん！」と。そんな数多き片思いの愛人の一人になれて幸いです。デザインには、写真に対する愛も感じましたね。

単行本のカバー写真は、舞台のK市ではなく、大阪の上町台地付近で撮ったものです。昔々は、ここから海が拡《ひろ》がっていたとされる場所。大阪平野《おおさかへいや》の開拓、埋め立ては、この地からスタートしたわけです。もちろん写真は、歴史まで語らない。けれど、縄文時代には、この階段を降りたところで魚が泳いでいたと思うと、ロマンが拡がるじゃないですか。

文庫のカバー写真は、喜連瓜破《きれうりわり》という、大阪でも特に変わった地名の、古い公団住宅です。毎年六月になると、律儀にも同じ場所でバラの花が咲く。昭和半ばに建てられた公団住宅は、老朽化の為にその殆《ほとん》どが建て替えられ、消えようとしています。ここ瓜破団地も半分以上が取り壊され、シンボルだった給水塔も今はありません。僕が十八年間撮り続けた写真集、『眠らない風景』シリーズも、その半分はもう存在しない風景なのです。

長時間露光で撮った夜の写真には、一瞬の「時」ではなく、蓄積された「時間」が写り込んでいます。写真の中にだけ存在する、過去の事象がある。それを見てほしいですね。

失われた風景に秘められた記憶。写真の奥にある街の記憶を紐解《ひもと》くと、恩田陸の描く時空とどこかでリンクしているかもしれませんから……。

本文デザイン　祖父江慎＋cozfish

初出
KADOKAWAミステリ2002年８月～2003年５月，
本の旅人2003年７月～2004年９月
本書は，2005年，単行本化にあたり，加筆修正をしたものの文庫化です。

ユージニア

恩田《おんだ》 陸《りく》

平成20年 8 月25日　初版発行
令和 6 年 5 月15日　32版発行

発行者●山下直久

発行●株式会社KADOKAWA
〒102-8177　東京都千代田区富士見2-13-3
電話　0570-002-301（ナビダイヤル）

角川文庫 15277

印刷所●株式会社KADOKAWA
製本所●株式会社KADOKAWA

表紙画●和田三造

●お問い合わせ
https://www.kadokawa.co.jp/（「お問い合わせ」へお進みください）
※内容によっては、お答えできない場合があります。
※サポートは日本国内のみとさせていただきます。
※Japanese text only

ISBN 978-4-04-371002-7　C0193

角川文庫発刊に際して

角　川　源　義

第二次世界大戦の敗北は、軍事力の敗北であった以上に、私たちの若い文化力の敗退であった。私たちの文化が戦争に対して如何に無力であり、単なるあだ花に過ぎなかったかを、私たちは身を以て体験し痛感した。西洋近代文化の摂取にとって、明治以後八十年の歳月は決して短かすぎたとは言えない。にもかかわらず、近代文化の伝統を確立し、自由な批判と柔軟な良識に富む文化層として自らを形成することに私たちは失敗して来た。そしてこれは、各層への文化の普及滲透を任務とする出版人の責任でもあった。

一九四五年以来、私たちは再び振出しに戻り、第一歩から踏み出すことを余儀なくされた。これは大きな不幸ではあるが、反面、これまでの混沌・未熟・歪曲の中にあった我が国の文化に秩序と確たる基礎を齎らすためには絶好の機会でもある。角川書店は、このような祖国の文化的危機にあたり、微力をも顧みず再建の礎石たるべき抱負と決意とをもって出発したが、ここに創立以来の念願を果すべく角川文庫を発刊する。これまで刊行されたあらゆる全集叢書文庫類の長所と短所とを検討し、古今東西の不朽の典籍を、良心的編集のもとに、廉価に、そして書架にふさわしい美本として、多くのひとびとに提供しようとする。しかし私たちは徒らに百科全書的な知識のジレッタントを作ることを目的とせず、あくまで祖国の文化に秩序と再建への道を示し、この文庫を角川書店の栄ある事業として、今後永久に継続発展せしめ、学芸と教養との殿堂として大成せんことを期したい。多くの読書子の愛情ある忠言と支持とによって、この希望と抱負とを完遂せしめられんことを願う。

一九四九年五月三日

角川文庫ベストセラー

角川文庫ベストセラー

オリンピックの身代金（上）（下）　奥田英朗

昭和39年夏、オリンピック開催を目前に控えて沸きかえる東京で相次ぐ爆破事件。警察と国家の威信をかけた捜査が極秘のうちに進められる。圧倒的スケールで描く犯罪サスペンス大作！　吉川英治文学賞受賞作。

いつも旅のなか　角田光代

ロシアの国境で居丈高な巨人職員に怒鳴られながら激しい尿意に耐え、キューバでは命そのもののように人々にしみこんだ音楽とリズムに驚く。五感と思考をフル活動させ、世界中を歩き回る旅の記録。

恋をしよう。夢をみよう。旅にでよう。　角田光代

「褒め男」にくらっときたことありますか？　褒め方に下心がなく、しかし自分は特別だと錯覚させる。ついに遭遇した褒め男の言葉に私は……ゆるゆると語り合っているうちに元気になれる、傑作エッセイ集。

薄闇シルエット　角田光代

「結婚してやる」と恋人に得意げに言われ、ハナは反発する。結婚を「幸せ」と信じにくいが、自分なりの何かも見つからず、もう37歳。そんな自分に苛立ち、戸惑うが……ひたむきに生きる女性の心情を描く。

GO　金城一紀

僕は《在日韓国人》に国籍を変え、都内の男子高に入学した。広い世界へと飛び込む選択をしたのだが、それはなかなか厳しい選択でもあった。ある日僕は、友人の誕生パーティーで一人の女の子に出会って——。

角川文庫ベストセラー

レヴォリューションNo.3　金城一紀

オチコボレ高校に通う「僕たち」は、三年生を迎えた今年、とある作戦に頭を悩ませていた。厳重な監視のうえ、強面のヤツらまでもがガッちりガードする、お嬢様女子高の文化祭への突入が、その課題だ。

ミステリは万華鏡　北村薫

そこに謎があるから解く。それが男の生きる道――ミステリに生まれミステリに生きる作家、北村薫が名作文学から魚の骨まで、森羅万象を縦横無尽に解きまくる、濃くて美味しいエッセイ集!!

北村薫のミステリびっくり箱　北村薫

落語、将棋、嘘発見器……かの江戸川乱歩がハマった数々のアイテムを「お題」とし、北村薫が各界の第一人者&宮部みゆき・綾辻行人ら人気ミステリ作家を迎えておくる豪華対談集。

ファントム・ピークス　北林一光

長野県安曇野。半年前に失踪した妻の頭蓋骨が見つかる。しかしあれほど用心深かった妻がなぜ山で遭難？　数日後妻と同じような若い女性の行方不明事件が起きる。それは恐るべき、惨劇の始まりだった。

サイレント・ブラッド　北林一光

失踪した父の行方を訪ね大学生の一成は、長野県大町市にやってきた。深雪という女子大生と知り合い一緒に父の足取りを追うが、そこには意外な父の秘密が隠されていた！

角川文庫ベストセラー

こんな老い方もある　佐藤愛子

人間、どんなに頑張ってもやがては老いて枯れるもの。どんな事態になろうとも悪あがきせずに、ありのままに運命を受け入れて、上手にゆこうではありませんか。美しく歳を重ねて生きるためのヒント満載。

ホテルジューシー　坂木司

天下無敵のしっかり女子、ヒロちゃんが沖縄の超アバウトなゲストハウスにて繰り広げる奮闘と出会いと笑いと涙と、ちょっぴりドキドキの日々。南風が運ぶ大共感の日常ミステリ!!

私という運命について　白石一文

大手メーカーに勤務する亜紀が、かつて恋人からのプロポーズを断った際、相手の母親から貰った一通の手紙。女性にとって、恋愛、結婚、出産、そして死とは……運命の不可思議を鮮やかに映し出す感動長篇。

ナラタージュ　島本理生

お願いだから、私を壊して。ごまかすこともそらすこともできない、鮮烈な痛みに満ちた20歳の恋。もうこの恋から逃れることはできない。早熟の天才作家、若き日の絶唱というべき恋愛文学の最高作。

一千一秒の日々　島本理生

仲良しのまま破局してしまった真琴と哲、メタボな針谷にちょっかいを出す美少女の一紗、誰にも言えない思いを抱きしめる瑛子――。不器用な彼らの、愛おしいラブストーリー集。